56025

Bez serca

Kat Martin

Bez serca

przełożyła
Anna Pajek

Warszawa 2013

Tytuł oryginału: *Heartless*

Projekt okładki: *Olga Reszelska*

ISBN 978-83-7551-310-3

Wydawnictwo BIS
ul. Lędzka 44a
01-446 Warszawa
tel. (22) 877-27-05, 877-40-33; fax (22) 837-10-84

e-mail: bisbis@wydawnictwobis.com.pl
www.wydawnictwobis.com.pl

Rozdział 1

SURREY, ANGLIA, rok 1800

Och, gdybym mogła być taka jak wy. Ariel Summers, skulona za żywopłotem ocieniającym alejkę prowadzącą do wspaniałego Greville Hall patrzyła, jak mija ją wytworny czarny powóz z opuszczoną budą i pozłacanym herbem na drzwiczkach. Córka lorda, lady Barbara Ross, usadowiona wygodnie na czerwonych aksamitnych poduszkach, śmiała się, gawędząc radośnie z przyjaciółkami, jakby nie miała ani jednej troski.

Ariel wpatrywała się w dziewczęta z tęsknotą, wyobrażając sobie, jak by to było nosić piękne ubrania, suknie uszyte z najprzedniejszego jedwabiu w odcieniach różu, lawendy i niemal opalizującej zieleni – a także dobraną do nich kolorem parasolkę.

Pewnego dnia, pomyślała z nadzieją.

Gdy tylko zamknęła oczy, widziała siebie w mieniącej się złotem sukni, z jasnoblond lokami upiętymi wysoko i smukłymi stopami, obutymi w pasujące do sukni trzewiczki z koźlęcej skórki. Kiedyś też będę miała powóz, przysięgła sobie, i suknię na każdy dzień tygodnia.

Wiedziała jednak, że nie ma co się spodziewać, by nastąpiło to jeszcze dzisiaj, a nawet w dającej się określić przyszłości.

Odwróciła się zatem plecami do znikającego w oddali powozu, uniosła skraj brązowej spódnicy z szorstkiego materiału, odsłaniając mocne, praktyczne buciki, i pobiegła z powrotem do chaty. Powinna wrócić już przed godziną. Ojciec będzie wściekły, jeśli odkryje, czym się zajmowała. Modliła się, aby nie wrócił jeszcze z pola.

Niestety, kiedy uniosła skórzaną zasłonę zastępującą latem drzwi, Whitby Summers już na nią czekał. Westchnęła, gdy chwycił ją mocno za ramię i pchnął na ścianę z plecionki zarzuconej szorstkim tynkiem. Zmusiła się, by spojrzeć w jego nabrzmiałą, zaczerwienioną twarz, a potem skrzywiła, kiedy wymierzył jej policzek.

– Mówiłem, żebyś nie zwlekała. Kazałem ci odnieść szycie i wrócić. A ty co robiłaś? Gapiłaś się na damy w wymyślnym powozie? Śniłaś na jawie, jak zwykle, prawda? Marząc o czymś, czego nigdy nie będziesz miała. Pora stawić czoło prawdzie, dziewczyno. Jesteś córką dzierżawcy i tak już zostanie. A teraz ruszaj na pole.

Ariel nie sprzeczała się, po prostu umknęła przed gniewem widocznym na zaczerwienionej twarzy ojca. Na zewnątrz zaczerpnęła drżącego oddechu i przerzuciła przez ramię jasny warkocz. Policzek nadal palił ją od ciosu, uznała jednak, że było warto.

Pośpieszyła ku warzywniakowi, zacisnąwszy z uporem wargi. Nieważne, co mówi ojciec, pomyślała, przytrzymując powiewający na wietrze fartuch. Pewnego dnia zostanie damą. Whit Summers nie był jednym z wróżbitów, których widziała w zeszłym roku na jarmarku. Nie potrafił zajrzeć w przyszłość – zwłaszcza jej przyszłość. Stworzy sobie lepsze życie, ucieknie od ponurej egzystencji, jaką zmuszona była wieść teraz. Jej los należy tylko do niej i czeka gdzieś tam, z dala od spłachetka ziemi, na którym gospodarował ojciec.

Odkąd zmarła matka, Ariel pracowała od świtu do zmierzchu. Zamiatała podłogę składającej się z dwóch izb chaty i przygotowywała nędzne posiłki z tego, co mógł zapewnić niewielki skrawek dzierżawionej ziemi, zbierała ziemniaki i rzepę, pełła i okopywała warzywa w ogródku i pomagała ojcu przy zbożu.

Od tej właśnie ponurej, monotonnej, nieskończenie nużącej egzystencji zamierzała uciec. Przysięgła sobie, że to zrobi.

I miała plan.

* * *

Edmund Ross, czwarty lord Greville, kończył właśnie comiesięczną inspekcję pól uprawianych przez dzierżawców. Dzień był wyjątkowo upalny, żar lał się z nieba, wypalając ziemię i przydając rozjeżdżonym drogom twardości granitu. Zazwyczaj wolał dosiadać przy tej okazji któregoś z wierzchowców czystej krwi, lecz dzisiaj, ze względu na pogodę, wziął lekki faeton, mając nadzieję, że buda ochroni go choć trochę przed słońcem.

Powoził, rozparty wygodnie na wyściełanym skórzanym siedzeniu i wdzięczny za najsłabszy powiew północnego wiatru. W wieku czterdziestu pięciu lat nadal był atrakcyjnym mężczyzną o falujących czarnych włosach przetykanych srebrem i oliwkowej cerze. Zalety te doceniały zwłaszcza panie. W młodości miał wiele romansów – jako dziedzic włości oraz tytułu mógł zdobyć niemal każdą z dam. Lecz z wiekiem jego gusta uległy zmianie. Teraz bardziej niż talent i doświadczenie cenił sobie młodość oraz niewinność.

Wspomniał swoją obecną kochankę, Delilah Cheek, młodziutką dziewczynę, którą utrzymywał w Londynie. Była córką aktorki, jego niegdysiejszej kochanki. Sypiał z Delilah od ponad roku i jej młode, nierozwinięte ciało nadal go podniecało. Na samą myśl o małych, jędrnych piersiach i długich miedzianych włosach twardniał mu członek. Wziął ją na utrzymanie, gdy miała szesnaście lat i była dziewicą. Od tego czasu wiele się nauczyła, a raczej on ją nauczył, jak ma go zadowalać.

Ostatnio jej figura zaczęła jednak się zmieniać, nabierać kobiecych kształtów. Delilah dojrzewała i wkrótce straci dla niego powab. Tęsknił, jak zawsze, za pięknem i niewinnością.

Na Boga, kłopotliwe upodobania.

Wrócił myślami do czasów młodości i stłumił przekleństwo. Ożeniono go, gdy miał zaledwie dziewiętnaście lat. Było to zaaranżowane małżeństwo i pozostawiło gorzkie wspomnienia przestraszonej, oziębłej żony, dawno zmarłej, która dała mu córkę – piękną, acz bezużyteczną. Potrzebował syna oraz dziedzica.

Oczywiście, był jeszcze Justin, bękart, którego spłodził z córką miejscowego dziedzica, Isobel Bedford. Isobel była piękna, nieposkromiona i równie pożądliwa jak on. Nie uwierzyłby, że chłopak jest jego, jednak fizyczne podobieństwo – i wrogość pomiędzy nimi – stanowiły oczywisty dowód.

Kiedy powozik skręcił w polną drogę prowadzącą do chaty Whitby'ego Summersa, wrócił na krótko myślami do Delilah i tego, co zrobi z jej młodym ciałem, kiedy znów znajdzie się w mieście. Na widok jasnowłosej córki Whita, czternastoletniej Ariel, jego myśli zmieniły wszakże kierunek. Ariel była na swój wiek wysoka, smukła jak trzcina, o chłopięcej sylwetce, która nie zaczęła jeszcze nabierać kobiecych kształtów. Jednak ze swymi długimi lokami o barwie lnu, wielkimi, intensywnie niebieskimi oczami, wygiętymi w łuk Kupidyna miękkimi ustami i trójkątną twarzyczką zapowiadała się na prawdziwą piękność.

Kiedy przychodził do jej ojca, zawsze był wobec dziewczyny uprzejmy. Nie dojrzała jeszcze na tyle, by się nią zainteresować, uznał jednak, iż nie zaszkodzi, jeśli zaskarbi sobie na przyszłość jej względy.

* * *

Ariel patrzyła, jak smukły czarny faeton zatrzymuje się przed domem. Spodziewała się, że lord przyjedzie, pojawiał się bowiem zawsze tego samego dnia miesiąca. Wygładziła pospiesznie zwyczajną niebieską spódnicę i czystą białą bluzkę, wypraną poprzedniego wieczoru specjalnie na tę okazję. Potarła nieświadomie udo w miejscu, gdzie ojciec poprzedniego dnia zdzielił ją batem, oskarżając, że flirtowała z Jackiem Dobbsem, najmłodszym synem bednarza. Nie było to prawdą. Jack Dobbs był po uszy zadurzony w najlepszej przyjaciółce Ariel, Betsy Sills, córce rzeźnika, lecz kiedy Whit Summers się upił, prawda nie miała znaczenia.

W pewnym sensie była nawet zadowolona, że ją ukarał. Potrzebowała bodźca, by wprowadzić w czyn z dawna obmyślony plan.

Gdy chmura kurzu spod kół opadła, lord zaciągnął hamulec i wysiadł. Uznała, że jest całkiem przystojny, z tymi przetykanymi srebrem włosami i dziwnymi, szarymi oczami – przynajmniej jak na mężczyznę w tak zaawansowanym wieku.

– Dzień dobry, milordzie – powiedziała, dygając głęboko, z szacunkiem. Ćwiczyła ukłon przez kilka dni, więc jakoś udało jej się zachować równowagę.

– Rzeczywiście, dzionek mamy dziś piękny, panno Summers. – Przesunął po niej pełnym uznania spojrzeniem. Ilekroć to robił, czuła się jak kobieta, nie dziewczyna. – A gdzież to przebywa szanowny tatuś?

– Miał coś do załatwienia we wsi. Zapomniał pewnie o wizycie. – A ona specjalnie mu nie przypomniała. Chciała, by zniknął i by mogła porozmawiać z lordem na osobności.

– Przykro mi, że się rozminęliśmy, ale to bez znaczenia. – Spojrzał z aprobatą na pole. – Widzę, że zbiory będą obfite. Jeśli pogoda się utrzyma, dostarczycie do dworu solidną miarę zboża.

– Na pewno – przytaknęła. Lord odwrócił się i ruszył ku powozowi, chwyciła go więc za ramię. – Proszę wybaczyć, milordzie, ale chciałabym o czymś z panem porozmawiać.

Uśmiechnął się i odwrócił.

– Oczywiście, moja droga. Cóż to takiego?

– Czy uważa pan... że jestem ładna? – Sądziła, że mu się podoba, gdyż zawsze przypatrywał się jej w dziwnie szacujący sposób, mimo to wstrzymała oddech. Jeśli lord zaprzeczy, jej plan spali na panewce.

On rozciągnął jednak wargi w powolnym, pełnym uznania uśmiechu. Badał przez chwilę spojrzeniem jej twarz, usta, linię szczęki, a potem przesunął wzrok niżej, na piersi. Pożałowała, że nie są pełne i krągłe jak u Betsy.

– Bardzo ładna, Ariel.

– Myśli pan, że mężczyzna... ktoś taki jak pan... mógłby... to znaczy, za kilka lat... zainteresować się dziewczyną taką jak ja?

Lord Greville zmarszczył brwi.

– Interesować można się w różny sposób, Ariel. Pochodzimy z innych warstw społecznych, nie oznacza to jednak, że nie możesz mi się podobać. Uważam, że wyrośniesz na piękną młodą kobietę.

Serce poskoczyło jej w piersi.

– Skoro tak – powiedziała z nadzieją – zastanawiałam się... to oznaczy, słyszałam opowieści... o damach, które utrzymuje pan w Londynie.

Mars na czole powrócił, a wraz z nim wyraz twarzy, którego nie potrafiła rozszyfrować.

– A co dokładnie słyszałaś, moja droga?

– Och, nic złego, milordzie – zapewniła pospiesznie. – Tylko że dobrze pan te dziewczęta traktuje, kupuje im piękne suknie i w ogóle...

Nie spytał, od kogo to słyszała. Wiedziano powszechnie, że utrzymywał przez ostatnie lata kilka młodych kobiet.

– O co dokładnie chcesz mnie zapytać, Ariel?

– Miałam nadzieję, że pan i ja możemy zawrzeć układ.

– Jakiego rodzaju?

Tama runęła i Ariel nie mogła już się powstrzymać.

– Chcę zostać damą – wyrzuciła z siebie pospiesznie. – Pragnę tego bardziej niż czegokolwiek na świecie. Chcę nauczyć się mówić poprawnie, nosić ładne suknie i upinać włosy. – Chwyciła w dłoń masę jasnych loków i uniosła, aby zademonstrować, co ma na myśli. Gdy je puściła, opadły falą aż do bioder. – Gdyby zechciał pan posłać mnie do szkoły, bym nauczyła się tego wszystkiego... Gdybym mogła pójść do jednej z tych szkół dla młodych panien, gdzie uczą, jak być damą, chętnie zostałabym jedną z pańskich dziewcząt.

Przyglądała się, jak zaskoczenie w oczach lorda przechodzi w zamyślenie, czemu towarzyszył zdecydowanie diabelski błysk w oku, i po raz pierwszy ogarnęły ją wątpliwości.

– Chcesz, żebym zapłacił za twoją edukację – to miałaś na myśli?

– Tak, milordzie.

– A w zamian zgadzasz się zostać w przyszłości moją kochanką.

Przełknęła mocno.

– Tak.

– Rozumiesz, co znaczy to słowo?

Zarumieniła się lekko, wiedziała bowiem, że trzeba spać wtedy z mężczyzną w jednym łóżku. Nie była pewna, z czym jeszcze wiązało się bycie kochanką, lecz tak naprawdę nie miało to znaczenia. Chętnie zapłaci każdą cenę, byle wyrwać się spod władzy ojca i uciec od życia na farmie.

– Mniej więcej, milordzie.

Zaczął znów jej się przyglądać, mierząc od stóp do głów spojrzeniem. Czuła się tak, jakby zdzierał z niej ubranie sztuka po sztuce, i z trudem zwalczyła chęć, aby zasłonić się dłońmi. Zamiast tego znosiła z godnością badanie, unosząc wysoko brodę.

– To bardzo interesująca propozycja – powiedział. – Trzeba wziąć, oczywiście, pod uwagę twego ojca, jednak o ile go znam, z pewnością uda się jakoś to załatwić.

– Wyciągnął rękę, ujął Ariel pod brodę, odwrócił jej twarz w jedną, a potem w drugą stronę i przyglądał się uważnie policzkom, delikatnej krzywiźnie szczęki. Przesunął palcem po wargach dziewczyny, a potem skinął głową, wyraźnie usatysfakcjonowany.

– Tak... doprawdy bardzo interesująca. Wkrótce się do ciebie odezwę, droga Ariel. Proponuję, byś do tego czasu utrzymała naszą rozmowę w tajemnicy.

– Dobrze, milordzie. Tak zrobię. – Przyglądała się, jak mężczyzna wsiada do powozu, bierze do rąk wodze i zacina konie. Serce biło jej mocno w piersi, a dłonie zwilgotniały.

Świadomość tego, że plan zadziałał, wprawiała ją w najwyższe podniecenie. Lecz kiedy osłabło, pojawiła się niepewność. Nie mogła oprzeć się wrażeniu, iż zaprzedała duszę za obietnicę lepszego życia.

Rozdział 2

LONDYN, ANGLIA, rok 1802

– Właśnie przybył, milordzie. Mam go wprowadzić? – Harold Perkins, siwowłosy kamerdyner o pochylonych z powodu wieku barkach, wszedł do sypialni w wiejskiej posiadłości lorda, Greville Hall.

– Tak, i to zaraz. – Edmund podciągnął się z trudem na łóżku i sięgnął po szklankę z wodą stojącą na nocnym stoliku. Kiedy usiłował podnieść ją do ust, dłoń drżała mu tak bardzo, że woda przelała się przez krawędź i zmoczyła pościel. Czekający w pobliżu lokaj pośpieszył panu z pomocą.

Edmund upił łyk i odprawił pełnym zniecierpliwienia gestem lokaja wraz ze szklanką. Drzwi otwarły się i do sypialni wszedł, pochylając w progu głowę, niedawno adoptowany syn i dziedzic lorda, Justin Bedford Ross.

– Życzyłeś sobie mnie widzieć? – Głęboki, dźwięczny głos brzmiał dziwnie znajomo. Justin był wysoki, ciemnowłosy i absolutnie nieprzejednany. Nie mogło być wątpliwości, że jest jego synem. Miał te same co ojciec kości policzkowe, smukłą budowę ciała, szerokie barki, długie, ciemne i gęste rzęsy. Oczy Justina były ciemnoszare, nie bladobłękitne, jak oczy jego matki.

– Formalności zostały załatwione – powiedział Edmund. – Zgodnie z prawem… jesteś teraz… moim synem i dziedzicem. Niedługo – tak przynajmniej twierdzą lekarze – zostaniesz kolejnym lordem Greville.

Nieprzyjemna myśl wywołała spazm bólu. Pochylił się i zakaszlał gwałtownie, przyciskając do drżących warg chusteczkę. Wytarł ślinę ze śladami krwi. Na Boga, nie sądził, że do tego dojdzie, że będzie zmuszony przekazać majątek, swoje dziedzictwo, człowiekowi, który zapamiętale go nienawidził.

Z drugiej strony, nie spodziewał się umrzeć tak wcześnie, przynajmniej nie przed upływem dwunastu lat.

Justin milczał, wpatrując się w niego z niemożliwym do odczytania wyrazem chłodnej, przystojnej twarzy.

Edmund zaczerpnął drżącego oddechu.

– Wezwałem cię z powodu pewnej niezakończonej sprawy, o której chciałbym porozmawiać. Sprawy osobistej...

Czarne brwi Justina uniosły się.

– Osobistej? Interesujące... Ponieważ obaj wiemy o twojej słabości do płci pięknej zakładam, że chodzi o kobietę.

Edmund nie pozwolił się onieśmielić i nie odwrócił wzroku.

– Niezupełnie kobietę, choć wkrótce się nią stanie. – Zakaszlał tak mocno, że na czoło wystąpiły mu żyły. Przeklął w duchu chorobę płuc, która zabijała go powoli, acz nieubłaganie. Gdy atak minął, opadł na poduszki z twarzą białą jak lniana powłoczka. – Jest moją... powiedzmy, podopieczną.

Skinął na lokaja, by podał mu stosik listów. Ułożył go sobie na piersi, wziął jeden i podał Justinowi. Ten rozłożył długimi palcami arkusz i przebiegł wzrokiem list, robiąc użytek z kosztownego wykształcenia, za które Edmund zapłacił. Nie uznał chłopca, póki nie stało się to absolutnie konieczne, i nie poświęcił mu przez lata nawet jednej myśli, lecz nie uchylał się od finansowych zobowiązań względem dziecka i jego matki.

Justin podniósł wzrok.

– Zadbałeś o wykształcenie tej dziewczyny?

Edmund przytaknął.

– I o inne potrzeby także.

Justin uśmiechnął się kpiąco.

– Nie zdawałem sobie sprawy, że taki z ciebie dobroczyńca.

Edmund zignorował sarkazm.

– Zawarliśmy swego rodzaju układ. – Wyjaśnił, na czym ów układ polegał, nie wdając się w szczegóły i stawiając dzielnie czoło pogardzie widocznej w oczach syna. – Ariel miała czternaście lat, gdy wyjechała do szkoły. Teraz ma szesnaście. Jej ojciec był w majątku dzierżawcą. Zapił się w zeszłym roku na śmierć. – Zaczerpnął świszczącego oddechu. – Zostawiam tę sprawę tobie... załatwisz ją, jak zechcesz.

Justin utkwił wzrok w liście. W nagłówku widniało po prostu: Szkoła Thornton dla Młodych Panien.

Pan Edmund Ross, lord Greville
Drogi lordzie,
Posyłam Panu moje najlepsze życzenia. Jako że jest to pierwsza próba napisania listu, mam nadzieję, że wybaczy mi Pan błędy. Napisałabym wcześniej, ale dopiero teraz nauczyłam się dosyć, żeby spróbować. Lecz od tej chwili chwycę co tydzień za pióro, żeby zdać Panu sprawę z moich postępów.

Justin zwrócił list ojcu. Edmund utkwił wzrok w twarzy syna, lecz nie był w stanie dociec, co kryje się za nieprzeniknioną miną.

– I co zamierzasz? – spytał.

Młodzieniec wzruszył obojętnie szerokimi ramionami, tak podobnymi do jego własnych. Ubrany był w czarny surdut i ciemnoszare spodnie, a biel koszuli kontrastowała ostro z ciemną cerą.

– Dałeś słowo. Skoro mam zostać lordem, muszę respektować twoje zobowiązania.

Edmund skinął tylko głową. Z jakiegoś dziwnego powodu czuł, że ogarnia go spokój. Umościł się na poduszkach i położył bezwiednie dłoń na listach. Przeczytał każdy co najmniej pięć razy.

Nie widział dziewczyny od ponad dwóch lat i tak naprawdę wcale jej nie znał. Mimo to czuł, że jest mu bliska w sposób, którego nie potrafił wyjaśnić. Kiedyż to Ariel Summers stała się dla niego ważna? Jak do tego doszło, że aż tak ją polubił? To przez listy, był tego pewien. Wyczekiwał ich każdego tygodnia. Nigdy na żaden nie odpowiedział, gdyż nie wiedziałby, co napisać. Lecz w miarę, jak zawodziło go zdrowie, wieści od Ariel wnosiły nieco radości w coraz bardziej ponurą egzystencję starzejącego się, samotnego mężczyzny.

Może uczynił słusznie, ustanawiając Justina dziedzicem. Przynajmniej Ariel będzie miała opiekę. Jego syn mógł gardzić ojcem, którego nie dane mu było poznać, lecz był człowiekiem honoru. I skończył Oksford z najwyższymi ocenami. Odkąd stał się dorosły, dobrze sobie też radził w świecie interesów, i choć miał opinię bezlitosnego, nie składał obietnic, których nie mógłby lub nie chciał dotrzymać.

– Czy to już wszystko? – Ciemne oczy o chłodnym spojrzeniu spoczęły na twarzy chorego. I choć Edmund umierał, w spojrzeniu jego syna próżno by szukać współczucia.

– Tak... Dziękuję, że przyjechałeś.

Justin skłonił się lekko, odwrócił i ruszył bez wahania ku drzwiom.

Udręczone bólem ciało lorda przeszył dreszcz. Mógłby uczynić dziewczynę swoją kochanką, lecz nigdy by jej źle nie potraktował. Wytężył słuch, skupiając uwagę na oddalających się krokach w holu.

Po raz pierwszy przyszło mu do głowy, że układ, jaki zawarł z Ariel Summers, może przypaść do gustu również jego synowi o zimnym sercu.

Rozdział 3

LONDYN, ANGLIA, rok 1804

Pan Edmund Ross, lord Greville
Drogi lordzie Greville,

Mamy dziś w wiejskim Sussex piękny dzień. Drze-
wa wypuściły już liście, a niebo przybrało barwę naj-
czystszego, najbardziej jaskrawego błękitu. Niestety,
z konieczności większość czasu spędzam za murami.
Nauczyciele, których Pan zatrudnił, są bardzo do-
brzy, ale i wymagający. Jestem jednak zdeterminowa-
na. Uczę się do późna, a rano wstaję o kilka godzin
przed innymi, by wcześniej zacząć nowy dzień. Naj-
chętniej spędzam czas na czytaniu. Z początku nie
szło mi najlepiej, ale, och, cóż za cudowne drzwi
otworzyła przede mną ta umiejętność! Tyle jest po-
wieści i sztuk, niewiarygodnie pięknych wierszy oraz
sonetów.

Przysięgam, już samo to warte jest ceny, jaką będę
musiała zapłacić, by spełnić warunki układu.

Justin Bedford Ross, piąty lord Greville, odłożył list
wzięty ze stosu, który trzymał zamknięty w dolnej szufla-
dzie biurka swego gabinetu. Przeczytał wszystkie więcej

niż raz, niektóre z niejakim rozbawieniem, inne z odcieniem litości, uczucia, którego rzadko zdarzało mu się doświadczać.

Po śmierci ojca, odkąd wprowadził się do starej kamiennej rezydencji przy Brook Street, nie potrafił się oprzeć, aby nie sięgać od czasu do czasu po niewinne wynurzenia młodej kobiety, którą jego rozpustny ojciec zamierzał uczynić swą dziwką.

Zacisnął szczęki na myśl o rozwiązłym, aroganckim mężczyźnie, który miał na uwadze jedynie własne, egoistyczne potrzeby. Odczuwał też mimowolną satysfakcję spowodowaną tym, że koleje losu zmusiły tego człowieka, by uznał swego nieprawego syna za dziedzica. Przez dwadzieścia osiem lat ignorował chłopca, a potem młodego mężczyznę, uważając go jedynie za kosztowną pomyłkę, bękarta spłodzonego z jedną z jakże licznych, przelotnych kochanek.

Dwa lata temu, śmiertelnie chory, posłał po Justina i zaoferował jedyną rzecz, jakiej przyjęcia syn nie mógł odmówić.

Swoje nazwisko.

Nawet fortuna Greville'ów oraz władza i prestiż związane z tytułem nie zwabiłyby go tak skutecznie. To nazwiska pragnął, to za nim tęsknił od dzieciństwa. Przyjął propozycję adopcji i został Justinem Bedfordem Rossem, ponieważ w ten sposób przestawał być bękartem, wyśmiewanym i pogardzanym, odkąd sięgał pamięcią.

Pogrzebał w stosie listów, wyjął kolejny i przebiegł wzrokiem treść:

Nadal pilnie się uczę. Nim opuściłam rodzinny dom w Ewhurst, musiałam poznać nieco rachunki, by pomóc ojcu przy sprzedaży na rynku bydła i zbiorów. Tutaj przestudiowałam cały Podręcznik Arytmetyki dla Młodych Dam *i stałam się całkiem biegła w matematyce. Drugi mój ulubiony przedmiot to historia, zwłaszcza starożytnego Egiptu, Rzymu i Grecji. Nie do wiary, że kobiety chodziły wtedy na wpół nagie!*

Uśmiechnął się kątem ust, poskładał list i odłożył z powrotem na stos. Tak jak obiecał, dotrzymał warunków układu zawartego z Ariel Summers przed ponad czterema laty. Dziewczyna skończyła niedawno osiemnaście lat i była gotowa opuścić Szkołę dla Młodych Panien pani Penworthy, kosztowną placówkę, którą ojciec dla niej wyszukał.

Odkąd został lordem, wyobrażał sobie tysiące razy, jak też dziewczyna wygląda. Jednego mógł być pewien – nie brakowało jej urody. Jego ojciec miał w kwestii kobiet znakomity gust. Zastanawiał się więc raczej, czy jest ciemno-, czy jasnowłosa, wysoka czy niska. Nie miał o tym najmniejszego pojęcia, a jednak czuł, iż dzięki listom poznał ją lepiej niż kogokolwiek przedtem.

Nie wiedział jeszcze, co z nią zrobi – zakończyła co prawda edukację, lecz była niewinną panienką, którą jego ojciec planował wykorzystać, dlatego Justin czuł się za nią do pewnego stopnia odpowiedzialny. Nie miała rodziny, nikogo, kto by się nią zajął. Cokolwiek zdecyduje, nie postąpi tak, jak postąpił wobec niego ojciec: nie odrzuci jej.

Sięgnął po białe gęsie pióro, zanurzył je w kałamarzu i przelał na papier kilka pierwszych słów. W liście informował Ariel, co ma zrobić, kiedy opuści progi szkoły.

Wyśle powóz, który przywiezie ją do miejskiej rezydencji Greville'ów w Londynie. Interesy zmuszają go, aby wyjechał w tym czasie na kilka tygodni do Liverpoolu, lecz kiedy wróci, postanowią, jak będzie wyglądała jej przyszłość. Podpisał list po prostu: *Ukłony, lord Greville.*

Przyszło mu do głowy, że to wysoce niewłaściwe, by młoda dama zamieszkała w rezydencji samotnego mężczyzny, nie przejmował się jednak konwenansami i nie zamierzał zadawać sobie więcej trudu, aniżeli już to uczynił. Zatrudni dla niej pokojówkę, osobę, która będzie wiedziała, co jej grozi, jeśli okaże się niedyskretna, tak jak wiedziała reszta jego służby.

Przeczytał jeszcze raz to, co napisał, zapieczętował list woskiem i odcisnął na nim herb Greville'ów wyobrażający jastrzębia, spadającego z przestworzy na zająca. Zadzwonił na lokaja, a kiedy służący pospiesznie przybiegł, wręczył mu dwupensówkę i polecił wysłać list.

* * *

Ariel wyszła z pokoju przydzielonego jej w rezydencji Greville'ów i zbiegła pospiesznie szeroką kamienną klatką schodową. Przebywała w mieście od blisko dwóch tygodni, a każdy dzień był bardzie ekscytujący od poprzedniego. Zamieszkała w Londynie! W Londynie! Kiedyś za nic nie uwierzyłaby, że to w ogóle możliwe.

Nadal trudno jej było uwierzyć, jak wielkie zmiany zaszły w jej życiu w ciągu czterech ostatnich lat. Uzyskała gruntowne wykształcenie, potrafiła czytać po francusku i łacinie oraz wysławiać się jak osoba dobrze urodzona. Nosiła modne suknie i jeździła drogim czarnym powozem lorda Greville'a, choć, przynajmniej na razie, nie zapuściła się zbyt daleko. Oczywiście, dom nie był taki, jak sobie wyobrażała. Nie przypominał w niczym wspaniałej wiejskiej rezydencji lorda, Greville Hall.

Zbudowany z grubego, szarego kamienia i ciężkich belek, liczył sobie co najmniej dwieście lat. Ponura budowla miała poczerniałe od dymu krokwie i zbyt mało okien. Nic dziwnego, że lord wolał spędzać czas na wsi!

Ariel była jednak w Londynie, na najlepszej drodze do spełnienia marzeń. I choć niekiedy czuła się jeszcze w głębi duszy jak prosta wiejska dziewczyna, nie chciałaby znajdować się nigdzie indziej na świecie!

Ubrana w suknię z muślinu barwy moreli, ozdobioną białymi różyczkami, spod której wystawała pobłyskując wesoło wąska plisowana spódnica, Ariel wetknęła pasmo jasnoblond włosów w upięte wysoko loczki i weszła do Czerwonego Pokoju.

Uśmiechnęła się, gdy zobaczyła przyjaciółkę, Kassandrę Wentworth, siedzącą na pokrytej aksamitem sofie w kolorze burgunda.

– Przyszłaś! Och, Kitt, nie byłam pewna, czy zechcesz wpaść! – Przyjaciółka wstała i dziewczęta się uściskały.

– Naprawdę w to wątpiłaś? Nie bądź niemądra, nie mogłam się wprost doczekać, żeby się z tobą zobaczyć. Wymagało to jednak odrobiny zachodu. Macosze z pewnością nie spodobałoby się, że odwiedzam cię w domu nieżonatego mężczyzny.

– Zapewne.

– Napisałaś, że lord nie wrócił jeszcze z podróży w interesach.

– W rzeczy samej.

– Co zrobisz, gdy wróci?

Ariel przygryzła wargę i usiadła na skraju sofy.

– Porozmawiam z nim. Spróbuję przekonać. Zdaję sobie sprawę, że wydał na mnie przez te cztery lata dużo pieniędzy, ale z pewnością znajdę sposób, by mu je oddać.

Kitt przewróciła oczami o tęczówkach odrobinę jaśniejszych niźli jej suknia.

– Tak, oddasz mu je... za mniej więcej sto lat. – Kitt była niższa od Ariel i nie tak smukła. Miała jaskraworude włosy oraz szelmowski uśmiech. Była najmłodszą córką wicehrabiego Stocktona, wdowca po pięćdziesiątce, który wziął sobie za żonę dziewczynę starszą zaledwie o kilka lat od córki.

Ariel poruszyła się niespokojnie i jęła układać fałdy sukni.

– Może nie będzie zależało mu aż tak na pieniądzach. Jeżeli wyjaśnię, że kiedy zawieraliśmy układ, nie byłam do końca świadoma, na co się decyduję, może wykaże się rozsądkiem. Jest w końcu lordem, człowiekiem bardzo zamożnym. Jeśli chce mieć kochankę, może wziąć sobie każdą, która mu się spodoba.

– On chce ciebie, Ariel. To dlatego zgodził się przed laty na tę szaloną propozycję.

Ariel zerknęła spod oka na przyjaciółkę.

– Kiedy ostatnio mnie widział, byłam dzieckiem. Nie wie nawet, jak teraz wyglądam.

Kitt przyjrzała się ostentacyjnie nieskazitelnej cerze Ariel, delikatnym rysom i srebrnoblond włosom.

– Cóż, to pewne, że się nie rozczaruje.

Ariel spuściła wzrok. Nagle zabrakło jej tchu.

– Dałam słowo. Cokolwiek się stanie, będę zmuszona go dotrzymać. Nie mogę złamać obietnicy, chyba że mnie z niej zwolni.

Kitt westchnęła, świadoma, że kiedy Ariel raz podjęła decyzję, trudno było ją od niej odwieść.

– Napisałaś, że kogoś poznałaś. Może on mógłby pomóc.

Ariel uśmiechnęła się radośnie. Ponure myśli zniknęły niczym zdmuchnięte.

– Och, Kitt, ledwie mogę w to uwierzyć. To przypadek, czysty przypadek, cud – a może raczej przeznaczenie, że wpadliśmy na siebie w ten sposób. Był piękny dzień, a niedaleko stąd jest park. Poszłam się przejść i on tam był.

– Kto?

Ariel się uśmiechnęła.

– Mój czarujący książę, oczywiście. Jasnowłosy i piękny, chyba najprzystojniejszy mężczyzna, jakiego widziałam. Nazywa się Phillip Marlin i jest drugim synem lorda Wiltona.

Kassandra próbowała przypomnieć sobie twarz Marlina i to, czy spotkała się już z nim w przeszłości, na próżno jednak. Wreszcie potrząsnęła głową.

– Nazwisko brzmi znajomo, lecz chyba go nie poznałam. Może ojciec go zna.

– Na miłość boską, nie wolno ci wspomnieć o nim ojcu, przynajmniej póki moja sytuacja jakoś się nie wyjaśni. Phillip nie wie nic o mojej przeszłości ani o tym, dlaczego tu jestem. Myśli, że lord jest moim dalekim kuzynem.

– Z tego, co mi mówiłaś – zauważyła Kitt kpiąco – Greville planuje poznać cię o wiele bliżej.

Ariel ją zignorowała.

– Spotykamy się co rano w parku. Wczoraj zabrał mnie na przejażdżkę swoim powozem.

Kitt spochmurniała.

– Uważasz, że to dobry pomysł? Tak naprawdę nic o nim nie wiesz.

– Wiem wszystko, co powinnam. Och, Kit, myślę, że się zakochałam!

– W niespełna tydzień?

– A miłość od pierwszego wejrzenia? Chyba o niej słyszałaś?

– Owszem, i wcale nie jestem przekonana, że coś takiego naprawdę istnieje.

– Uwierz mi, istnieje. Jestem pewna, że Phillip uważa tak samo.

Kitt ujęła dłoń przyjaciółki i ją uścisnęła.

– Może i nauczyłaś się mnóstwa rzeczy w szkole pani Penworthy, lecz nie wiesz nic o mężczyznach. Powiedzą – i zrobią – wszystko, żeby zaciągnąć cię do łóżka.

Ariel zarumieniła się lekko.

– Phillip taki nie jest.

– Bądź po prostu ostrożna. Poznałam świat o wiele lepiej niż ty. I wiem z doświadczenia, jak podstępny i zakłamany potrafi być mężczyzna.

Ton jej głosu mówił więcej niż słowa. Ariel nie miała pojęcia, co przytrafiło się przyjaciółce, było jednak oczywiste, że jeszcze się z tym nie uporała. Miała ochotę spytać, co to takiego, nie była jednak pewna, czy Kitt odpowie.

– Kiedy wyjeżdżasz na kontynent? – spytała zatem, zmieniając temat.

– Pod koniec przyszłego tygodnia. Najpierw umieścili mnie w szkole z internatem po drugiej stronie kraju, a teraz wysyłają do kuzynki we Włoszech. – Westchnęła i potrząsnęła głową. – Ojciec robi to, by zadowolić żonę. Wie, że nie bardzo się dogadujemy.

– Żałuję, że musisz jechać. – Będzie jej brakowało przyjaciółki, jedynej osoby, która znała przeszłość Ariel i zupełnie jej ona nie przeszkadzała.

– Ja też nie mam na to ochoty. – Kitt uścisnęła dłoń Ariel. – Pamiętaj, co powiedziałam o mężczyznach. Odnosi się to zarówno do lorda, jak i Phillipa Marlina.

✳ ✳ ✳

Justin Ross, lord Greville, rozsiadł się na skórzanym siedzeniu swego powozu i wziął do rąk nieaktualny egzemplarz „London Chronicle" kupiony tego dnia w gospodzie. Zakończył sprawy w Liverpoolu kilka dni wcześniej. Chodziło o sfinansowanie budowy nowej floty, a poza tym trafiła mu się bankrutująca fabryka tekstyliów, kupił ją więc za ułamek wartości.

Załatwił sprawy biznesowe dokładnie tak, jak chciał, i wracał teraz do Londynu. Pomyślał o czekającym w domu gościu i zdziwił się, że wyczekuje spotkania z Ariel.

Przez ostatnie dwa lata zajmował się głównie pomnażaniem fortuny Greville'ów i poza tym w jego życiu niewiele się działo. Może dlatego aż tak zaintrygowały go listy Ariel. Co tydzień, kiedy w domu pojawiał się kolejny, było tak, jakby promień słońca wkradł się do jego cynicznego, mrocznego świata. Przeczytał wszystkie, jakie napisała, i niecierpliwie wyczekiwał następnych. Dzisiaj, nim skończy się dzień, wejdzie do domu przy Brook Street i wreszcie się spotkają.

Próbował wyobrazić sobie jej twarz, lecz nie potrafił. Pełna życia dziewczyna z listów wydawała się zupełnie niepodobna do kobiet, które znał: hedonistycznych, skupionych na sobie stworzeń takich jak jego matka lub pustogłowe damulki z towarzystwa, które interesowała jedynie zawartość portfela mężczyzny oraz pozycja, jaką mógł zapewnić im jego tytuł.

Ariel była inna. Uosobienie uczciwości, czystości i niewinności. Była...

Zmarszczył brwi, zastanawiając się, skąd wzięły mu się podobnie śmieszne wyobrażenia. Nie był już przecież samotnym chłopczykiem płaczącym w nocy za matką, która go porzuciła, ani naiwnym młodym głupcem cierpiącym z powodu zdrady ukochanej. Ta osoba już nie istniała, i to od wielu lat.

Mężczyzna, który wracał tego dnia do Londynu, wiedział z doświadczenia, że uczciwość, czystość i niewinność po prostu nie istnieją.

Rozdział 4

Śmiech dobiegł od strony otwartego czarnego powozu przetaczającego się przez Hyde Park. Głębokiemu, męskiemu głosowi zawtórował lżejszy, krystalicznie czysty. Trawa nadal połyskiwała od rosy i choć trochę wiało, słońce przebiło się przez chmury, oświetlając morelową parasolkę Ariel oraz wysoki kapelusz z bobrowego futra Phillipa.

– Najdroższa Ariel. – Ujął okrytą białą rękawiczką dłoń dziewczyny i podniósł do ust. – Z wiatrem we włosach i zaróżowionymi policzkami wyglądasz jak księżniczka.

Ariel spłonęła rumieńcem i spuściła wzrok, aby uzbroić się przeciwko czarowi jego słów. Rankiem spotkała się, jak co dzień, z Phillipem w parku. Wysoki, przystojny, z grzywą błyszczących złotych włosów, stanowił uosobienie londyńskiego arystokraty. I choć nosił swój strój nonszalancko, ubrania uszyte były z najprzedniejszych materiałów i skrojone tak, by uwydatnić męską sylwetkę o szerokich ramionach.

– Pochlebia mi pan. – Mówiąc to, bawiła się kosmykiem włosów, który wymknął się spod kapelusika. – Wieje wiatr i wyglądam zapewne okropnie. Jest pan po prostu zbyt uprzejmy, aby mi to powiedzieć.

– „Południowy wiatr wtóruje jego zamysłom i poświstując głucho pośród listowia, przepowiada burzę...".
Ariel zaśmiała się, rozpoznając cytat z *Henryka IV* Szekspira.
– „Ostry wiatr przenika na wskroś, aż samo jądro naszej istoty staje się lekkie niczym plewa i dobra od zła nie sposób już oddzielić.
Phillip uśmiechnął się, zadowolony.
– Jesteś po prostu rozkoszna, moja słodka Ariel. Dopisało mi szczęście, że cię znalazłem.
Nie odpowiedziała, ciesząc się z komplementu i wsłuchując w tętent kopyt na bruku alejki. Chmury zaczęły jednak gęstnieć, pociemniało, a wiatr przybrał na sile. Kiedy w oddali zagrzmiało, Phillip zawrócił konie.
– Lepiej się pospieszmy – powiedział. – Zaraz zacznie padać.
Wiatr unosił liście. Wirowały wokół ich stóp, kiedy wbiegali po stopniach wielkiej kamiennej rezydencji przy Brook Street. Nie była pewna, jak do tego doszło, czy był to jego pomysł, czy jej, lecz nagle stali w holu i wyglądało na to, że Phillip zostanie na herbacie. Przypomniała sobie, że spytał, czy kuzyn wrócił już z Liverpoolu, a ona potrząsnęła głową i powiedziała, że spodziewają się go dopiero za dwa dni.
Uśmiechnęła się do kamerdynera, którego oblicze pozostało jednak niewzruszone i czyste jak kartka papieru.
– Pan Marlin wypije ze mną herbatę w Czerwonym Pokoju – poinformowała go wyniośle, odkrywszy niedawno, że by zyskać poważanie u służby, należy zachowywać się tak, jakby się na to zasługiwało. – Zajmiesz się tym, Knowles?
Przeraźliwie chudy, łysy mężczyzna spojrzał na Ariel, a potem na Phillipa. Tym razem wyraz jego twarzy nie pozostawiał wątpliwości: czysta dezaprobata. Uniósł jednak tylko krzaczaste brwi i powiedział:
– Jak sobie panienka życzy.

Ariel stłumiła uśmiech, ujęła Phillipa za rękę, poprowadziła korytarzem do Czerwonego Pokoju i usadziła na sofie naprzeciw kominka.

Przyniesiono herbatę i Ariel nalała, dziękując w duchu Bogu, iż nauczyła się wszystkiego, co niezbędne, by czuć się swobodnie w świecie Phillipa.

Upił łyk z filiżanki ze złoconym brzegiem i przesunął po twarzy Ariel spojrzeniem porcelanowo niebieskich oczu.

– Nie jestem w stanie powiedzieć, jak przyjemnie spędziłem z tobą tych kilka ostatnich dni.

Odstawiła filiżankę na stolik.

– Ja też doskonale się bawiłam. – Oczywiście, przyjemnie być adorowaną przez przystojnego mężczyznę, syna lorda. Wypróbowywać na nim po raz pierwszy swoje uwodzicielskie zdolności. Z początku nie czuła się zbyt swobodnie – Phillip przerastał ją pozycją o milę – lecz łatwo pojawiający się uśmiech i czarujący sposób bycia rozwiały wkrótce jej obawy. – Byłeś cudowny, Phillipie. Gdyby nie ty, dni spędzone w tym domu byłyby dla mnie ciężką próbą.

Uśmiechnął się.

– Cała przyjemność po mojej stronie, zapewniam. Rozmowa i przekomarzanie się z tobą było jak cukier osładzający trudną rzeczywistość.

Poczuła, że się rumieni. Stale cytował poezję. Było to takie romantyczne, tak dworne.

– Szekspir? – Wiedziała, jak uwielbia Wielkiego Barda, tym razem nie była jednak pewna źródła cytatu.

Skinął jednak głową.

– *Ryszard II*.

Ariel upiła łyk herbaty i odstawiła ostrożnie filiżankę.

– Chciałabym zobaczyć kiedyś przedstawienie.

– Więc cię zabiorę. – Ujął jej dłonie w swoje. – Najdroższa Ariel. Musisz wiedzieć, co czuję.

Spojrzała na jego ręce – miękkie i białe. Dłonie dżentelmena. Serce biło jej tak mocno, że niemal boleśnie. Z pewnością nie pora jeszcze wspominać o małżeństwie.

– Ja... nie wiem, co powiedzieć.

Phillip zerknął na drzwi. Były zamknięte, choć nie zwróciła przedtem na to uwagi. Przyciągnął ją do siebie.

– Zdaję sobie sprawę, że nie znamy się zbyt długo, czasami jednak, gdy dwoje ludzi czuje do siebie pociąg, czas nie ma znaczenia. Muszę cię pocałować, droga Ariel. Nie mogę myśleć o niczym innym, odkąd po raz pierwszy cię zobaczyłem. Wariuję od tego.

Ariel poczuła nagle niepokój. Jak powiedział Phillip, widywali się zaledwie od tygodnia.

– Nie sądzę...

Przycisnął wargi do jej ust, uciszając ją. Choć nikt jej dotąd nie pocałował, często o tym marzyła. Doznanie było przyjemne, inne jednak, niż sobie wyobrażała. Brakowało w nim żaru, namiętności. Westchnęła, kiedy poczuła na piersi dotyk dłoni Phillipa. Wykorzystał zaskoczenie dziewczyny i wsunął jej język głęboko do ust.

Wzdrygnęła się, zaszokowana. Jak mógł pozwalać sobie na takie poufałości? Czyżby sądził, że ma do czynienia z kobietą, która pozwoli dotykać się w sposób tak intymny ledwie znanemu mężczyźnie? Zdecydowana przerwać pocałunek, spróbowała się uwolnić, odepchnąć go. Nagle Phillip odsunął się i zerwał z sofy tak gwałtownie, że niemal ją przewrócił.

Oddychał ciężko, dłonie zacisnął w pięści.

– Greville... – wykrztusił.

Nie usłyszała, jak ktoś wchodzi. Rozejrzała się i spostrzegła, że tuż za progiem stoi mężczyzna – wyższy o kilka cali od Phillipa, o ciemnej cerze i czarnych włosach. Usta miał zaciśnięte tam mocno, że jego szczęka zdawała się być wykuta z kamienia. Oczy barwy cyny wbijały się w nią niczym dwa sztylety.

– Kim... kim pan jest? – spytała, z trudem formułując słowa pod lodowatym spojrzeniem tych oczu.

– Sądzę, iż pani... towarzysz doskonale wie, kim jestem. Phillip spojrzał na nią, ewidentnie skonfundowany.

– Mówiłaś chyba, że Greville jest twoim kuzynem.

– Tak powiedziałam, ale to nie...

Wysoki mężczyzna ukłonił się sztywno.

– Justin Ross, piąty lord Greville, do usług, *madame*. – Z każdego słowa przebijał ledwie kontrolowany gniew. A kiedy zwrócił spojrzenie tych bezlitosnych oczu na Phillipa, ten aż się skrzywił.

– Panna Summers i ja mamy sprawy do omówienia – oznajmił lord szorstko. – Najlepiej będzie, jeśli pan zaraz wyjdzie.

Phillip wstał bez słowa, zaciskając blade dłonie w pięści. Wpatrywali się w siebie przez chwilę, a temperatura w pokoju zdawała się opadać. Gość zacisnął jednak w końcu zęby i ruszył ku drzwiom.

– Phillipie... zaczekaj! – zawołała, lecz on się nie zatrzymał. Po chwili w korytarzu rozbrzmiewało już tylko echo jego oddalających się kroków.

Ariel spojrzała na mężczyznę przy drzwiach.

– Ja... nie rozumiem, co się dzieje.

Jego uśmiech mógłby zmrozić stal.

– Dzieje się to, że mój ojciec, czwarty lord Greville, był tak uprzejmy i przed dwoma laty zmarł, pozostawiając tytuł mnie.

Ariel zwilżyła nerwowo wargi.

– Lord... lord nie żyje? – Ledwie była w stanie pojąć to, co słyszy. Wszystko zdawało się wirować tuż poza zasięgiem jej rąk.

– Poprzedni lord nie żyje. Jestem Justin Ross, piąty i obecny lord Greville, ten, który płacił za twoje stroje, dach nad głową i edukację. Jak się zapewne domyślasz, uzbierała się tego całkiem niezła sumka.

– Tak, zapewne. Właśnie o tym chciałam porozmawiać z lordem... to znaczy, z panem. – Dobry Boże, lord nie żył. Nie znała go dobrze, nie widziała przez ponad cztery lata, lecz była pewna, że to on przez cały czas jej pomaga.

– Sądzę, że rozmawiałaś z ojcem o tych sprawach i zawarliście swego rodzaju układ... Ponad cztery lata temu.

Przełknęła ślinę, zbierając się na odwagę.

– Rzeczywiście.

– Jak zrozumiałem, w zamian za zapewnienie ci wykształcenia oraz pokrycie wydatków zgodziłaś się zostać, kiedy podrośniesz, jego kochanką.

Brutalnie powiedziane, lecz prawdziwe.

– Tak, ale... byłam wtedy młodsza. Nie zdawałam sobie do końca sprawy...

– Teraz masz, o ile pamiętam, prawie dziewiętnaście lat i nie jesteś już niewinnym dziewczęciem, jak świadczy twoje zachowanie względem pana Marlina. – Ariel zbladła. – Otrzymałaś gruntowne, bardzo kosztowne wykształcenie. I zdążyłaś już chyba uświadomić sobie, czego dotyczył układ, prawda?

Poczuła, że ogarnia ją fala mdłości.

– Tak – odparła żałośnie.

– Mimo to przyjmowałaś pieniądze, które ci wysyłałem. Pozwoliłaś, bym płacił za twoje kształcenie.

– Tak.

– I kupował ci ubrania, na przykład suknię, którą masz dziś na sobie.

Pogładziła bezwiednie delikatny morelowy jedwab, przesuwając czubkami palców po rzędzie haftowanych różyczek.

– Tak – wykrztusiła przez zaciśnięte gardło.

– Zatem układ nadal obowiązuje.

Łzy zakłuły ją pod powiekami. Zamrugała kilkakroć, by nie spłynęły po policzkach.

– Tak… – Bolało ją gardło. Boże święty, nie sądziła, że naprawdę do tego dojdzie.

Lord odwrócił się, pomaszerował ku ozdobnie rzeźbionym, podwójnym drzwiom i wyszedł na korytarz. Był tak wysoki, smukły i ciemny, że jego mroczna obecność dominowała w pokoju nawet, kiedy go już w nim nie było. Odwrócił się i spojrzał na nią.

– Proszę za mną na górę, panno Summers. – Nie raczył zaczekać, po prostu ruszył przed siebie, pewien, że ona za nim podąży. I zrobiła to. Chora ze strachu i zdenerwowania ruszyła ku schodom, ignorując afront, jakby była niewolnicą, a on jej panem. Na górze minęli oświetlony kinkietami korytarz i weszli do głównego apartamentu.

Nie była dotąd w tych pokojach. Teraz zauważyła mimo woli turecki dywan w kolorze cokolwiek mdłego błękitu i wyblakłe zasłony, przez które ledwie przedzierało się światło dzienne. Podobnie jak reszta domu, pomieszczenia składające się na apartamenty lorda były ciemne i ponure.

Na zewnątrz błyskawica przecięła horyzont. Ciężkie, brzemienne deszczem chmury przesłoniły niebo i rozpętała się burza. W szczelinie pod parapetem zaświszczał wiatr. Ariel zwolniła, kiedy lord minął salonik i wszedł do sypialni. Zatrzymał się dopiero u stóp masywnego łoża z czterema słupkami.

Zawahała się na moment. Serce mocno biło jej w piersi. Czuła na sobie spojrzenie szarych, zimnych jak północny wiatr oczu. Stał, czekając z lodowatą miną, aż do niego podejdzie.

– Zamknij drzwi – polecił, gdy zatrzymała się na progu sypialni. Jego głos ociekał chłodem. Zamiast gorącego gniewu, którego skutków doświadczała tylekroć w dzieciństwie, teraz napływała ku niej lodowata furia i o wiele bardziej ją przerażała.

Przygryzła drżącą wargę i zrobiła, co kazał. Przesunęła drżącymi palcami zasuwkę.

– Podejdź tu… Ariel.

Nie chciała tego. Boże, pragnęła jedynie odwrócić się i uciec. Nie była jednak tchórzem, nigdy. Przeżyła bicie ojca, przetrwa więc jakoś i to. Duma usztywniła jej kręgosłup. Podeszła do lorda, modląc się, by nie załamały się pod nią kolana.

– Wypełniłem moją część układu – powiedział. – Teraz twoja kolej. Rozbierz się. Chcę zobaczyć, co kupiłem za ciężko zapracowane pieniądze.

Przez kilka długich sekund po prostu wpatrywała się w niego przerażona.

– Nie mogłabym jednak...

– Gdybym się nie zjawił, rozebrałabyś się dla Marlina. Zrobisz to teraz dla mnie.

Dreszcz strachu przebiegł jej po grzbiecie. Stłumiła szloch, który omal nie wyrwał się jej z gardła. Boże, to się nie może dziać naprawdę. Ze wszystkich scenariuszy, jakie sobie wyobraziła, ten był najgorszy. Oczy ją szczypały i czuła, że zaraz się rozpłacze. Zapanowała nad strachem, zdecydowana nie okazać lęku przed zimnokrwistą bestią, która była teraz lordem.

Uniosła wyżej brodę.

– Myli się pan, milordzie. Nie pozwoliłabym Phillipowi na takie... poufałości.

Uniósł czarne, pięknie zarysowane brwi.

– Nie? – Wykrzywił usta w kpiącym, gorzkim uśmiechu. – A ta scenka, którą zastałem w Czerwonym Pokoju? Próbujesz wmówić mi, że to nie był miłosny uścisk kochanków?

Ariel zagryzła wargi. To był tylko pocałunek i od początku wydawało się jej, że coś jest nie tak, jak powinno.

– To... to, co pan zobaczył, to był błąd. Żadne z nas tego nie planowało.

Ściągnął gniewnie brwi i zacisnął usta w wąską kreskę. Podszedł ku niej z miną tak srogą, że mimowolnie cofnęła się o krok.

– Jeśli naprawdę wierzysz, że Phillip Marlin nie zamierzał cię uwieść, to jesteś głupsza nawet ode mnie. A teraz się rozbierz, bo jak nie, sam to zrobię.

Łzy napłynęły jej do oczu. Zamrugała gwałtownie, by je powstrzymać, i w końcu się jej udało. Poczuła przypływ odwagi. Wyrobiła ją w sobie w dzieciństwie. Ojciec mógł ją bić, ale nie udało mu się jej złamać.

I lordowi też się nie uda.

Odwróciła się doń plecami, sztywna niczym kij od szczotki, choć trzęsły się pod nią nogi.

– Będzie pan musiał pomóc mi z guzikami.

Lord ruszył ku niej. Słyszała, jak wypolerowane do połysku, czarne buty przesuwają się po dywanie. Zignorował guziki. Poczuła na karku dotyk ciepłych palców, gdy chwycił skraj sukni i szarpnął, jednym ruchem odrywając guziki i obnażając ją do pasa.

Z gardła Ariel dobył się szloch, którego nie zdołała powstrzymać. Lecz kiedy odwróciła się ku niemu, w szarych oczach lorda nie było nawet cienia współczucia.

– A teraz zrób, co powiedziałem. Zdejmij suknię. – Cofnął się nieco, jakby chciał obserwować jej lęk i zdenerwowanie z lepszej perspektywy.

Chwyciła drżącymi dłońmi delikatny jedwab i zsunęła materiał z ramion. Taka piękna suknia, pomyślała z żalem. Każda zdawała się niezwykle cenna dla kobiety, która nie posiadała wielu ładnych rzeczy. Próbowała wymyślić cokolwiek, wyjaśnić, co zaszło pomiędzy nią a Phillipem, lecz jedno spojrzenie na twarz lorda powiedziało jej, że wszelkie próby skazane będą na niepowodzenie.

Stała przed nim ubrana jedynie w pantofle, białe jedwabne pończochy, satynowe podwiązki oraz koszulę tak cienką, że prześwitywały przez nią bladoróżowe sutki i jasne owłosienie u zbiegu ud. Jej twarz oblała się szkarłatem, kiedy lustrował powoli spojrzeniem jej piersi. Po nich przyszła kolej na talię, nogi i kostki, a w końcu twarz.

– Wyjmij szpilki z włosów. Chcę zobaczyć, jak opadają ci na ramiona.

Ariel przygryzła wargę. Czy wystarczy jej odwagi, aby kontynuować? Zadrżała raz, a potem drugi. Bała się myśleć o tym, co ten ciemnowłosy, onieśmielający mężczyzna zamierza zrobić. Powróciła myśl o ucieczce, o tym, że powinna przynajmniej spróbować się ratować. Nie wierzyła jednak ani przez chwilę, że rozgniewany drapieżnik przy łóżku pozwoli jej się wymknąć.

Zebrała się zatem w sobie i zrobiła, co kazał, modląc się w duchu, by zdarzył się cud i zdołała jakoś się uratować. Palce drżały jej tak bardzo, że ledwie była w stanie wyjąć szpilki. Spadały z cichym stukotem na drewnianą podłogę na skraju dywanu. Kiedy upadła ostatnia, jasnoblond włosy spłynęły jej falą na ramiona.

– Teraz koszula.

O Boże! Łzy znów napłynęły jej do oczu i tym razem nie zdołała ich powstrzymać. Spłynęły po policzkach.

– Proszę… – wyszeptała. – Przepraszam za to, co się wydarzyło. Wiem, że nie powinnam była go zapraszać, ale nie miałam pojęcia, że zamierza mnie pocałować.

Zacisnął szczęki. Zamknęła oczy, aby nie widzieć wysokiej, potężnej sylwetki, górującej nad nią niczym stwór z piekła rodem. Zatrzymał się tuż przed Ariel i chwycił ją mocno za ramiona.

– Nie jestem głupi, Ariel. To oczywiste, że Phillip Marlin jest twoim kochankiem. A skoro tak, od dziś będziesz po prostu ogrzewała moje łóżko, nie jego.

Jej kochankiem? Znów ogarnęła ją fala mdłości, tak silna, że dziewczyna mogła jedynie potrząsnąć głową.

– Phillip nie jest moim… kochankiem. Ja nigdy… Nikt jeszcze… Dziś po raz pierwszy ktoś mnie pocałował.

Zacisnął palce na jej ramionach tak mocno, że zabolało.

– Kłamiesz.

– Mówię prawdę. – Utkwiła wzrok w twarzy lorda. – Poznaliśmy się dopiero w zeszłym tygodniu. Spacerowałam w parku, a on… po prostu się pojawił. Dziś zabrał mnie na przejażdżkę powozem. Zaczęło padać, więc… zaprosiłam go na herbatę. A potem mnie pocałował.

Rozległ się grzmot tak silny, że aż zadrżały szyby w oknach. Kolejna błyskawica przecięła zachmurzone niebo, rozjaśniając mrok. Przez twarz lorda przemknęło coś, czego nie spodziewała się tam zobaczyć. I czego zobaczyć nie miała.

Opuścił ręce. Po raz pierwszy dostrzegła w nim wahanie.

– Nie twierdzisz chyba… nie chcesz powiedzieć, że nadal jesteś dziewicą?

Ariel poczuła, że się rumieni. Wbiła wzrok w skomplikowany wzór czerwieni i błękitu pod stopami.

– Nigdy bym nie pozwoliła… nie dopuściła… Tak.

Greville ujął ją pod brodę, zmuszając, aby na niego spojrzała. To coś było tam znowu: ból, gorycz, cierpienie, jakby zdradził go najbliższy przyjaciel. Nie rozumiała tego, a jednak czuła się dziwnie poruszona. Wpatrywał się w nią przez dłuższą chwilę. Stał tak blisko, że czuła ciepło męskiego ciała, dotyk szorstkiej wełny na niemal nagiej skórze. Kolor jego oczu zaczął się zmieniać, nie był już lodowato szary, lecz raczej srebrzysty, a widoczny w nich gniew zabarwiło inne uczucie.

A potem, bez ostrzeżenia, przycisnął wargi do jej ust.

W tym pocałunku nie było ani trochę czułości. Był mocny, brutalny, dziki, jakby chciał ukarać ją za to, że czuł się zdradzony. Po raz drugi tego dnia musiała poddać się woli mężczyzny, a przecież oba te wydarzenia były całkowicie różne. Brutalny pocałunek lorda miał w sobie posmak zemsty, stopniowo stawał się jednak bardziej czuły, nasycony pożądaniem. Ariel zachwiała się, gdy jego wargi poruszyły się na jej ustach, uwodząc i budząc w niej mroczne, utajone głębie.

Był też o wiele bardziej niepokojący niż pocałunek Phillipa.

Greville odsunął się jednak nagle i podszedł do okna. Wydawał się równie jak ona wstrząśnięty. Przeczesał dłonią falujące ciemne włosy sięgające do kołnierzyka. Połyskiwały atramentową czernią w świetle kolejnej błyskawicy.

– Może i mówisz prawdę. To i tak bez znaczenia.

Lecz w jego zbroi pojawiła się szczelina i po raz pierwszy, odkąd zaczął się ten koszmar, Ariel poczuła przypływ nadziei. Zebrała resztki odwagi i zaczerpnęła oddechu.

– Nie jestem w stanie sobie wyobrazić, co pan myśli. Co musiał pan sobie o mnie pomyśleć. Tak czy inaczej, przepraszam za to, co się wydarzyło.

Odwrócił się i obrzucił ją znowu twardym spojrzeniem szarych oczu.

– Doprawdy?

Zwilżyła wargi, nadal odrętwiałe po pocałunku.

– Zawarłam układ. Jak pan powiedział, dotrzymał pan swojej części. Nie zamierzałam wymigiwać się od wypełnienia mojej. Miałam tylko nadzieję – modliłam się – że cokolwiek wydarzy się między nami, będzie do przyjęcia dla obu stron.

Lord milczał.

– Chcę powiedzieć, że miałam nadzieję, iż uda nam się załatwić to w przyjazny sposób. Że będziemy mieli czas, by porozmawiać. Nie zdawałam sobie sprawy, że zechce pan... wyegzekwować moje zobowiązania od razu, gdy się spotkamy.

Naprawdę wydawał się nieco zmieszany.

– Nie było to wcześniej moim zamiarem.

Puls Ariel przyśpieszył, a nadzieja wzrosła.

– Skoro tak, chciałabym o coś pana poprosić.

Uniósł gęste czarne brwi.

– Nie dość już ode mnie dostałaś?

Odwróciła na chwilę wzrok, rumieniąc się z zażenowania. Rzeczywiście, dał jej więcej, niż mogłaby sobie zażyczyć.

– Chodzi mi tylko o czas, milordzie. Jak już mówiłam, jadąc tu, spodziewałam się, że będziemy mieli okazję nieco się poznać. Może nawet... zaprzyjaźnić, nim nasza znajomość posunie się dalej.

Lord odszedł od okna. Teraz, gdy jego gniew osłabł, nie wydawał się już tak surowy i onieśmielający. Uświadomiła sobie, że na swój sposób jest równie przystojny jak Phillip.

– Zaprzyjaźnić? – powtórzył z odcieniem kpiny w głosie. – A to ci koncept, panno Summers. Kobieta jako przyjaciel. To niemal zabawne.

Uniosła wyżej brodę, żałując, iż musi prowadzić rozmowę, będąc niemal naga. Z drugiej strony to, że w ogóle rozmawiali, było cudem.

– W przyjaźni nie ma nic zabawnego, milordzie. Tak jak nie ma powodu, aby mężczyzna i kobieta nie mogli się przyjaźnić.

Przesunął wzrokiem po cienkiej koszuli Ariel i zatrzymał go na jej piersiach. Zaczerwieniła się, ale nie opuściła głowy.

– Jest wiele powodów, droga panno Summers, dla których przyjaźń pomiędzy mężczyzną a kobietą zdarza się niezwykle rzadko. To, że nie jesteś w stanie ich dostrzec, skłania mnie, aby uwierzył, iż naprawdę jesteś tak niewinna, jak twierdzisz. – Podszedł i stanął oddalony od niej zaledwie o kilka cali. Choć była wyższa niż większość kobiet, musiała zadrzeć głowę, by spojrzeć mu w oczy.

Ujął pasmo jasnych włosów Ariel i przesunął pomiędzy palcami. Poczuła dziwny ucisk w brzuchu.

– I jak, twoim zdaniem, mielibyśmy zbudować tę... przyjaźń? – zapytał cicho. Puścił lok i musnął dłonią jej ramię, wywołując gęsią skórkę.

Z pewnością to nadzieja sprawia, że serce zaczyna szybciej mi bić, pomyślała. Jeśli lord zgodzi się zaczekać, nim wezwie ją do swego łoża, zyska czas, aby przekonać go, żeby odstąpił od układu.

– Nie byłam wcześniej w Londynie – powiedziała, spoglądając na niego z drżącym uśmiechem na wargach. – I niewiele dotąd widziałam. Może mógłby pan pokazać mi ciekawe miejsca.

– Miejsca? Jakie znów miejsca?

Zastanawiała się gorączkowo, próbując znaleźć odpowiedź, która mogłaby ją ocalić.

– Na przykład operę. Lub zabrać mnie na sztukę! Na pewno pokochałabym teatr. Może coś Szekspira. Zawsze chciałam zobaczyć *Króla Leara*. Mieszka pan w stolicy. Z pewnością wie pan, co jest tu interesującego. Z ochotą wybiorę się tam, dokąd zechce mnie pan zaprowadzić.

Wyglądało na to, że się zastanawia. Stanął zwrócony do Ariel plecami i utkwił wzrok w gałęziach uderzających o szybki okna.

– Dobrze, panno Summers – powiedział w końcu, odwracając się ku niej. – Możemy odłożyć na jakiś czas twoje... zobowiązania. Wolę mieć w łóżku chętną niewiastę niż taką, która jest tam po prostu z obowiązku.

Ariel zachwiała się. Z ulgi aż zakręciło jej się w głowie.

– A skoro tak się rzeczy mają, możesz włożyć suknię.

Nie zawahała się, podniosła suknię z podłogi i naciągnęła, wciskając ramiona w bufiaste rękawki. Gdy jedwab spłynął z szelestem po ciele, westchnęła z ulgą, iż jest znów przyzwoicie odziana.

Lord nie odezwał się więcej, uznała zatem, że została odprawiona. Nie przejmując się brakującymi guzikami i tym, że włosy opadały jej w nieładzie na ramiona, odwróciła się i pomknęła ku drzwiom pewna, że jeśli ktoś ze służby ją zobaczy, i tak nic nie powie. Odkąd przybyła do domu lorda, zauważyła, że panuje w nim poważna, rzeczowa atmosfera. Rzadko słyszało się tutaj śmiech i teraz, kiedy poznała oziębłego chlebodawcę, wiedziała już dlaczego.

Wyślizneła się po cichu z sypialni, ściskając poły sukni. Prawie biegła. Kiedy znalazła się w swoim pokoju, przekręciła pospiesznie klucz w zamku i oparła się o drzwi. Była bezpieczna, przynajmniej na razie. Ale jak długo lord zechce czekać?

Żałowała, że nie zna odpowiedzi na to pytanie ani sposobu, by wydostać się z pułapki, w którą dobrowolnie się wpakowała. Prawdę mówiąc, bez pracy, pieniędzy i dachu nad głową, co jej pozostawało?

Poza tym dała słowo.

Zacisnęła powieki i spróbowała powstrzymać łzy.

Rozdział 5

Jestem tak podekscytowana tym, że mogę być tu-
taj, w Szkole dla Młodych Panien pani Penworthy.
Ukończenie jej będzie stanowiło kolejny krok na dro-
dze ku spełnieniu mojego marzenia. Martwię się jed-
nak, iż tak naprawdę nigdy nie będę częścią tego
świata. Pozostałe dziewczęta są wyrafinowane i pew-
ne siebie, podczas gdy ja żyję w ciągłym strachu, że
zrobię lub powiem coś niewłaściwego. Słyszałam, jak
wyśmiewają się ze mnie za plecami, chociaż na ogół
po prostu mnie ignorują. I w pewnym sensie nawet je-
stem im wdzięczna. Boję się, że gdyby prawda o mo-
im pochodzeniu wyszła na jaw, spotkałabym się
z jawnym odrzuceniem.

Pamięć o liście z wolna bladła. Justin przechadzał się
nerwowo przed płonącym kominkiem. Chociaż deszcz
ustał i burza minęła, sierpniowe powietrze pozostało
chłodne, a z liści nadal kapało.

Był zmęczony, śmiertelnie znużony i nie miało to nic
wspólnego z długą podróżą, a wiele z uczuciem rozcza-
rowania i wyzbyciem się złudzeń. Rzadko doświadczał
podobnych emocji, jako że dawno pogodził się z faktem,
iż życie to ciąg rozczarowań. Tak już po prostu było.

Wziął do rąk pogrzebacz, przykląkł i poruszył płonące polana, odtwarzając w myślach wciąż od nowa scenę w Czerwonym Pokoju. Ogarnął go gniew tak silny, że zacisnął bezwiednie palce na ciężkim żelaznym pręcie. Długo wyczekiwane spotkanie z Ariel Summers okazało się zupełnie inne, niż sobie wyobrażał. Za nic nie przyszłoby mu do głowy, iż zastanie słodkie dziewczę z listów w objęciach największego w Londynie rozpustnika – i najbardziej zagorzałego wroga, Phillipa Marlina. Przeklął w duchu dziewczynę za to, że czuje się zdradzony, i pogratulował sobie, iż nie stracił do reszty panowania nad sobą.

Odstawił pogrzebacz, podszedł do kredensu i napełnił szklaneczkę brandy, wracając myślami do odwiecznego rywala. Studiowali razem w Oksfordzie, i to na jednym roku. Phillip, złotowłosy, przystojny i cieszący się poparciem wpływowej rodziny, a do tego zepsuty i arogancki, wykorzystywał pokaźne dochody, aby otaczać się kręgiem pochlebiających mu przyjaciół. Należał przy tym do ludzi, którzy czerpią przyjemność z ośmieszania innych, obnażając ich słabości.

Kiedyś Justin często bił się z chłopcami, naigrawającymi się z jego pochodzenia, posługując się pięściami, aby odpłacić im za okrucieństwo. Nieraz obrywał też za to trzciną od nauczycieli. W końcu wycofał się jednak i przestał reagować. Nauczył się panować nad gniewem i bólem, zastępując je cynizmem, który utrzymywał ludzi na dystans i odgradzał go od świata.

Trzymał się też z daleka od Phillipa Marlina i jego przepełnionych pogardą, prowokujących odzywek – aż pewnej nocy natknął się nań w jednej z oksfordzkich tawern. Phillip zwykł zabawiać się od czasu do czasu z Molly McCarthy, zadziorną dziewką, która dorabiała sobie, obsługując miejscowych mężczyzn. Nie robiła z tego tajemnicy, lecz przerośnięte ego Phillipa kazało mu wierzyć, iż Molly zadaje się tylko z nim. Kiedy więc zastał ją w łóżku z którymś ze swoich przyjaciół, wpadł w szał. Zdemolował pokój, a potem rzucił się na Molly. Złamał dziewczynie ramię i bił ją, póki Justin, który przechodził akurat korytarzem, go nie powstrzymał. Walka była krótka i skończyła się dla Phillipa podbitymi oczami, złamanym nosem i rozbitą wargą.

Odtąd Phillip stał się jego najzawziętszym wrogiem.

Justin zacisnął zęby na samo wspomnienie tego, co się wówczas wydarzyło. Skosztował łyk brandy, którą rzadko pijał, i skrzywił się, kiedy palący napitek spłynął w dół przełyku. W sypialni w dalszej części korytarza Ariel śpi zapewne z rozrzuconymi po poduszce lnianymi włosami i rozchylonymi różowymi wargami. Nie zamierzał żądać od niej, by wywiązała się z układu zawartego z poprzednim lordem, lecz kiedy zobaczył ją z Marlinem – ubraną w kosztowny strój, za który naiwnie zapłacił – coś w nim pękło.

Miał ochotę zabić Phillipa Marlina.

Upił kolejny łyk brandy i odstawił szklaneczkę na obramowanie kominka. Jak powinien teraz postąpić? Czy naprawdę chce zrobić z dziewczyny swoją kochankę?

Mimo woli wspomniał przezierające przez cienki materiał bladoróżowe sutki, długie, kształtne nogi, smukłe, odziane w pończochy kostki i trójkąt puszystych srebrnozłotych włosów pomiędzy udami dziewczyny. Ze swoją nieskazitelną skórą i ładnymi rysami przerosłaby wszelkie oczekiwania ojca.

Edmund Ross bez skrupułów zażądałby, żeby dziewczyna ogrzewała mu łoże, zwłaszcza po tym, jak przyłapał ją w ramionach innego mężczyzny.

Lecz Justin nie był taki jak ojciec. Przynajmniej tak mu się wydawało – aż do dzisiaj. Lecz pragnął Ariel Summers. Może nawet bardziej, niż zanim ją poznał. Zamknął oczy, owładnięty falą pożądania tak silnego, że jego członek natychmiast zesztywniał.

Może powinien odwiedzić Dom Rozkoszy madame Charbonnet. Celeste Charbonnet szczyciła się tym, że pracujące dla niej dziewczęta potrafią zapewnić rozkosz każdemu mężczyźnie. Nie odwiedzał jej przybytku już od jakiegoś czasu – ewidentnie za długo, jak świadczył o tym bolesny ucisk w spodniach.

Westchnął w ciszy sypialni. Nie pragnął żadnej z wyszkolonych kurtyzan Celeste. Chciał Ariel Summers. Opłacał jej wydatki – dlaczego nie miałby zatem jej wziąć? Do licha, dziewczyna należała do niego.

To, czy była, czy też nie, kochanką Phillipa przestało mieć znaczenie.

I tak zamierzał ją posiąść.

*** * ***

Ariel obudziła się zlana potem, w rozkopanej pościeli, z koszulą zadartą niemal do bioder. Śnił jej się koszmar i choć nie była w stanie go sobie przypomnieć, podejrzewała, że miał coś wspólnego z lordem.

Wzdrygnęła się, a jej ciało pokryła gęsia skórka, w pokoju panował bowiem chłód. Wstała i owinęła się ciasno szlafrokiem z pikowanego jedwabiu.

Zapukano cicho do drzwi i do sypialni weszła Silvie Thomas, pokojówka, którą lord wyznaczył, by jej usługiwała. Silvie była ciemnowłosą dziewczyną po dwudziestce, z okrągłymi piwnymi oczami i równie okrągłą, nieco nalaną twarzą.

– Wcześnie dziś wstałaś, panienko. Powinnaś zostać w łóżku, aż dorzucę węgli do kominka.

– Tak, cóż, mam rano parę spraw do załatwienia.

– Była to prawda, chociaż niecała. Zamierzała pójść do parku i odszukać Phillipa. Musiała z nim pomówić, wyprostować sprawy pomiędzy nimi, lecz przede wszystkim chciała uciec z domu, nim będzie musiała spotkać się z lordem.

– Skoro tak, trzeba panienkę ubrać.

Pozwoliła, by Silvie krzątała się wokół niej, zadowolona, że może zająć czymś myśli. W jasnoniebieskiej muślinowej sukni, z włosami upiętymi w pełną loczków fryzurę, chwyciła indyjski szal z frędzlami i pomknęła ku drzwiom zadowolona, że nikt jej nie zauważył. Było wcześnie. Jeśli Phillip pojawi się w ich zwykłym miejscu – a bardzo wątpiła, by tak się stało – nastąpi to dopiero za kilka godzin. Spacerowała zatem przez jakiś czas, a potem wstąpiła do piekarni, gdzie posiliła się ciastem i wypiła filiżankę kakao.

Kiedy wyjęła z torebki monetę, niespodziewanie ogarnęło ją poczucie winy. Jak wyłożył brutalnie i bez ogródek lord, nosiła suknie, za które zapłacił, i kupowała przysmaki, płacąc przysłanymi przezeń pieniędzmi. Gdy była dzieckiem, rozpaczliwie pragnącym uciec od żałosnej egzystencji, to, co będzie musiała w tym celu zrobić, nie miało znaczenia. Teraz wolałaby nie myśleć o fałszywych obietnicach, które złożyła.

Greville ma rację, pomyślała. Jestem jego dłużniczką. Wszystko, czego się nauczyła i czym się stała, zawdzięczała hojności lorda. Zaciągnęła olbrzymi dług, ale z pewnością da się go spłacić inaczej niż tylko ciałem.

Westchnęła i skierowała się ku znajomemu platanowi. Trawa była mokra od rosy, a powietrze nadal chłodne. Owinęła się ciaśniej szalem i czekała, modląc się, aby jej złotowłosy książę przybył na spotkanie.

Odetchnęła z ulgą, gdy się pokazał. W zasadzie nie spodziewała się więcej go zobaczyć.

– Ariel, kochanie.

– Phillip… Nie sądziłam, że przyjdziesz.

Ujął jej dłonie i objął spojrzeniem bladą twarz. Widać było, że jest zdenerwowana.

– Tuzin Greville'ów by mnie nie powstrzymało. Tak bardzo się martwiłem. Nie powinienem był cię zostawiać… zwłaszcza że znam lorda i wiem, co czego jest zdolny. Byłem jednak zły i zakłopotany.

Ariel uśmiechnęła się, chociaż nie przyszło jej to z łatwością.

– Wszystko w porządku. Tak się cieszę, że tu jesteś. Mam ci tyle do powiedzenia, tyle muszę wyjaśnić. Powinnam była zrobić to wcześniej, ale... cóż, bałam się.

Phillip wyjął z kieszeni chusteczkę i osuszył delikatnie łzy Ariel. Nawet nie zauważyła, że płacze.

– Usiądź tutaj. – Wytarł ławkę z rosy, po czym usiedli, trzymając się za ręce. Phillip słuchał, pochmurniejąc z minuty na minutę, jak opowiada o swoim pochodzeniu, zmuszając się, by wyznać bolesną prawdę.

– Widzisz zatem, że nie jestem osobą, za jaką mnie uważałeś. Nie jestem... warta twojego zainteresowania.

Uścisnął delikatnie jej dłoń.

– Nie bądź niemądra. Twoja przeszłość się nie liczy. Ważne, jaką kobietą jesteś teraz.

Ariel odwróciła wzrok, myśląc o tym, jak bardzo dopisało jej szczęście, że poznała mężczyznę takiego jak Phillip.

– Powiedziałaś, że twój ojciec był dzierżawcą w majątku zmarłego lorda?

– Tak.

– I dlatego Greville postanowił ci pomóc?

Ariel przygryzła wargę. Gdy przyszła do parku, zamierzała powiedzieć Phillipowi wszystko, przyznając się do niskiego urodzenia i tego, że sprzedała się lordowi w zamian za ładne stroje i kosztowne wykształcenie. Powiedziała mu o swoim pochodzeniu, lecz dziś było w nim coś innego, miał jakiś niemal fanatyczny błysk w oku. Przypomniała sobie wyczuwalną wrogość pomiędzy Phillipem a Grevillem i to wspomnienie powstrzymało ją przed wyjawieniem reszty.

– Ojciec zbyt dużo pił. A pijany stawał się brutalny. Poprosiłam lorda, aby mi pomógł, i on się zgodził. – Była to prawda, nie cała, ale jedynie na tyle starczyło jej odwagi. – Nie miałam pojęcia, że stary lord umarł i że winna jestem wdzięczność jego synowi.

– Raczej bękartowi. – Phillip niemal wypluł to słowo. – Nie zostałby lordem, gdyby jego ojciec nie zachorował. Justin był jego jedynym męskim potomkiem, więc nie miał wyboru, musiał uczynić dziedzicem bachora dziwki.

Ariel zbladła, słysząc tak brutalne słowa. Zaniepokoiła ją nienawiść w głosie Phillipa. Wiedziała bowiem, że jeśli zostanie zmuszona wypełnić warunki układu, ją też będzie uważał za dziwkę.

Zacisnął palce, nieco za ciepłe i lekko wilgotne, na jej dłoniach.

– Przepraszam. Jesteś damą. Nie powinienem używać przy tobie takiego języka.

– Skąd… skąd tyle wiesz o Greville'u?

– Byliśmy na jednym roku w Oksfordzie.

– Opowiesz mi o nim?

Phillip utkwił wzrok w strumieniu wijącym się pomiędzy drzewami. Był porażająco przystojny, mimo to nie mogła się powstrzymać, by nie porównywać go z mrocznym, zdecydowanie bardziej męskim Grevillem.

Kiedy znów na nią spojrzał, jego twarz miała nieodgadniony wyraz.

– To okrutny człowiek, Ariel. I groźny. Nie jesteś w jego domu bezpieczna.

Zadrżała. Przypomniała sobie, jak zażądał lodowatym tonem, bez cienia żalu, by zdjęła suknię. Próbowała nie myśleć o tym, co mogłoby spotkać ją w jego łóżku.

– W szkole trzymał się na uboczu – mówił dalej Phillip. – Stary lord nie uchylał się od obowiązku i wspierał syna oraz jego matkę, lecz wątpię, czy spotkał się z nim więcej niż kilka razy. Matka była córką jednego z miejscowych dziedziców. Uciekła z żonatym europejskim arystokratą, kiedy Justin był jeszcze chłopcem. Przez kilka lat opiekowała się nim babka, a potem wysłano go do szkoły z internatem.

Co za okropna egzystencja, pomyślała. Niemal równie okropna, jak jej własna.

– Może dlatego wydaje się taki twardy i nieczuły.

– Nie usprawiedliwiaj go, Ariel. Nie zasługuje na to.

– Był dla mnie niezwykle szczodry. Jestem mu winna wdzięczność.

Phillip zacisnął wargi.

– Z pewnością zamierza odebrać dług. Justin Ross nic nie robi bezinteresownie.

Wspomniała układ, który zawarła, i zadrżała w środku.

– W Oksfordzie była pewna kobieta – powiedział Phillip. – Kelnerka w gospodzie, Molly McCarthy. Pewnej nocy natknąłem się na nich oboje. Justin wściekł się o coś, co zrobiła ta biedna dziewczyna, i okropnie ją pobił. Kto wie, co by się stało, gdybym go nie powstrzymał.

Ariel przygryzła policzek, odpychając od siebie brutalny obraz. Wspomniała okropną scenę w sypialni lorda. Czy pobiłby ją, gdyby nie posłuchała jego poleceń? Próbowała wyobrazić sobie, jak unosi te twarde, śniade pięści, by ją uderzyć, lecz jakoś nie umiała.

– Muszę iść – powiedziała. Nagle poczuła się bardzo zmęczona. – Jeśli szybko nie wrócę, zaczną mnie szukać.

– Kiedy cię znowu zobaczę?

– Jesteś pewien, że chcesz?

Objął dłonią jej podbródek i przesunął kciukiem po policzku.

– Jak możesz w to wątpić?

– Wiem, gdzie mieszkasz. Pokazałeś mi dom, kiedy zabrałeś mnie na przejażdżkę. Przyślę ci wiadomość, gdy będę pewna, że zdołam się wyrwać.

Spojrzał Ariel w oczy i uniósł jej dłoń do ust.

– Wiesz, co czuję. Nie każ mi czekać zbyt długo.

Ariel nie odpowiedziała. Nie miała pojęcia, co przyniesie przyszłość i czy w ogóle ma jakąś przyszłość. Może powinna powiedzieć Phillipowi prawdę i błagać go, aby jej pomógł.

Następnym razem, przyrzekła sobie. Jeśli naprawdę aż tak mu na niej zależy, pomoże jej znaleźć sposób, by spłacić lorda.

* * *

Justin przemierzał nerwowo gabinet, nasłuchując. Gdzie ona się, u diaska, podziała? Uciekła z kochankiem? Czy leży z nim naga w łóżku, obejmując go smukłymi ramionami? Niewinna i czysta, rzeczywiście! Powinien być mądrzejszy. Nie mógł uwierzyć, że okazał się aż tak głupi.

Usłyszał jakiś hałas i się zatrzymał. Jego uszu dobiegł odgłos lekkich kroków i wiedział już, że Ariel wróciła. Ruszył natychmiast ku drzwiom.

Była tam: ubrana w jasnoniebieską muślinową suknię, z twarzą zaróżowioną od rześkiego powietrza. Uniosła spódnicę i wchodziła po szerokich kamiennych schodach.

– Zatem… postanowiłaś zaszczycić nas znów swoją obecnością. – Jego głęboki głos sprawił, że zatrzymała się w połowie schodów.

Odwróciła się z wolna i spojrzała na niego.

– Milordzie?

– Chciałbym zamienić z tobą słowo… w gabinecie.

Zbladła nieco, wyprostowała jednak ramiona i zaczęła schodzić ku niemu. Poprowadził ją korytarzem, zaczekał, aż minie go i wejdzie do gabinetu, a potem zamknął za nią cicho drzwi.

Przyszpilił dziewczynę spojrzeniem.

– Szukałem cię wcześniej. Gdzie byłaś? – Starał się, aby zabrzmiało to obojętnie, lecz nie był w stanie ukryć gniewu.

Uniosła wyżej brodę. Spojrzała mu w oczy i nie spuściła wzroku.

– Poszłam do parku, jak każdego dnia od przyjazdu. Nie będę pana okłamywała. Jeśli mamy się zaprzyjaźnić, musimy być z sobą szczerzy. Poszłam zobaczyć się z Phillipem. – Justin zesztywniał. – Uznałam, iż należy mu się wyjaśnienie w kwestii sceny, której świadkiem był wczoraj. I prawda o moim pochodzeniu.

Choć z gniewu aż zesztywniała mu szczęka, nie mógł nie podziwiać odwagi dziewczyny. Uwierzył kiedyś, że jest z natury szczera, i chciał wierzyć w to nadal.

– I jak zareagował pan Marlin?

Zawahała się i wiedział już, że Marlin ujawnił niechlubną prawdę o jego pochodzeniu.

– Powiedział… powiedział, że znał pana w Oksfordzie.

– I że jestem bękartem.

Spojrzała na niego i natychmiast jął się zastanawiać, czy coś w tonie jego głosu zdradziło jej, jak bardzo zabolało go to określenie.

– Mówił różne rzeczy. Może i nie powinien był, ale nie zostawiłam mu wyboru.

– Dlaczego?

– Ponieważ cokolwiek zdarzy się pomiędzy nami, chciałabym wiedzieć, jakim jest pan człowiekiem. I kto pomógł mi stać się kobietą, jaką jestem teraz.

– Przypuszczam, że po tym, jak Marlin ci pomógł, sądzisz, że już to wiesz.

– Uważam, że miał pan równie trudne dzieciństwo jak ja. Myśli pan, że jestem dumna z tego, iż mój ojciec był pijakiem? Brutalem, który bił mnie z najbłahszego powodu i nie odczuwał wyrzutów sumienia? Lub że sprawiło mi przyjemność przyznanie się, że byłam niepiśmienną chłopką, póki pan i pański ojciec nie posłaliście mnie do szkoły?

Jej głos zdradzał tyle cierpienia, że było ono prawie namacalne. Odwrócił wzrok i spojrzał za okno. Dzień wstał szary i posępny, a słońce z trudem przebijało się przez powłokę chmur.

– Może jesteśmy w pewnym sensie podobni.

– Tak sądzę. Matka pana porzuciła. Moja umarła, gdy byłam tak mała, że nawet jej nie pamiętam. Pański ojciec był na swój sposób równie okrutny jak mój. Jeśli mamy zbudować przyjaźń na nieprzyjemnej przeszłości, to i tak więcej, niż ma większość ludzi.

Odsunął się od okna i podszedł do niej. Taka śliczna twarz, tak niewinna. A może nie była to niewinność, lecz wstyd? Wyciągnął rękę i ujął Ariel pod brodę.

– Nie wolno ci spotykać się z Marlinem. Tam, gdzie chodzi o kobiety, to bardzo niebezpieczny człowiek.

– Dokładnie to samo powiedział o panu.

A po tym, jak się zachował poprzedniego dnia, dlaczego miałaby nie uwierzyć Marlinowi?

– Opowiedział mi o kobiecie, z którą się pan widywał – mówiła dalej. – O kelnerce z gospody, Molly McCarthy. I o tym, że ją pan pobił.

– To Marlin pobił Molly! – wykrzyknął zaskoczony. – Zabiłby ją, gdybym się nie napatoczył i go nie powstrzymał.

Nie skomentowała tego.

– A wczoraj? W pańskiej sypialni? Gdybym nie posłuchała... co by pan zrobił?

Zacisnął szczęki, aż zadrgał mu mięsień.

– Nie bijam bezbronnych kobiet, jeśli właśnie o to pytasz.

Nie spuściła wzroku i pomyślał z podziwem, ile musi kosztować ją to wypytywanie.

– Gdyby nie uwierzył pan, że jestem dziewicą, wziąłby mnie pan siłą?

Czy mógłby zrobić coś takiego? Kiedy przyglądał się, jak Ariel zdejmuje suknię, obnażając śliczne smukłe ciało, zapragnął jej tak, jak nie pragnął przedtem żadnej. Czy byłby w stanie ją zgwałcić? Rzucić na materac i wbić się w nią? Zamknął oczy, porażone tym brutalnym obrazem, i potrząsnął z wolna głową.

– Nie zmusiłbym cię. – Spojrzał na nią i zobaczył, że mu się przygląda. Nie uwierzyła, że powiedział prawdę o Marlinie, odprężyła się jednak nieco. Najwidoczniej uznała, że chwilowo nic jej nie grozi.

– Zatem jest dla nas nadzieja, milordzie.

Nadzieja. To słowo niewiele dla niego nie znaczyło. Było równie zimne, jak serce bijące w jego piersi. – Mówiłem poważnie. Nie życzę sobie, byś spotykała się z Marlinem. Zabraniam ci.

Coś zabłysło w niebieskich oczach Ariel, lecz zaraz zniknęło. Wątła iskierka nadziei, którą w nich dostrzegł, przygasła.

– Jak pan sobie życzy.

Zastanawiał się, czy może jej wierzyć.

I czy ona uwierzyła jemu.

* * *

Trzy dni później siedział w gabinecie. Zdjął surdut, przewiesił go przez oparcie krzesła i podwinął rękawy koszuli. Potarł bezwiednie zmęczone oczy, a potem wrócił do studiowania ksiąg. Nie mógł jednak skupić uwagi na ocenie zysków ani pożyczkach. I nic dziwnego, skoro przez cały czas myślał o dziewczynie na górze, Ariel Summers, którą zamierzał uczynić swoją kochanką.

Na wspomnienie jej bladego, smukłego ciała prześwitującego przez cienką koszulę aż ścisnęło go w lędźwiach. Nadal czuł dotyk jej miękkich warg, smak słodkich ust. Tylko jedna kobieta torturowała przedtem jego zmysły równie skutecznie – Margaret Simmons, zdrajczyni.

Zapukano cicho do drzwi – dwa razy szybko, a potem jeszcze raz – i bolesne wspomnienia odpłynęły. Srebrna gałka drgnęła i zaczęła się obracać. Uśmiechnął się, gdy do pokoju wszedł jego najlepszy przyjaciel od czasów szkolnych, Clayton Harcourt. Clay był nieprawym synem księcia Rathmore'a i właśnie pochodzenie sprawiło, że się zaprzyjaźnili. Z początku łączyło ich jedynie to.

– Domyśliłem się, że tu cię znajdę – powiedział Clay.

– Pochylonego nad księgami. Czy dla ciebie istnieje jedynie praca, staruszku? – Clay był niemal równie wysoki jak Justin, lecz mocniej zbudowany, o brązowych włosach i oczach. Tam, gdzie Justin był posępny i zdystansowany, Clay stanowił jego przeciwieństwo: bezpośredni, nieco arogancki i absolutnie pozbawiony skrupułów, jeśli chodzi o kobiety.

– Jak do tej pory, niewiele zdziałałem, przynajmniej przez kilka ostatnich dni. – Justin wstał, podszedł do przyjaciela i uścisnął mu dłoń.

– Zapewne powinienem się cieszyć, że taki z ciebie pracuś, zważywszy ile forsy zarobiłeś dla mnie przez lata.

– Po skończeniu nauki Clay okazał się na tyle mądry, aby powierzyć swoje zasoby Justinowi – niewielki spadek po matce oraz pieniądze, jakie dostawał od ojca. Była to słuszna decyzja, przyjaciel miał bowiem smykałkę do interesów i zdołał znacząco powiększyć zainwestowane środki. Clay był więc teraz szczęśliwym posiadaczem przyzwoitej fortunki, o czym wiedzieli jedynie oni dwaj.

– Zatem... czy mam zgadywać, dlaczego nie jesteś w stanie się skupić? – zapytał Clay. – To ta dziewczyna. Przyjechała, prawda?

Przyjaciel wiedział o listach i układzie, jaki Ariel zawarła z ojcem Justina.

– Rzeczywiście, jest tutaj i teraz pewnie smacznie śpi.

– Domyślam się, że nie w twoim łóżku.

Justin uśmiechnął się kątem ust. Gdyby Ariel rzeczywiście spała w jego łóżku, na pewno nie siedziałby teraz w gabinecie.

– Niestety, nie.

– Czyżbym usłyszał w twoim głosie nutkę żalu? Mówiłeś chyba, że nie zamierzasz domagać się wypełnienia warunków układu.

Justin nie odpowiedział. Może i nie miał takiego zamiaru, nie na początku. Niestety, po ich ostatniej rozmowie i po tym, jak była z nim szczera, jego pierwotna opinia na temat Ariel zaczęła powracać. Teraz pragnął jej jeszcze bardziej, lecz chciał, by przyszła doń z własnej woli.

– Nie ma sensu kłamać. Pragnę jej, Clay. I to od pierwszej chwili. – Opowiedział przyjacielowi, co wydarzyło się od przyjazdu Ariel, w tym o jej znajomości z Phillipem Marlinem.

– Marlin? Jak ten bękart zdołał tak szybko położyć na niej łapy?

– Zapewne był to przypadek. Twierdzi, że z nim nie spała. Nie ma sposobu, aby to sprawdzić.

– Och, ależ jest. Gdy weźmiesz ją do łóżka, przekonasz się, czy jest tak niewinna, jak twierdzi.

Justin zacisnął szczęki.

– Zapewne – wykrztusił.

Clay usiadł z rozmachem na skórzanej sofie i rozparł się wygodnie.

– Zatem… jak zamierzasz uwieść dziewczynę? Na pewno nie weźmiesz jej siłą, to nie w twoim stylu.

– To ty jesteś ekspertem, jeśli chodzi o kobiety. Doradź mi zatem.

Clay wyprostował się na sofie.

– Ja coś bym jej kupił – kwiaty, cukierki, trochę ozdóbek. Spróbowałbym też gdzieś ją zabrać, pokazać miasto.

– Mieszka pod moim dachem. Jeśli ktoś się o tym dowie, jej reputacja legnie w gruzach, nieważne, sypiam z nią, czy nie. Nie mogę wprowadzić jej do towarzystwa.

Clay zastanawiał się przez chwilę.

– Rzeczywiście, lecz to nie problem. Jeśli chcesz, przygotuję ci listę miejsc, do których zabieram Teresę. – Była to najnowsza kochanka Claya. – W Covent Garden jest na przykład niewielki teatr, Harmony. Może spodobałoby jej się też w którejś z jaskiń hazardu przy Jermyn

Street. Prawdę mówiąc, w mieście jest więcej ciekawych miejsc, gdzie możesz zabrać dziwkę niż damę.

Justin zmarszczył brwi. Nie myślał o Ariel w ten sposób.

– Niestety, nie ma na to czasu. Pojutrze wyjeżdżam do Birmingham, sprawdzić, jak mają się sprawy w nowej fabryce. Potem...

– Zabierz ją ze sobą. Podobasz się kobietom, nawet jeśli z reguły są to niewiasty bardziej doświadczone. Daj dziewczynie szansę, by mogła cię poznać – takiego, jaki jesteś naprawdę, a nie jaki prezentujesz się światu.

Justin podniósł wzrok, jakby chciał przebić nim sufit.

– Przemyślę to. Lecz nie przyszedłeś tak późno jedynie po to, aby pomóc mi rozwiązać moje problemy. O co więc chodzi?

Clay się uśmiechnął.

– Prawdę mówiąc, zobaczyłem, że pali się u ciebie światło i domyśliłem się, że pracujesz. Uznałem, iż spróbuję namówić cię, byś towarzyszył mi do madame Charbonnet.

Justin sam się zastanawiał, czy nie rozładować w ten sposób pożądania.

– W porządku. Daj mi chwilę. Wezmę płaszcz i zaraz do ciebie dołączę.

– Nareszcie! Jak długo nie odwiedzałeś przybytku *madame*?

– Zbyt długo – burknął Justin. – Zdecydowanie zbyt długo.

Rozdział 6

Dni szybko mijały. Ariel śniła i we śnie całowała przystojnego, złotowłosego księcia z bajki, Phillipa Marlina. Obejmowała go za szyję, a on przyciągał ją delikatnie ku sobie. Był to słodki, niewinny pocałunek, bardziej muśnięcie warg, delikatny wyraz uczucia.

A potem sen zaczął blaknąć, kontury obrazu jęły się zacierać i po chwili umysł Ariel wypełniła gęsta mgła. Przystojny książę zniknął, zastąpiony przez ciemnowłosego lorda o gwałtownym usposobieniu, który więził ją w bezlitosnym uścisku, przyciskając nieprzyzwoicie do swego długiego, smukłego ciała.

– Nie... – wyszeptała, próbując się uwolnić. Lord bez trudu jej to uniemożliwił, a potem przyciągnął mocniej do siebie. Pochylił głowę i przywarł ustami do jej warg z taką siłą, że ugięły się pod nią nogi. Pocałunek trwał, namiętny, gorący, władczy, penetrując jej zmysły, póki nie pochłonął jej całej i nie oszołomił, nie pozwalając się uwolnić.

Nie była już wcale pewna, czy tego chce.

Obudziła się drżąca ze strachu i niepewności, spocona, rozpalona i wzburzona jak wtedy, kiedy naprawdę ją pocałował.

Po chwili zjawiła się Silvie, przynosząc wiadomość od mężczyzny, który prześladował ją nawet we śnie. Lord życzył sobie, by zjadła z nim śniadanie w pokoju wychodzącym na ogród za domem.

Jej serce natychmiast zaczęło szybciej bić, niepokój sprawił, że ledwie mogła ustać. Podeszła do szafy i wyjęła prostą suknię z niebiesko-różowego jedwabiu, zdobioną haftem z ciemnoróżowych kwietnych pąków. Ubrała się pospiesznie, zaczekała, miotana niepokojem, aż Silvie uczesze jej włosy, po czym ruszyła na spotkanie z lordem, rozdarta pomiędzy wspomnieniem snu a zapewnieniami lorda, iż nie wziąłby jej siłą.

Powiedział też, że nie pobił służącej z tawerny, Molly McCarthy, i oskarżył o to Phillipa.

Z pewnością kłamał. Phillip był dżentelmenem. Jej pięknym księciem. Nie wymyśliłby czegoś takiego.

Coś nie dawało jej wszakże spokoju. Coś w głosie lorda, a może zszokowana mina, kiedy oskarżyła go o ten uczynek. Cokolwiek to było, sprawiło, że zaczęła się zastanawiać...

Gdy weszła, już na nią czekał. Wstał i odsunął krzesło z wysokim, rzeźbionym oparciem, wskazując, aby zajęła miejsce obok niego. W gołębioszarym surducie i dopasowanych czarnych bryczesach nie wydawał się już tak onieśmielający. Nawet spojrzenie miał inne: mniej władcze, bardziej szacujące.

Przyglądała mu się, oceniając jak nigdy przedtem. Teraz, gdy nie był już rozgniewany, wydawał się jeszcze bardziej przystojny. Jego twarz zdawała się wykuta z marmuru. Z prostym nosem, wysokimi kośćmi policzkowymi i gęstymi czarnymi brwiami wyglądał w każdym calu jak drapieżca, a jednak te mocne, śmiałe rysy były też pociągające w sposób, jakiego nie ośmieliła się dostrzegać wcześniej.

Usiadł za stołem i wróciła bezwiednie myślami do namiętnego pocałunku ze snu – a może raczej do tego, który wycisnął na jej wargach w swojej sypialni? Cokolwiek to było, zmusiła się, by o tym nie myśleć. Miała nadzieję, że lord nie zauważył, iż się zarumieniła.

– Wyglądasz dziś bardzo ładnie, panno Summers. Ufam, iż dobrze spałaś.

Jeśli pominąć niepokojące sny... Policzki Ariel poróżowiały jeszcze mocniej.

– Dość dobrze, milordzie.

– Myślałem o naszej rozmowie, a zwłaszcza o sugestii, jaką uczyniłaś.

Serce podskoczyło Ariel w piersi. Czy chodziło mu o to, by się zaprzyjaźnili, zanim zostaną kochankami? Oznaczałoby to jakże pożądaną zwłokę.

– Tak, milordzie? – spytała z nadzieją.

– Przeczytałem wszystkie twoje listy i chyba znam cię dość dobrze, lecz ty dopiero co mnie poznałaś, wydaje się więc rozsądne, byśmy postąpili, jak sugerowałaś, i spędzili razem trochę czasu.

Puls Ariel znowu przyśpieszył. Spędzanie czasu z lordem wydało jej się nagle mocno niepokojące, mimo iż był to przecież jej pomysł, odpowiedź na jej modlitwy.

– Ponieważ będę musiał wyjechać na kilka dni z miasta w interesach, pomyślałem, że mogłabyś mi towarzyszyć.

– Wyjechać z miasta? – pisnęła przerażona.

– Dokładnie rzecz ujmując, wybieram się do małego miasteczka Cadamon położonego około trzydziestu mil na południowy wschód od Birmingham. Kupiłem tam niedawno fabrykę tekstyliów.

Tuzin myśli przebiegło w jednej chwili przez głowę Ariel. Najbardziej niepokojąca dotyczyła tego, iż będzie musiała spędzić z lordem kilka nocy.

– Birmingham jest dość daleko.

Skinął głową.

– Ponad dzień drogi w każdą stronę. Podróż zajmie nam zatem pięć, sześć dni.

Ariel zbladła. Pięć, sześć dni! Boże, kto obroni ją przed nim przez blisko tydzień?

– Może byłoby lepiej, gdybyśmy zaczęli się zaprzyjaźniać, kiedy pan wróci?

Ściągnął proste, czarne brwi i zacisnął wargi w wąską kreskę. Jego twarz przybrała dobrze jej znany wyraz dezaprobaty.

– Obawiam się, że to nie wchodzi w grę. Wyjedziemy rankiem, nie później niż o dziewiątej.

Zmusiła się, by skinąć głową.

– Jak pan sobie życzy.

– Pomyślałem też, iż moglibyśmy wybrać się dziś na małe zakupy.

– Zakupy, milordzie?

– Chcę kupić ci kilka sukien i pasujące do nich drobiazgi.

Ariel potrząsnęła głową.

– Zapłacił pan już za kilka ślicznych sukien. Prawie ich nie nosiłam. Nie potrzebuję nowych. – Im więcej na nią wyda, tym więcej będzie musiała mu zwrócić. Jęknęła w duchu.

– Mam na myśli coś mniej... konserwatywnego. Twoje suknie są dobre na dzień, wieczorem wyglądałabyś w nich jednak, jakbyś dopiero co opuściła szkołę.

Ariel spojrzała na filiżankę kakao, którą postawił przed nią lokaj.

– Bo przecież tak właśnie jest – powiedziała cicho.

Mięśnie jego ramion napięły się.

– Nie jesteś już dzieckiem, Ariel, i nie zamierzam tak cię traktować.

Ariel już się nie odezwała. Wiedziała, że lord myśli o tamtym pocałunku i długu, który zamierza odebrać. Skinął na stojącego przy drzwiach lokaja i polecił, aby podano lekkie śniadanie, a potem odchylił się na krześle i upił łyk kawy, nie odrywając od Ariel spojrzenia chłodnych szarych oczu.

Zacisnęła pod stołem dłoń na białej lnianej serwetce. Żołądek miała równie mocno ściśnięty. Lokaj położył jej na talerzu delikatne, posypane cukrem ciasto i stosik dojrzałych poziomek, lecz Ariel nie była już głodna.

* * *

Skończyli posiłek w milczeniu. Ledwie uprzątnięto naczynia, Justin wstał i podszedł do Ariel. Siedziała, przesuwając po talerzu jedzenie. Nie odezwał się, prowadząc ją do powozu, po prostu dał znak stangretowi, by wdrapał się na kozioł. Ciche klaśnięcie wodzy o zady czterech jednakowo umaszczonych koni i żelazne koła potoczyły się po bruku.

Mijali tawerny, kawiarnie, sklepy rzeźnicze i handlarzy dywanami. Wzrok Ariel powędrował z wolna ku oknu i już tam pozostał. Nie mógł nie zauważyć, jak bardzo fascynowały ją widoki. Wkrótce trafili na St. James, przy której znajdowały się eleganckie sklepy i magazyny zaopatrujące bogatych członków towarzystwa. Justin kazał woźnicy zatrzymać się przed wąskim budynkiem. Niewielka drewniana tabliczka na drzwiach tuż obok pojedynczego okna głosiła: MADAME DUPREE, Salon Mody.

– Możemy? – Podał jej ramię. Ujęła je i pozwoliła wprowadzić się do wnętrza.

W małym, dobrze urządzonym pokoju kilka kobiet pracowało, schylonych nad belami kolorowych tkanin, pilnie szyjąc i dopasowując. Jedna z nich, solidnej budowy i o szerokich biodrach, wstała i zniknęła za kotarą w końcu sklepu, ewidentnie w poszukiwaniu pracodawczyni.

– Skąd wiedział pan o...? – Spojrzała na niego, nie kończąc pytania.

Uświadomił sobie, że widać uznała, iż bywał tu wcześniej, z innymi kobietami.

– Skąd wiedziałem o sklepie? – dokończył za nią.

– Przypuszczam, że nie mnie pierwszą pan tu przyprowadził – odpaliła, spoglądając na niego.

Rozbawiony uniósł kącik ust.

– Przeciwnie, jesteś pierwsza. Wiem o tym miejscu, ponieważ mój ojciec często tu kupował. Zapłaciłem rachunki, gdy umarł. Nie mam nic do zarzucenia jego gustowi, uznałem więc, że sklep doskonale nada się do naszych celów.

– A jakież są te cele?

– Powiedziałaś, że chciałabyś zwiedzić miasto, może wybrać się do teatru albo opery. A skoro tak, będziesz potrzebowała sukien, jakich może dostarczyć ci madame Dupree.

Nie odezwała się. Bo co mogłaby powiedzieć? Przecież to był jej pomysł. Justin położył dłoń na talii Ariel, odnotowując, jaka jest smukła, i popchnął ją lekko, skłaniając, by podążyła dalej w głąb sklepu. Zasłona się poruszyła i do salonu weszła właścicielka. Uśmiechnęła się i podeszła ku Justinowi i Ariel.

– Czym mogę służyć, milordzie? – Miała siwe włosy, lekko pomarszczoną twarz i zbyt mocno uróżowane policzki. Wielkie, kołyszące się piersi ukryła skromnie pod koronkową wstawką u dekoltu modnie skrojonej, jedwabnej sukni.

– Chciałbym kupić kilka wieczorowych sukien dla pani.

Uśmiechnęła się.

– Lord Greville, nieprawdaż?

Nie był zdziwiony, że kobieta go zna. Choć mocno go to irytowało, musiał przyznać, że jest do ojca bardzo podobny. Skinął lekko głową.

– Jestem Greville.

– Zmarły lord, pański ojciec, był bardzo dobrym klientem. Wygląda pan zupełnie jak on. – Spojrzała na Ariel. – Ty zaś, moja droga, jesteś zapewne… eee… przyjaciółką jego lordowskiej mości.

Ariel zarumieniła się gwałtownie. Skinęła ledwie dostrzegalnie głową.

– Ależ, nie ma się czego wstydzić. W przeszłości często miewałam do czynienia z… przyjaciółkami zmarłego lorda. Szybko wyposażę cię we wszystko, co potrzebne.

Justin patrzył z pochmurną miną, jak kobiety odchodzą. Nie podobało mu się, że *madame* spogląda z takim samozadowoleniem na Ariel, która wyraźnie czuła się upokorzona.

Zaklął w duchu, żałując, że w ogóle ją tu przywiózł. Pogardzał ojcem za to, iż nigdy nie miał dość młodych, niewinnych kobiet. Z wyglądu bardzo go przypominał. A może chodziło nie tylko o wygląd?

Wzdrygnął się na myśl o tym, a potem zablokował, jak miał w zwyczaju, niemiłe przypuszczenie, wyrzucając je całkowicie z umysłu. Nie pragnął coraz to innych, młodych kobiet. Pragnął Ariel Summers i przysiągł sobie, że sprawi, iż ona też go zapragnie.

Kobiety wróciły. Madame Dupree ustawiła Ariel na okrągłym podwyższeniu przed obitą brokatem sofą i zaczęła spowijać ją w kolejne tkaniny. Z początku Ariel wydawała się niechętna i wiedział, że zastanawia się nad powodami, dla których kupował jej suknie. Nie czynił ze swych intencji tajemnicy. Chciał mieć ją w swoim łóżku i gotów był zrobić wszystko, aby tak się stało.

Stała sztywno na podwyższeniu, zażenowana tym, że ma na sobie jedynie koszulę, i w pewnej chwili musiał zwalczyć nagły impuls, aby pochwycić ją w ramiona i zabrać z dala od chytrych spojrzeń i wszystkowiedzącego uśmiechu *madame*. Ariel nie odzywała się, odpowiadając jedynie na pytania zadane wprost.

Urodziła się jednak w biedzie, więc stopniowo piękne materiały – mięsiste welury w kolorze rubinu i szafiru, wspaniałe kremowe i różowe satyny oraz połyskujące szmaragdem i złotem jedwabie – przywołały na jej twarz uśmiech.

Sprawiło mu to przyjemność, ogrzało duszę. Pomógł jej wybrać tkaniny i fasony pięciu nowych sukien, dwóch więcej, niż zamierzał początkowo. Kupił je wyłącznie po to, aby zobaczyć, jak rozjaśnia się jej twarz. Zgodzili się co do fasonów oraz kolorów, odkrywając z niejakim zdumieniem, jak podobny mają gust.

Suknie miały głębszy dekolt od noszonych przez Ariel do tej pory i były bardzo modne, a widok dziewczyny ubranej w strój odsłaniający wdzięki zmniejszy zapewne wyrzuty sumienia. Ariel była kobietą, nie dziewczęciem. Piękną, godną pożądania kobietą – zdolną wypełnić warunki układu, jaki zawarła. Ukazanie sporej części jej ślicznego biustu miało stanowić tego dowód.

Opuścili sklep obładowani pudłami, wstąpili do szewca za rogiem, by kupić pasujące do sukien pantofelki i zawrócili.

Dotarli już niemal do powozu, kiedy zobaczył wysokiego, jasnowłosego mężczyznę wychodzącego ze sklepu z męską galanterią. Phillip Marlin maszerował chodnikiem, objuczony stosem pudeł. Nie zauważył ich i poszedł dalej, lecz Ariel zatrzymała się jak wrośnięta w ziemię.

Justin dostrzegł jej reakcję i poczuł, że znów budzi się w nim gniew. Zacisnął szczęki, by stłumić niepożądane emocje. Ariel popatrzyła w ślad za Phillipem, kiedy przechodził przez jezdnię, zbliżając się do czekającego powozu. Zmarszczyła brwi na widok czarnego chłopca, najwyżej sześcioletniego, który pośpieszył otworzyć drzwiczki pojazdu.

– Czy to dziecko... ten chłopiec jest służącym? – spytała ze wzrokiem utkwionym w malca odzianego w jaskrawy strój, składający się z długich fioletowych spodni obszytych na dole taśmą i pasującej do nich kamizelki. Na małej, ciemnej głowie tkwił złotofioletowy turban. Chłopczyk wyglądał w nim jak kwiat na zbyt wątłej łodyżce, więdnący z nadmiaru słońca. Złote pantofelki miały zadarte ku górze noski.

– To Murzynek, ostatni nabytek Marlina – powiedział Justin. – Prowadza go z sobą jako żywy temat do konwersacji, rodzaj domowego zwierzątka. Bawi go reakcja spotykanych osób na kolor skóry dziecka i jego strój.

Ariel nie była w stanie odwrócić wzroku. Patrzyła, jak Marlin wpycha stos pudeł w małe dłonie o różowym wnętrzu, a potem wskakuje do powozu i zamyka drzwi. Dziecko zmagało się przez chwilę z pudłami, a potem podało je stangretowi i wspięło się na kozioł. Na szczycie malec zachwiał się tak niebezpiecznie, że Ariel westchnęła bezwiednie, przestraszona. W końcu chłopiec odzyskał jednak równowagę i Phillip dał woźnicy znak, aby ruszali.

– Nie mogę uwierzyć, że mógłby traktować w ten sposób dziecko – powiedziała Ariel cicho.

– W Phillipie Marlinie jest więcej rzeczy, które trudno byłoby ci sobie wyobrazić – zauważył Justin chłodno. Zdawał sobie sprawę, że nawet gdyby jej o nich opowiedział, i tak by nie uwierzyła. Ujął zatem Ariel zdecydowanym gestem pod ramię i poprowadził w dół ulicy, przeklinając w duchu Marlina.

* * *

Choć bardzo tego nie chciała, ranek jednak w końcu nadszedł, a wraz z nim chwila, gdy mieli wyruszyć do Birmingham. Spędziła noc bezsennie, rozmyślając o lordzie i Phillipie Marlinie, wspominając troskę i niespodziewane współczucie, jakie dostrzegła w jego oczach w salonie. Wyczuł jej zażenowanie, to, iż czuje się upokorzona. W pewnej chwili odniosła wręcz wrażenie, że zaraz porwie ją na ręce i wyniesie, tak mroczny miał wyraz twarzy.

A potem natknęli się na Phillipa. Z pewnością Greville mylił się co do tego, jak Phillip traktuje chłopca. Może mu pomagał. Może dziecko było sierotą. Mimo to sposób, w jaki je traktował – jakby było cennym nabytkiem wystawionym na widok, by się nim chwalić – nie dawał Ariel spokoju. Próbowała wyobrazić sobie lorda Greville traktującego podobnie małe dziecko, lecz obraz nie chciał się pojawić.

Gdy zeszła po schodach, powóz czekał już przed drzwiami. Była spakowana i gotowa na długo przed planowaną godziną. Młodziutka pokojówka, Silvie, stała obok swej pani, ściskając nerwowo w pulchnej dłoni niewielką walizkę.

Lord pojawił się kilka minut po nich, emanując siłą i zdecydowaniem.

– Jesteśmy gotowe, milordzie – powiedziała, uśmiechając się słabo.

Zerknął na nią i zmarszczył brwi.

– Sądziłem, że dobrze mnie zrozumiałaś. Mam sporo do roboty. Będę potrzebował prywatności. A skoro jedziemy jednym powozem, nie będzie w nim miejsca dla pokojówki.

Ariel zamrugała zaskoczona.

– Musi pan pozwolić jej jechać. To niestosowne, by dama… – Spostrzegła, że spochmurniał, i spróbowała inaczej. – Jak dam sobie bez niej radę? Kto pomoże mi się rozebrać?

– Dawałaś sobie radę bez służącej kilka ładnych lat, poradzisz więc sobie jeszcze przez parę dni.

Było to bardzo niestosowne, nie protestowała jednak dłużej, wiedząc, że to i tak nic nie da. Zamiast tego stała sztywna niczym kij od szczotki, przyglądając się, jak pokojówka wchodzi z powrotem schodami. Greville ujął Ariel pod ramię i poprowadził ku drzwiom, a potem w dół frontowych schodów. Z bliska jego ramiona wydawały się jeszcze szersze i choć miał na sobie zwykły strój, nosił go tak, jakby się w nim urodził. Prawdę mówiąc, trudno było sobie wyobrazić, że jest lordem dopiero od niedawna.

Wyjeżdżając z miasta, rozmawiali niewiele i wreszcie Ariel skupiła się na oglądaniu widoków. Nie znała Londynu, trzymała się więc dotąd blisko domu, a Phillip woził ją głównie po parku. Nawet wyprawa z lordem po zakupy nie zawiodła jej aż tak daleko.

Teraz, w miarę jak zagłębiali się w wąskie uliczki, obserwowała zafascynowana gęstniejący tłum przechodniów, kupców, handlarzy atramentem i starymi ubraniami. Nie brakło nawet ulicznych śpiewaków.

Na rogu ulicy obdarty chłopczyk o brudnej buzi i palcach wystających z dziurawych rękawiczek sprzedawał jabłka. Pojazdy wszelkiej maści i rozmiaru mijały się na brukowanych alejkach, czemu towarzyszyła istna kakofonia pokrzykiwań woźniców i rżenia koni.

Niewiarygodna mieszanka obrazów i dźwięków oszołomiła ją, sprawiając, że zapomniała o niewesołym położeniu, przynajmniej na chwilę.

A potem głęboki głos lorda wdarł się w jej myśli, przypominając, że jest z nim sama i wkrótce znajdzie się poza dającym jakie takie bezpieczeństwo miastem.

– Nim wyjedziemy za rogatki, będę musiał coś załatwić. Nie zajmie mi to wiele czasu. – Skręcili w Threadneedle i powóz zatrzymał się przed trzypiętrowym budynkiem z cegły. – Muszę porozmawiać ze swoim prawnikiem. Możesz ze mną pójść, jeśli chcesz.

Zaskoczyła ją ta propozycja. Już miała odmówić, lecz pomyślała: Dlaczego nie? Podróżowała z tym mężczyzną, chociaż nie z własnej woli. Każda informacja, jaką uda jej się zdobyć, może okazać się przydatna.

– Dziękuję. Chętnie.

Pomógł jej wydostać się z powozu i weszli razem do budynku. Młody urzędnik o piaskowoblond włosach i gorliwym wyrazie twarzy powitał lorda, a potem zaprowadził ich korytarzem do ładnie umeblowanego gabinetu o ścianach wyłożonych boazerią.

– Mój doradca prawny, Jonathan Whipple. – Lord skinął głową, wskazując siwowłosego mężczyznę, który wstał zza biurka i ruszył ku nim przez pokój. Był szczupły, nieco po pięćdziesiątce, w okularach z drucianą oprawką na długim, haczykowatym nosie. – Pozwól, że przedstawię ci pannę Ariel Summers, Jonathanie. Jest w mieście od niedawna.

– Bardzo mi miło, panno Summers. – Prawnik uśmiechnął się, skłonił grzecznie, a potem zwrócił znowu do lorda. – Mam wyliczenia, których pan sobie zażyczył, milordzie. Właśnie miałem dokonać ostatecznego podsumowania. – Podeszli do biurka, pozostawiając Ariel, by mogła rozejrzeć się po królestwie pana Whipple'a.

Gabinet był ciepły i przytulny, w małym kominku z okapem z dębiny płonął ogień, a wzdłuż ścian ustawiono regały. Obok wyłożonego brązową skórą fotela piętrzył się stos nieaktualnych gazet i czasopism, jednak poza tym pomieszczenie urządzone było niemal spartańsko i panował w nim absolutny porządek. Pomyślała, że przypomina samego lorda: jest uporządkowane i bez skazy. Najwidoczniej takich samych cech wymagał od ludzi, których zatrudniał.

Przeszła wzdłuż regałów, zbliżając się stopniowo do wielkiego mahoniowego biurka pośrodku i zerkając na oprawne w skórę woluminy, z których większość dotyczyła finansów. Kątem oka spostrzegła lorda. Siedział za biurkiem, pochylając ciemną głowę nad stosem otwartych rejestrów.

W szkole arytmetyka stanowiła jej ulubiony przedmiot. Przyglądając się, jak studiuje liczby na stronie, którą miał przed sobą, zaczęła dodawać je w pamięci, jak ją nauczono.

Po chwili ściągnęła brwi.

– Proszę wybaczyć, milordzie, ale w kolumnie po prawej jest błąd.

Uniósł brwi i powiedział kpiąco:

– Miło wiedzieć, że pośród twych świeżo nabytych umiejętności jest też wiedza na temat prowadzenia ksiąg.

Spłonęła rumieńcem, lecz sarkazm jej nie powstrzymał:

– Nie wiem nic o prowadzeniu ksiąg. Lecz suma liczb się nie zgadza. Powinna wynosić dwa tysiące sześćset siedemdziesiąt sześć, a nie trzy tysiące sto czterdzieści osiem.

Greville zmarszczył brwi. Siwowłosy mężczyzna obok niego zrobił zmartwioną minę i zabrał się do pracy, dodając ponownie kolumnę liczb.

– Och. Zdaje się, że panna Summers ma rację, milordzie. Nie wiem, jak mogłem tak się pomylić. – Westchnął. – Teraz muszę poprawić następne wyliczenia. Zajmie mi to trochę czasu.

– Mogę pana wyręczyć – zaproponowała Ariel. – Tak się składa, że mam smykałkę do arytmetyki. – Spojrzała na księgę i zaczęła w myślach dodawać. – Suma w pierwszej kolumnie powinna wynosić cztery tysiące dwieście czternaście. W drugiej… trzy tysiące trzysta osiemdziesiąt siedem, a w trzeciej… – Zamilkła i spojrzała na Jonathana Whipple'a. – Nie zapisał pan tego – powiedziała, lecz on pracował gorączkowo dalej, sprawdzając jej wyliczenia.

– Cztery tysiące dwieście czternaście – potwierdził, zerkając na lorda ponad oprawką okularów. – Pani ma całkowitą rację.

Greville spojrzał na Ariel zaskoczony.

– Jak, u diabła, udaje ci się tak szybko liczyć?

Uśmiechnęła się zadowolona, że wywarła na nim wrażenie.

– Wykorzystując pewną sztuczkę, jakiej się nauczyłam. Tam, gdzie to możliwe, grupuję po prostu liczby dziesiątkami, dodaję je nie po kolei, ale sumuję dwie czy trzy i dodaję jako jedną, większą – na przykład zamiast osiem, dwanaście i dziesięć dodaję od razu trzydzieści.

– Imponujące.

– Miałam wspaniałego nauczyciela matematyki, dzięki panu, milordzie. Potrafię też szybko mnożyć i dzielić, gdyby mogło się to panu kiedyś przydać.

Uśmiechnął się kątem ust.

– Będę o tym pamiętał.

Zakończył spotkanie i wrócili do powozu. Kiedy zmierzali ku rogatkom, nie mówił wiele, choć czuła, że przygląda się jej spod opuszczonych powiek. Zauważyła, iż rzęsy ma jeszcze ciemniejsze niż włosy. Tak gęstych nie widziała dotąd u żadnego mężczyzny.

Minęła godzina. Słońce przedarło się przez chmury i wpadło do powozu, rzucając cienie na policzki Greville'a.

– Przypuszczam, że po spędzeniu kilku tygodni w Londynie wieś wyda ci się nudna i nieciekawa.

Spojrzała na zielone wzgórza w oddali, stadka czarnogłowych owiec pasących się na zboczach, krystalicznie czyste, błękitne niebo, jakiego nie widywało się w mieście.

– Przeciwnie, milordzie. Nie pragnę, oczywiście, wrócić do kurnej chaty z klepiskiem, w której się urodziłam, lecz zawsze będę ceniła słodkie, czyste powietrze i zielone łąki. Londyn kipi wszelkimi przejawami życia, lecz na swój sposób jest tak również i tutaj. Wszystkie te kolorowe owady, nieskończona różnorodność pięknych ptaków oraz ciekawych czworonogów, dzikich i udomowionych. Jako dziecko bardzo chciałam wyjechać. Teraz wiem już, że chciałam uciec od biedy i ignorancji, nie od krajobrazu.

Lord nie odezwał się, widziała jednak, że jej odpowiedź mu się spodobała.

– A pan, milordzie? Uważa pan życie na wsi za nudne? Spojrzał na okno.

– Prawdę mówiąc, życie jako takie na ogół wydaje mi się nużące. Wieś jest wszakże w stanie zapewnić od czasu do czasu trochę przyjemności.

– Zatem dlaczego nie spędza pan czasu głównie w Greville Hall? Zwłaszcza że jest tam o wiele bardziej... – Zamilkła, uświadamiając sobie, iż jeszcze chwila, a mocno go obrazi.

Uniósł czarną brew.

– Bardziej... jak, panno Summers? Elegancko? A może chciałaś powiedzieć: wielkopańsko?

Nie miała wyjścia, musiała dokończyć myśl bez względu na to, czy spodoba się ona lordowi.

– Chciałam powiedzieć: radośnie. Greville Hall to najpiękniejsze miejsce, jakie widziałam. Beztroskie i wesołe, z tuzinami okien, przez które napływa powietrze i słońce. Ogrody wydają się kwitnąć na okrągło i nawet meble i draperie są tam ciepłe i słoneczne.

– Jak to możliwe, że stałaś się takim ekspertem od Greville Hall? – zapytał chłodno. – Nie sądzę, aby mój ojciec choć raz zaprosił cię na kolację.

Zerknęła na niego spod oka.

– Podobnie jak pana. Wiem, jak wygląda dom, ponieważ często wdrapywałam się na płot z tyłu ogrodu, ukrywałam w krzakach i zaglądałam przez tylne okna. Czasami, kiedy widziałam, że późnym wieczorem palą się świece, podchodziłam bliżej i przyglądałam się tańczącym damom. Wyglądały tak pięknie i tak dobrze się bawiły... Przysięgłam sobie, że pewnego dnia ja też zostanę damą.

– I to ci się udało.

Niestety, nie była to prawda, nie do końca. Dama nie podróżowała z mężczyzną, którego ledwie znała. I nie zostawała jego utrzymanką.

Lord odwrócił głowę i utkwił znów wzrok w krajobrazie za oknem.

– Byłem w Greville Hall tylko raz, niedługo przed śmiercią ojca. Teraz mieszka tam moja siostra przyrodnia, Barbara, z synkiem Thomasem. Niezbyt dobrze nam się układa.

– Dlaczego? – Było to impertynenckie pytanie, i dobrze o tym wiedziała. Mimo to miała nadzieję, że lord odpowie.

Spojrzał na nią z góry, onieśmielając wzrokiem, dokładnie tak, jak zamierzył.

Pytanie zawisło jednak w powietrzu i w końcu mężczyzna westchnął, pokonany.

– Barbara jest wdową. Gdyby ojciec nie uczynił mnie dziedzicem, tytuł i majątek Greville'ów przypadłyby jej synkowi.

Ariel pamiętała piękną ciemnowłosą dziewczynę, która mieszkała w domu, gdy ona była jeszcze dzieckiem. Wspomniała, jak przyglądała się pewnego dnia młodej damie i jej przyjaciółkom jadącym otwartym powozem. Nie wiedziała, że lady Barbara wyszła za mąż. Wyglądało na to, że odkąd zawarła ten diabelski układ i wyjechała do szkoły, wiele się zdarzyło.

– Jest bardzo młoda, jak na wdowę – powiedziała.

– O ile dopisuje mi pamięć, zaledwie o kilka lat starsza niż ja. To musiało być dla niej straszne, stracić męża tak szybko po tym, jak się pobrali.

Lord tylko prychnął.

– Barbara ma dwadzieścia sześć lat i jestem przekonany, że odetchnęła z ulgą, gdy jej mąż umarł. Lord Haywood był od niej starszy o jakieś czterdzieści lat. Zdziwaczały stary głupiec, który miał więcej pieniędzy niż rozumu. Przypuszczam, że Barbara poślubiła go, mając nadzieję, iż długo nie pożyje i zostawi jej większość swojego majątku. Niestety, była drugą żoną Haywooda. Miał już dwóch dorosłych synów, co oznacza, że było wielce nieprawdopodobne, aby to Thomas został jego dziedzicem.

– Jednak z pewnością zabezpieczył ją i synka, nim zmarł.

– Na pewno zamierzał, przynajmniej z początku. Zanim przyłapał ją w łóżku z zarządcą. Powstały wątpliwości co do wydatkowania pieniędzy na dom i krótko potem lord zmienił testament. Ojcu jakoś udało się zatuszować sprawę, mimo to po śmierci Haywooda okazało się, że zostawił Barbarę niemal bez grosza.

– Chce pan powiedzieć, że jest teraz na pańskim utrzymaniu?

– Mniej więcej. Oczywiście może wyjść ponownie za mąż i jestem pewien, że z czasem tak właśnie się stanie.

– Lecz jeśli to osoba takiego pokroju, dlaczego jej pan pomaga?

Wzruszył ramionami okrytymi doskonale skrojonym czarnym surdutem.

– A jaki mam wybór? Jest moją siostrą przyrodnią. Raczej nie mogę wyrzucić jej z chłopcem na ulicę. Towarzystwo może i nie wita mnie z otwartymi ramionami, wolałbym jednak nie spotkać się z całkowitym ostracyzmem. To niedobre dla interesów.

Ariel się nie odezwała. Troszczył się o siostrę nie z powodu uczuć rodzinnych, ale by chronić swój społeczny status. Nie chciał stracić finansowych korzyści, jakie zapewniała mu przynależność do wyższych sfer. Lecz jeśli nie mijał się z prawdą, jego siostra nie była wiele warta. Zważywszy, że ojciec zupełnie go ignorował, matka porzuciła, a siostrze zależało jedynie na pieniądzach, jak mógł wyrosnąć na kogoś innego niż oziębły, pozbawiony współczucia człowiek, jakim się wydawał?

Poczuła niespodziewany przypływ litości.

Rozmowa zamarła. Przez większość dnia jechali w ciszy. Ariel czytała lub haftowała, a lord przeglądał materiały na temat produkcji tkanin i inwestowania, które ze sobą zabrał. Podróż była nużąca i nim zatrzymali się na nocleg w gospodzie Królewski Trakt, Ariel była już mocno zmęczona.

Najwidoczniej lord powiadomił wcześniej właściciela, ponieważ czekały na nich dwie sypialnie. Świadomość, że będzie miała osobny pokój, powinna rozproszyć choć trochę jej obawy. Tymczasem gdy tylko przekroczyli próg porośniętej bluszczem gospody, niepokój powrócił.

Lord przystanął u podnóża schodów. Wyraz twarzy miał nieodgadniony, mimo to wyczuwała w nim napięcie.

– Zjesz ze mną kolację, czy wolisz, aby przysłano ci coś na górę?

Na myśl, że będzie mogła schronić się w odosobnieniu swojej sypialni, zalała ją fala ulgi.

– Jestem dosyć zmęczona, milordzie. Jeśli to panu nie przeszkadza, wolałabym zjeść w pokoju.

Uśmiechnął się ledwie dostrzegalnie, jakby odczytał jej myśli.

– Doskonale, sam przyniosę ci kolację.

Ariel zesztywniała. Niepokój powrócił.

– Dziękuję – wyszeptała, ledwie zdolna wykrztusić słowo.

Gdy usłyszała ciche pukanie, nadal była całkowicie ubrana. Nie chciała bowiem – nie mówiąc już o tym, że byłoby to niesłychanie trudne – rozbierać się, póki lord na dobre jej nie opuści.

Wszedł, spojrzał na nią, zmarszczył brwi i postawił tacę na drewnianej toaletce pod ścianą.

– Mówiłaś chyba, że jesteś zmęczona. Dlaczego się więc nie rozebrałaś? Ach, jak mogłem zapomnieć? Nie masz pokojówki, prawda? Myślę, że doskonale ją zastąpię... Podejdź tu, Ariel.

Coś w sposobie, w jaki wymówił jej imię, sprawiło, że ciarki przeszły jej po plecach. Nie poruszyła się. Boże, nadal pamiętała, jak kazał się jej rozebrać w swojej sypialni.

– Nie boisz się mnie, prawda? Sądziłem, że zrozumiałaś, iż nie zamierzam cię skrzywdzić.

– Ja... nie boję się, milordzie. – Co zatem, jeśli nie lęk, trzymało ją przykutą do podłogi? Nie była pewna.

– Wiem, że jesteś zmęczona. Chcę tylko ci pomóc. Pozwól, że rozepnę suknię, byś mogła się rozebrać i przygotować do snu.

Podeszła na uginających się nogach i stanęła przed nim. Położył jej dłonie na ramionach i obrócił delikatnie, a potem jął rozpinać guziki z tyłu sukni. Było to dziwne uczucie, o wiele zbyt intymne, lecz nie tak całkiem nieprzyjemne.

Gdyby na jego miejscu był Phillip... gdyby był jej mężem, nawet by jej się to podobało. Jednak lord Greville nie był Phillipem, więc dotyk jego palców palił skórę jak rozżarzone żelazo.

Wreszcie skończył i mogła przycisnąć suknię skromnie do piersi. Stał nadal za nią, a płomień z kominka rzucał na podłogę jego długi cień. Szorstki materiał rękawa muskał plecy Ariel, kiedy wyjmował jedną po drugiej szpilki z jej włosów, a potem układał na ramionach jasnoblond włosy.

– Jak słońce w zimie – powiedział cicho, rozczesując palcami splątane kosmyki. – Mam je zapleść?

Na myśl o tym, że te długie palce miałyby zajmować się jej włosami, aż ścisnęło ją w żołądku. Odwróciła się i zobaczyła, że wpatruje się w nią intensywnie.

Serce mocno biło jej w piersi, w ustach zaschło.

– Dziękuję… milordzie – powiedziała cicho. – Proszę się już nie kłopotać. Z resztą poradzę sobie sama.

Skinął sztywno głową, jakby żałował, że podjęła taką decyzję.

– Jak sobie życzysz. Dobranoc, panno Summers.

Dopiero kiedy zamknęły się za nim drzwi, zaczerpnęła powietrza.

Rozdział 7

Następnego dnia dotarli do celu podróży – małego miasteczka Cadamon na południowy wschód od Birmingham, położonego w wąskiej rzecznej dolinie. Ponieważ było już późno, lord nie skierował się ku fabryce, lecz kazał zatrzymać powóz przed gospodą Zadziorny Wróbel, ani w połowie tak wygodną i dobrze wyposażoną jak Królewski Trakt.

Prychając z dezaprobatą, zaniósł podróżną torbę Ariel do małego, dusznego pokoiku nad kuchnią i postawił na nierównym materacu. Jego kwatera znajdowała się o kilka drzwi dalej i nie była zapewne wiele wygodniejsza.

– Przepraszam za te warunki. Miałem nadzieję, że będą lepsze. Najwidoczniej, kiedy fabryka zaczęła podupadać, podobny los spotkał miasto.

– Pokój jest w porządku. – Mieszkała już w gorszych warunkach. Chata, którą dzieliła z ojcem, była w najlepszym razie skromna, chociaż Ariel robiła, co mogła, by żyło się im wygodniej.

– Każę przynieść wodę na kąpiel – powiedział. – Będziesz mogła zmyć z siebie podróżny pył i trochę odpocząć. Zjemy za godzinę. Przyjdę po ciebie, kiedy kolacja będzie gotowa.

Nie dał jej szansy, by odmówiła, lecz wyszedł po prostu z pokoju i ruszył do siebie. Wrócił po godzinie z włosami nadal mokrymi po kąpieli i połyskującymi czernią na tle opasującej mu szyję białej krawatki. Przesunął spojrzeniem po bladobłękitnej muślinowej sukni, w którą się przebrała, i zatrzymał wzrok na chwilę na piersiach Ariel. Dziewczyna poczuła głęboko w trzewiach dziwny dreszcz. Oddech uwiązł jej w gardle.

– Głodna? – zapytał, podnosząc wzrok znów na jej twarz.

Uśmiechnęła się, acz z trudem.

– Prawdę mówiąc, tak. Może jedzenie okaże się lepsze niż pokoje.

Skinął głową.

– Oby.

Na szczęście okazało się, że tak właśnie jest. Zjedli kruchy pasztet z gołębia i ser cheshire, popijając mocnym portugalskim winem. Lord prowadził lekką rozmowę, początkowo na temat pogody i nadchodzącej jesieni, a później tego, co może zastać, kiedy wybierze się następnego dnia do fabryki.

– Zdaję sobie sprawę, że mocno podupadła, ale to właśnie nadaje jej potencjał.

– Ma pan już inne fabryki?

– Jeszcze nie, ale być może kilka dokupię. Najpierw chcę się przekonać, czego potrafię dokonać z jedną. Jutro wiele się wyjaśni.

– Wyobrażam sobie.

– Muszę wstać wcześnie – o wpół do szóstej. Chcę być tam, gdy zacznie się zmiana. Nie jestem pewien, jak długo mnie nie będzie. Dasz sobie radę do mojego powrotu?

Ariel przełknęła kęs sera.

– Nie mogłabym pójść z panem? – Słowa pojawiły się znikąd. Nie wiedziała, że zamierza je wypowiedzieć. – Nie widziałam dotąd fabryki. Chyba wydałaby mi się ciekawa.

Lord miał co do tego wyraźne wątpliwości. Upił łyk wina, a potem odstawił cynowy kielich.

– Damy nie pasjonują się na ogół interesami.

– Rzeczywiście. Oboje wiemy jednak, że jestem chłopką, nie damą i możliwość dowiedzenia się czegoś o inwestowaniu wydaje mi się intrygująca.

– Wpół do szóstej to dosyć wcześnie.

Uśmiechnęła się.

– Nim przyjechałam do miasta, budziłam się przed świtem. Zyskiwałam w ten sposób dodatkowe godziny na naukę.

Wahał się jeszcze przez chwilę, lecz w końcu ustąpił.

– No dobrze, zapukam do ciebie o piątej. Będziemy mieli dość czasu, żeby tam dotrzeć.

Skinęła głową, zaskoczona własnym entuzjazmem, lecz zaraz potem stare lęki wróciły i uśmiech znikł jej z twarzy. Co ją, u licha, opętało? Nie potrzebowała spędzać w towarzystwie lorda więcej czasu niż to absolutnie konieczne. Mimo to chciała pójść. Uwielbiała dowiadywać się nowych rzeczy i właśnie nadarzała się po temu okazja.

Kontynuowali posiłek. Czuła, że lord się jej przygląda. W blasku pełgającego płomyka świecy powietrze wokół nich zdawało się wirować, poruszane tajemniczym prądem. Widziała teraz, że jest niewiarygodnie przystojny. Jego mroczną urodę potęgowały jeszcze szarosrebrzyste tęczówki oraz niepokojący sposób, w jaki na nią patrzył. Jakby w intymnym świecie, który stworzył, nie było poza Ariel nikogo.

Kiedy podano deser – ciepłą szarlotkę z bitą śmietaną – miała wilgotne dłonie, a rozmowa ograniczała się do wymiany pojedynczych słów. Znów czuła się niepewnie. Wiedziała, czego pragnie lord, po co ją tu przywiózł. Jego bliskość budziła dziwną mieszankę emocji, z których większości nie rozpoznawała. Dominował wszakże lęk.

Jak do tej pory odgrywał dżentelmena, ale czy to się nie zmieni? Jeśli uzna, że pora wyegzekwować dług, nikt jej tu nie pomoże, nie przeszkodzi mu.

Kiedy wchodzili na piętro, drżała. Czuła za sobą jego chłodną, mroczną obecność. Zatrzymała się, w najwyższym stopniu zdenerwowana, przed drzwiami swego pokoju. Otworzył je dla niej i przytrzymał.

– Będziesz potrzebowała pomocy z suknią?

Potrząsnęła głową.

– Tę łatwiej rozpiąć. Chyba dam sobie radę. – Uzbroiła się wewnętrznie przeciwko wszystkiemu, co mogło się za chwilę wydarzyć, i uśmiechnęła z przymusem. – Dobranoc, milordzie.

Nie poruszył się. Zamiast odejść, przesunął leciutko palcem wzdłuż linii policzka Ariel, a potem pochylił z wolna głowę i pocałował ją. Był do delikatny pocałunek, raczej muśnięcie warg, jednak na krótką chwilę ich usta się spotkały i Ariel poczuła, że przeszywa ją fala gorąca. Uniosła drżące dłonie i oparła je na klatce piersiowej lorda, wyczuwając pod szorstkim materiałem surduta długie, twarde jak granit mięśnie.

Kiedy się wyprostował, kończąc pocałunek, jego oczy miały barwę stali.

– Dobranoc, Ariel. Śpij dobrze.

Kolana uginały się pod nią, gdy go mijała. Weszła do pokoju przekonana, że nie zmruży tej nocy oka. Będzie przewracała się w pościeli, wspominając pocałunek – tak lekki, że nie powinien zrobić na niej wrażenia. Tymczasem trzęsła się niepowstrzymanie i ledwie mogła oddychać.

Pocałunek o wiele bardziej przerażający niż tamten, namiętny i władczy, który wycisnął na jej wargach w swojej sypialni.

* * *

Jak zapowiedział lord, wyjechali z gospody, gdy niebo na horyzoncie zaczynało dopiero różowieć. Gęste, nieruchome powietrze pachniało dymem i kurzem. Najwidoczniej mieszkańcy już do tego przywykli, ponieważ wyłaniali się gromadnie ze swoich domostw, zapełniając ulice prowadzące do fabryki.

Dłuższą chwilę zajęło Ariel zidentyfikowanie dziwnego, klekoczącego stukotu, jaki rozbrzmiewał wszędzie dookoła. Dopiero po jakimś czasie uświadomiła sobie, co właściwie słyszy.

– Boże, to przecież ich buty! – zawołała zdumiona, a lord się uśmiechnął.

– Drewniaki – wyjaśnił, a twarde rysy jego twarzy złagodniały. Takiego nie widziała go nigdy przedtem. Była to zadziwiająca transformacja. Sprawiła, że wydawał się młodszy i niewiarygodnie przystojny. – Wszyscy robotnicy je noszą. Trochę hałasują, prawda?

– Tak... – Lecz buty już jej nie interesowały. Nie tak, jak uśmiech na przystojnej twarzy lorda. Nie mogła przestać się gapić. A gdyby uśmiechał się tak przez cały czas? Lub nawet od czasu do czasu śmiał? Efekt byłby zniewalający. Odwróciła pospiesznie wzrok, bojąc się, że jej serce bije tak szybko, iż zagłusza odgłos drewnianych podeszew.

Powóz zmierzał dalej, ku wielkiej ceglanej budowli usytuowanej na południe od miasta, na wzniesieniu nad rzeką Cadamon.

Dyrektor, Wilbur Clayburn, niski, przysadzisty mężczyzna o pulchnych, pokrytych siecią żyłek policzkach i bulwiastym nosie, już na nich czekał.

– Miło mi pana poznać, milordzie. Wszyscy w fabryce nie mogli się doczekać pańskiej wizyty.

Jego słowa, chociaż wypowiedziane z uśmiechem, nie brzmiały szczerze. Wydawało się oczywiste, że ostatnim, czego by sobie życzył, jest inspekcja.

– Doprawdy? – Greville rozejrzał się po małym, zagraconym biurze i zmarszczył brwi. W przeciwieństwie do gabinetu Jonathana Whipple'a miejsce pracy Clayburna wydawało się równie niechlujne, jak on sam. Na blacie podniszczonego biurka walały się sterty dokumentów, podłoga zaś, zarzucona ścinkami wełny oraz śmieciami, dostarczyłaby ambitnej pani domu pracy na ładnych parę dni. Ubranie dyrektora wyglądało tak, jakby nosił je co najmniej przez dwa tygodnie. Z miejsca uznała, że go nie lubi.

Mars na czole Greville'a pogłębił się i Ariel bardzo to ucieszyło, wiedziała bowiem, co lord myśli.

– Wierzę, iż należy utrzymywać w swoim otoczeniu porządek, panie Clayburn. Dotyczy to zwłaszcza osób sprawujących władzę. Jeśli to dla pana problem, proponuję, aby pan jakoś go rozwiązał albo poszukał sobie innej pracy.

Mięsiste policzki dyrektora pobladły, przez co czubek nosa wydawał się jeszcze bardziej nabrzmiały i czerwony. Nos ojca Ariel wyglądał tak samo, zaczęła się więc zastanawiać, czy Wilbur Clayburn nie zagląda aby zbyt często do kieliszka.

Tymczasem grubas zebrał się w sobie i powiedział, cokolwiek nadąsany:

– Domyślam się, że chciałby pan obejrzeć fabrykę.

– Po to tu jestem – odparł lord, a potem zwrócił się do Ariel. – Wolisz zaczekać na mnie tutaj, czy w powozie?

Skoro już tu była, mogła równie dobrze obejrzeć zakład.

– Wolałabym pójść z panem, milordzie, jeśli to panu nie przeszkadza. Jak powiedziałam, nie byłam dotąd w fabryce włókienniczej. Chętnie dowiem się, jak działa.

Lord zastanawiał się przez krótką chwilę, a potem skinął głową.

– Jak sobie życzysz. Ostrzegam jednak, że możesz ubrudzić tę śliczną suknię.

Komplement ją zaskoczył, ponieważ była to suknia, którą miała na sobie, gdy jadła z nim poprzedniego wieczoru kolację. Przemknęło jej przez myśl, iż być może lord chce jej w ten sposób przypomnieć, kto za nią zapłacił.

– Postaram się być ostrożna.

– Muszę państwa ostrzec – wtrącił Clayburn. – To miejsce nie jest już takie, jak kiedyś. Jak wiecie, zyski znacząco spadły. Właściciel stracił zainteresowanie i fabryka mocno podupadła.

Lord wzruszył jedynie ramionami.

– Tam, gdzie jeden traci, drugi zyskuje. Możemy iść?

Clayburn ruszył przodem, zerkając szacująco na Ariel, kiedy ją mijał. Wiedziała, iż zastanawiał się, co właściwie łączy ją z lordem.

Ponieważ sama nie była tego pewna, trudno było go za to winić.

✳ ✳ ✳

Hala wygląda rzeczywiście ponuro, pomyślał Justin. Wszędzie walały się śmieci, w powietrzu fruwały zaś chmury kurzu, czyniąc je ledwie zdatnym do oddychania.

Parter wąskiej, trzykondygnacyjnej budowli zdominowało gigantyczne koło. Poruszała je woda ze stawu nad tamą, wytwarzając energię. Urządzenie skrzypiało przeraźliwie, a podłodze przydałoby się porządne szorowanie.

Wspięli się po rozchwierutanych drewnianych schodach na piętro. Sceneria była tu podobna, wszędzie kurz i śmieci. Pośród całego tego bałaganu stały, ściśnięte na zbyt małej przestrzeni, rzędy mechanicznych przędzarek obsługiwanych przez robotników.

Justin, zaskoczony trudnymi warunkami, w jakich musieli pracować ci ludzie, zacisnął z gniewem zęby, a potem zwrócił się do Ariel, stojącej tuż obok i podejrzanie milczącej:

– Może byłoby lepiej, gdybyś wróciła do powozu – powiedział łagodnie, widząc troskę malującą się na jej twarzy.

– Chcę zobaczyć resztę – stwierdziła i potrząsnęła z uporem głową.

– Jesteś pewna?

– Tak.

Nie zamierzał się z nią kłócić. Jeśli chciała zwiedzać dalej, proszę bardzo. To była jej decyzja. Zauważył jednak, że to, co widziała dotąd, mocno nią wstrząsnęło. Zdecydowany skupić się na tym, po co przyjechał, zaczął przyglądać się uważniej otoczeniu, zadając coraz to nowe pytania dyrektorowi i pochmurniejąc z minuty na minutę.

Wspięli się kolejnymi schodami na drugie piętro, gdzie na nierównych deskach podłogi tłoczyli się robotnicy obojga płci. Kobiety i mężczyźni dwoili się i troili, zmieniając uzyskane poniżej włókno w różnego rodzaju wełniane tkaniny.

Justin potarł oczy, żałując, że wdał się w ten interes z fabryką. Wszędzie dokoła pochylali się nad swoimi miejscami pracy robotnicy, wdychając zadymione powietrze z twarzami wyrażającymi czystą rozpacz.

– Tak tu ciemno – zauważyła Ariel głosem niewiele donośniejszym od szeptu. – Nie można było wstawić więcej okien?

– Fabryka została tak zbudowana z konieczności – wyjaśnił lord. – Maszyny muszą stać jak najbliżej źródła energii, inaczej rodzi to problemy. – Przyjrzał się wysokim, dzielonym oknom, które miały wpuszczać do hali słońce i światło. – Byłoby tu znacznie widniej, gdyby po prostu umyto szyby. Kiedy skończymy – powiedział, obrzucając twardym spojrzeniem Wilbura Clayburna – przygotuję panu listę spraw do załatwienia. Przede wszystkim trzeba wyszorować to miejsce od piwnic po sufit, w tym te przeklęte okna.

– Ale to potrwa kilka dni, milordzie. Fabryka już ma kłopoty finansowe. Nie możemy pozwolić sobie na taką przerwę w produkcji.

– Zważywszy, że zakład należy do mnie, to ja decyduję, na co możemy sobie pozwolić, a na co nie. Pan, panie Clayburn, ma wykonywać jedynie polecenia.

– Tak, milordzie – odparł zasępiony mężczyzna.

Justin znów się rozejrzał po ponurym otoczeniu.

– Ilu ludzi zatrudnia fabryka?

– Dwustu, milordzie, włączając specjalistów od reperacji młyna, mechaników, brygadzistów i kierowników.

– Zauważyłem też dzieci.

– Jest ich około trzydzieściorga, *sir*. Związują przerwane wątki albo zdejmują nawinięte szpule i zakładają puste. Tylko one są w stanie wcisnąć się w tak ciasną przestrzeń.

– Ile godzin dziennie pracują?

Clayburn zmarszczył brwi.

– Ile godzin? Cóż, pracują jak wszyscy inni: około dziesięciu. Trzymają się dzięki temu z dala od kłopotów.

Justin spojrzał na Ariel, której oczy podejrzanie błyszczały.

– Myślę, że jak na jeden dzień, widziałem już dość, panie Clayburn. Wrócę po południu z listą, o której wspomniałem. Tymczasem chciałbym przejrzeć księgi. Proszę polecić, by ktoś zaniósł je do powozu.

Clayburn skinął głową.

– Jak pan sobie życzy, milordzie.

Ariel stała, wpatrując się w ludzi pochylonych nad krosnami. Uniosła gwałtownie głowę, gdy ujął ją pod ramię i poprowadził w dół schodami. Gdy tylko wyszli na słońce, zaczerpnęła głęboko powietrza.

Justin ściągnął brwi.

– Nie powinienem był zabierać cię ze sobą. – Zatrzymał się obok powozu, czekając na pracownika z księgami. – To miejsce woła o pomstę do nieba.

Ariel potrząsnęła tylko głową.

– Nie żałuję, że przyszłam. Myślałam dotąd, że moje życie na wsi było okropne. Teraz widzę, że mogłam trafić gorzej.

Justin przeczesał dłonią włosy, nadal wytrącony z równowagi tym, co zobaczył.

– Kupiłem fabrykę, ponieważ wierzę głęboko, że przemysł to przyszłość. Sądziłem, że wystarczy kilka strategicznych decyzji, a zacznie przynosić duże zyski. Nigdy jednak... – Wyprostował się, nie pozwalając, by zawładnęły nim emocje, których nie chciał ujawniać. – Coś trzeba będzie zrobić. Ludzie nie mogą pracować efektywnie w takim otoczeniu.

Ariel przechyliła głowę i spojrzała na niego.

– Może dobrze się stało, że kupił pan fabrykę. Może zdoła pan coś poprawić.

Usłyszał w jej głosie błagalną nutkę. Chrząknął i odwrócił wzrok.

– Cóż, wszelkie usprawnienia i tak okażą się na dłuższą metę opłacalne.

Ariel spojrzała znowu na fabrykę i dym ulatujący z kominów.

– Co konkretnie zamierza pan zrobić?

Zaczekał, aż do powozu załadowany zostanie kolejny gruby rejestr, a potem pomógł wsiąść Ariel i sam wsiadł.

– Jak powiedziałem, najpierw trzeba to miejsce gruntownie wysprzątać. Ludzie działają lepiej, kiedy mają przyzwoite warunki.

– I...? – naciskała.

– Nie widzę także powodu, by dzieci musiały pracować aż tak długo. Jeśli ich pomoc jest naprawdę niezbędna, dopilnuję, by pracowały na krótszych zmianach.

Spojrzała na niego z nieskrywaną aprobatą.

– Rodzice potrzebują pieniędzy zarabianych przez dzieci. Myślę, że to bardzo dobre rozwiązanie.

– W przyszłości zamierzam produkować także bawełnę. Oznacza to, że będę potrzebował więcej tkaczy. Płaci im się od sztuki, niektórzy mogliby zatem pracować w domu – pod warunkiem, że mieszkaliby w przyzwoitych warunkach, bo z tego, co widzę, na razie tak nie jest.

Spojrzenie Ariel pojaśniało jeszcze bardziej.

– Lecz mógłby pan to zmienić, prawda?

– Tak, i to niewielkim kosztem.

– Uważam, milordzie, że wprowadzenie tego planu w życie podniesie zarówno morale załogi, jak wydajność.

Justin utkwił wzrok w walących się, zniszczonych budynkach, gdzie mieszkali z rodzinami robotnicy.

– I masz zapewne rację.

Ariel obdarzyła go tak promiennym uśmiechem, że wydawało się, iż słońce przebiło się przez chmury i zajrzało do powozu.

Mimo woli odpowiedział uśmiechem – a było to zjawisko tak rzadkie, że z trudem rozciągnął właściwe mięśnie. Potem jego uśmiech powoli zbladł. Pragnął mieć ją w swoim łóżku, nie życzył sobie jednak, by wyrobiła sobie na jego temat fałszywe wyobrażenia. Był człowiekiem interesu, nie dobroczyńcą o miękkim sercu. Będzie musiała nauczyć się to akceptować.

– Zdajesz sobie sprawę, że chodzi mi jedynie o zwiększenie zysku?

– Oczywiście. – Uśmiechała się jednak, jakby chodziło o znacznie więcej.

– Nie robię tego ze współczucia, ale dlatego, że sądzę, iż zarobię w ten sposób więcej pieniędzy.

– Tak, milordzie – odparła, a uśmiech zaczął znikać powoli z jej twarzy.

– Chciałem tylko, byś miała jasność.

Ariel skinęła głową. Nie odezwała się już i utkwiła wzrok w krajobrazie za oknem.

Justin oparł się wygodnie o poduszki i zamknął oczy, próbując zapomnieć o cudownym, promiennym uśmiechu, który rozgrzał mu serce.

Uśmiechu, jakim obdarzyła go, kiedy wierzyła, że na to zasługuje.

* * *

Po południu pojechał znów do fabryki i wrócił dopiero późnym wieczorem. Następnego dnia opuścili Cadamon i wyruszyli w podróż powrotną do domu. Przez większość czasu lord pozostawał milczący i nieobecny duchem. Uznała, że musiał siedzieć do późna nad księgami, wyglądał bowiem na zmęczonego, a pod oczami miał ciemne kręgi.

Przez kilka godzin pozostawał tak pogrążony w myślach, że nie była pewna, czy w ogóle zdaje sobie sprawę, iż ona tam jest. Wreszcie nie wytrzymała.

– O czym pan tak rozmyśla? – spytała.

Greville podniósł wzrok i zamrugał, jakby nie bardzo wiedział, gdzie się znajduje.

– Szczerze mówiąc, myślałem o tych przeklętych księgach. Miałem nadzieję zakończyć ich sprawdzanie, nim zatrzymamy się na nocleg, wygląda jednak na to, że będę znowu na nogach przez połowę nocy.

– Co pan właściwie robi?

– Sprawdzam liczby. Planuję wydatki na podstawie tego, czego się dowiaduję.

Ariel się rozpogodziła.

– Jeśli tak, może bym panu pomogła?

Potrząsnął głową.

– Nie sądzę, doprawdy…

– Dlaczego nie? Wie pan, że dobrze radzę sobie z arytmetyką. Zaoszczędziłby pan mnóstwo czasu.

Przez chwilę przyglądał jej się badawczo. Może nie powinna była nic proponować. Skończy się na tym, że będą pracowali do późna, sami w jego pokoju. Zważywszy, jakie lord miał wobec niej plany, była to niebezpieczna sytuacja.

– Powiedziałaś, że umiesz też szybko mnożyć i dzielić – odezwał się, zostawiając jej propozycję bez odpowiedzi. – Jak to robisz?

Ariel się uśmiechnęła.

– Nie ma jednego sposobu. Posługuję się kombinacją kilku sztuczek. Wybór zależy od liczby. Aby pomnożyć jakąś przez, dajmy na to, dwadzieścia pięć, dzielisz tę liczbę przez cztery, a potem dodajesz odpowiednią liczbę zer.

– Na przykład?

– Pomnóżmy dwadzieścia osiem przez dwadzieścia pięć. Dzielimy dwadzieścia osiem na cztery – co daje siedem, a potem dodajemy odpowiednią liczbę zer. Siedemdziesiąt to definitywnie za mało, właściwa odpowiedź brzmi zatem: siedemset.

Policzył szybko w pamięci i liczba się zgadzała.

– A to ci sztuczka – powiedział, uśmiechając się kątem ust.

– A wie pan, jak najszybciej pomnożyć jakąkolwiek dwucyfrową liczbę przez jedenaście?

– Nie, ale domyślam się, że zamierzasz mi powiedzieć.

– Gdybyśmy chcieli pomnożyć dwadzieścia cztery przez jedenaście, zrobilibyśmy przerwę pomiędzy dwa i cztery, dodali te dwie cyfry – co daje sześć – a potem wetknęli w przerwę pomiędzy dwójką a czwórką tę szóstkę. Odpowiedź brzmi zatem: dwieście sześćdziesiąt cztery. Oczywiście jeśli liczba otrzymana po dodaniu jest więcej niż jednocyfrowa, musisz ją przenieść. Na przykład trzydzieści osiem pomnożone przez jedenaście daje czterysta osiemnaście.

Lord wyprostował się na siedzeniu.

– Boże, byłabyś nie do pobicia w kartach.

Uśmiechnęła się szelmowsko.

– Może kiedyś zagramy.

– Z pewnością nie nauczyli cię grać w szkole?

– Moja najlepsza przyjaciółka, Kassandra Wentworth, nauczyła mnie. Grywam w wista, czarne i czerwone, makao. Gdybyśmy zagrali, podróż z pewnością by się nam nie dłużyła.

Roześmiał się cicho.

– Czy przyjaciółka nauczyła cię też grać o pieniądze?

– Oczywiście. Ona to uwielbia. Przeciwnie niż jej macocha, dlatego Kitt grywa, gdzie i kiedy tylko może.

– W listach pisałaś, że z początku niezbyt ją lubiłaś.

Ariel się uśmiechnęła.

– Rzeczywiście. Lecz Kitt nie jest taka, jak się wydaje. Rodzice ją ignorują. Rozrabia, żeby zwrócić na siebie uwagę. – Zapatrzyła się na mijany krajobraz, w gruncie rzeczy wcale go nie widząc. – To moja jedyna przyjaciółka i bardzo mi jej brakuje.

Lord nie odpowiedział, spostrzegła jednak, że spochmurniał. Może chodziło o to, że Kassandra była dobrze urodzoną damą. Ariel nie będzie mogła się z nią przyjaźnić, kiedy zostanie kochanką lorda.

Zamilkła. Dobry nastrój gdzieś się ulotnił. Zaproponowała, że mu pomoże, i choć nie przyjął jeszcze propozycji, wszystko wskazywało na to, iż się zgodzi.

Co powiedziałby Phillip, gdyby się dowiedział, że była sam na sam z lordem w jego sypialni? Jak dotąd umknął jego uwagi fakt, że mieszka w domu lorda bez przyzwoitki. A jeśli odkryje, iż podróżowała z nim do Cadamon?

Pocieszała się, że nie był to przecież jej pomysł. Póki nie spłaci długu, będzie musiała robić, co lord jej każe. Poza tym nie miała pieniędzy ani rodziny. Dokąd mogłaby więc pójść?

Och, Phillipie, co robić?

Jednak odpowiedź nie nadeszła i obraz jasnowłosego księcia z bajki zaczął z wolna blednąć. Myśli Ariel zwróciły się znowu ku wysokiemu, groźnemu mężczyźnie na przeciwległym siedzeniu. Wspomniała czuły pocałunek i poczuła dziwne łaskotanie w brzuchu. Gdyby zostali znowu sami, co by zrobił?

Spojrzała na wyrazisty, rzeźbiony profil lorda i w jej trzewiach znów coś się poruszyło. Nie była pewna, co to takiego: lęk czy oczekiwanie.

Rozdział 8

Popołudnie ciągnęło się w nieskończoność. Grali w remika i choć lord okazał się wymagającym przeciwnikiem, w końcu go pobiła. Mimo przegranej widać było, iż mężczyzna dobrze się bawi. Ariel przyjrzała mu się ukradkiem i pomyślała znowu, jak bardzo jest przystojny – choć w sposób zupełnie inny niż Phillip.

– Czy kiedy wrócimy, pozwoli mi pan wykonać swój miniaturowy portret z profilu?

Uniósł brwi.

– Sylwetkę na tle?

– Uczyli nas tego w szkole. Byłam całkiem dobra.

Uśmiechnął się ledwie dostrzegalnie. Był tak wysoki, że kiedy się wyprostował, niemal dosięgał głową sufitu.

– Zaczynam podejrzewać, że masz wiele talentów, panno Summers.

– Zatem mi pan pozwoli?

– To dziwna prośba. Nie przypominam sobie, by chciano wcześniej mnie portretować.

– Nie? Ale z pewnością jest ktoś, kto chciałby otrzymać taką podobiznę.

Odwrócił głowę i spoglądając w dal, powiedział:

– Obawiam się, że nie. – Nagle wydał się Ariel bardzo samotny.

– Mieszkał pan przez jakiś czas u babci? Czy ona jeszcze żyje?

Twarz lorda złagodniała.

– Owszem, choć nie widziałem jej od lat. Zaspokajam, oczywiście, jej finansowe potrzeby i od czasu do czasu do siebie pisujemy.

– Kiedy więc skończę portret, będzie pan mógł jej go wysłać.

Przyglądał się Ariel przez chwilę bardzo intensywnie, jak miał w zwyczaju.

– Jeśli sobie tego życzysz.

Ariel się uśmiechnęła.

– Zatem, gdy tylko wrócimy. Może w świetle kominka.

Coś poruszyło się w szarych oczach lorda. Przesunął wzrok na szyję, a potem ramiona Ariel i zatrzymał go przez chwilę na piersiach. Jej sutki stwardniały i jęły napierać na materiał stanika w sposób, jakiego nie doświadczyła nigdy przedtem.

Pomyślała o swojej ofercie, o tym, że będą siedzieli tylko we dwoje, a on będzie przeszywał spojrzeniem jej ciało, jak robił to teraz, i wiedziała już z absolutną pewnością, iż popełniła poważny błąd.

* * *

Justin przytrzymał drzwi, czekając, aż Ariel wejdzie do gospody Królewski Trakt, gdzie mieli ponownie przenocować. Przyjąwszy ofertę pomocy, polecił, by do jego pokoju wstawiono drugi stół. Teraz jeden z rejestrów leżał otwarty na blacie, a obok pióro, kałamarz i rozsiewająca miękki blask lampa.

– Doceniam twoją pomoc – powiedział. – Jeśli oboje weźmiemy się do roboty i dopisze nam szczęście, mamy szansę skończyć pracę w kilka godzin.

– Chętnie pomogę, milordzie. – Przyglądał się, jak zmierza przez pokój w kierunku stołu, starając się na niego nie patrzeć, ukryć to, jak bardzo jest zdenerwowana. Na nic się to jednak nie zdało. Zauważył, że gdy tylko weszła, jej wzrok powędrował natychmiast ku łóżku, a na twarzy odmalował się niepokój.

Spojrzał na czystą pościel i miękki materac i aż zesztywniał z pożądania. Odkąd wyjechali z Londynu, wzrosło co najmniej dziesięciokrotnie. Każde jej spojrzenie, najbardziej niewinny dotyk rozpalały mu krew. Zaczynało zakrawać to na obsesję.

Tymczasem nie zbliżył się do celu ani odrobinę.

Westchnął, spoglądając na kolumnę liczb w drugim rejestrze. Zaciągnięcie jej siłą do łóżka nie wchodziło w grę. Nie zrobiłby tego żadnej kobiecie, a zwłaszcza tej. Podczas dni spędzonych razem znów zaczął darzyć ją szacunkiem. Była miła i troskliwa, inteligentna i wrażliwa – dokładnie tak, jak ocenił ją kiedyś, czytając listy.

Zalety, które rzadko spotykał u kobiet.

Była też czujna i zdystansowana, zdecydowana pozostać na długość ramienia.

A jednak nie mogła zupełnie go ignorować. Jak powiedział Clayton, było w nim coś, co kobiety zdawały się uważać za atrakcyjne. Może przyciągał je mrok w jego duszy lub bezlitosna natura drapieżcy.

No i był jeszcze układ, który zawarła. Zauważył, że Ariel ma głębokie poczucie honoru. Wierzył, że dotrzyma przyrzeczenia, i choć wolałby, aby przyszła doń z własnej woli, nie był jednak ponad to, by wymóc na niej dotrzymanie warunków umowy.

Przemieścił się bezszelestnie, stanął za nią i spojrzał na jasną głowę pochyloną nad rzędami zapisanych jasnoniebieskim atramentem liczb, które dodawała, mnożyła i odejmowała tak sprawnie. Włosy miała jasne jak len, który wplatano w wełnianą tkaninę w fabryce, skórę na karku delikatną jak płatki róży. Poczuł nieodparte pragnienie, aby przycisnąć do tego miejsca wargi, wsunąć palce w błyszczące srebrnozłote loki i wyjąć szpilki, które utrzymywały je na miejscu.

To że poruszała go w ten sposób, było niemądre, wręcz śmieszne, nie mógł jednak zaprzeczyć, iż tak się właśnie działo. Jego nozdrzy dobiegał delikatny zapach perfum Ariel, niemal wyczuwał na wargach aksamitną gładkość jej skóry. Na samą myśl o tym poczuł w lędźwiach przypływ gorąca. Odsunął się pospiesznie, przeklinając w duchu, zadowolony, iż długi surdut zakrywa kompromitujące wybrzuszenie w spodniach.

Chrząknął, a ona podskoczyła na dźwięk jego głosu.

– Zapisałem zmiany, jakie chcę wprowadzić – powiedział. Podniosła wzrok i przez chwilę wyglądała tak, jakby nie rozumiała, co do niej mówi, pogrążona w pracy. Podał jej arkusz, na którym zapisał kilka liczb. Położyła go przed sobą na stole. – Potrafisz kalkulować?

– Chyba tak. Pomnożę otrzymane liczby przez te znajdujące się w kolumnie po lewej. Nie powinno zająć mi to zbyt dużo czasu.

Wróciła do swojej pracy, a on do swojej. Niestety, mając ją tak blisko, jakoś nie potrafił się skoncentrować. Zadanie, z którym powinien uporać się w kilka minut, zajęło mu pół godziny. Ariel skończyła wcześniej, więc podał jej kolejną partię liczb.

Zakończyli pracę mniej więcej w tym samym czasie. Justin odłożył pióro i pomasował obolały kark.

Ariel spojrzała na niego z uśmiechem.

– Nie było tak źle. Prawdę mówiąc, nawet mi się podobało.

– Doprawdy? – zapytał, wyginając w uśmiechu kąciki warg. – Ja nie cierpię tego robić, lecz teraz mam już informacje, które pozwolą mi ruszyć z miejsca. Mnie radość sprawia raczej obserwowanie, jak projekt postępuje. Dlatego biznes jest tak ciekawy. – Wstał i ruszył ku niej, a ona wówczas także wstała.

– Dziękuję, że mi pomogłaś. – Bardzo starał się nie zwracać uwagi na sposób, w jaki światło lampy rzeźbi delikatne rysy dziewczyny, uwypuklając zarys policzka, linię brody.

– Jak powiedziałam, sprawiło mi to przyjemność.

Stał bliżej, niż zamierzył. Jego dłoń uniosła się, jakby powodowana własną wolą. Przesunął palcem wzdłuż linii szczęki Ariel.

– Może powinienem zatrudnić cię na stałe.

Spojrzała na niego nerwowo i zwilżyła wargi.

– Tak… – odparła, jąkając się nieco. – Może i pan powinien. – Była wyższa niż większość znanych mu kobiet. Podobało mu się to, podobnie jak jej smukłe kształty. Ujął bezwiednie w dłoń kosmyk włosów Ariel i wsunął go jej za ucho. – Po namyśle stwierdzam jednak, że są inne, bardziej interesujące rzeczy, które mogłabyś dla mnie robić. I zdecydowanie bardziej przyjemne.

Zamrugała, lecz się nie odsunęła. Pomyślał, że nie widział dotąd równie błękitnych oczu i warg w tak pięknym odcieniu różu. Musiał ją pocałować. Nie zdołałby się powstrzymać nawet, gdyby chciał. Uniósł delikatnie brodę Ariel i musnął wargami jej usta. Zesztywniała, lecz tylko na chwilę. Potem jej powieki zatrzepotały, a usta poddały się naciskowi jego warg.

Jęknął, pogłębiając pocałunek, przesuwając po wargach Ariel językiem, smakując kąciki ust, skłaniając, by otwarła się dla niego. Zacisnęła palce na klapach jego surduta i poczuł, że drżą. Jej wargi dopasowały się idealnie do jego warg i Justin zwalczył pokusę, aby przycisnąć dziewczynę mocniej do siebie. Zamiast tego objął ją delikatnie, skłaniając, by mu uległa.

Zrobiła tak, powoli, niechętnie, wsuwając mu z wahaniem język do ust i pojękując z cicha. Był już twardy jak kamień i pragnął jej bardziej, niż był w stanie sobie wyobrazić. Odnalazł pierś dziewczyny i objął, pogładził kciukiem brodawkę i poczuł, jak tężeje. Ścisnął ją lekko i Ariel zadrżała. Zajął się drugą piersią, pocierając ją leciutko, acz zdecydowanie. Zesztywniała i zaczęła się od-suwać.

– Spokojnie, kochanie. – Pocałował ją znowu, prosząc bez słów, aby mu zaufała. Masował miękkie półkule, sprawdzając ich wagę i podziwiając w duchu krągły kształt. Żałował, że Ariel ma na sobie suknię, nie mógł więc dotknąć jędrnej, ciepłej skóry.

Zadrżała, kiedy położył jej dłoń na pośladkach i przy-ciągnął ją bliżej. Delikatne, ciepłe ciało naparło na twar-dy członek. Ariel musiała poczuć, jak Justin jest podnie-cony, do czego to prowadzi, zesztywniała bowiem w jego ramionach.

– Wszystko w porządku, skarbie – zapewnił ją cicho, łagodnie. – Nie sprawię ci bólu.

Jednak napięcie nie minęło. Położyła mu dłonie pła-sko na piersi i odepchnęła go, zdecydowana się uwolnić. Pozwolił jej, choć z żalem.

Odskoczyła jak przestraszona łania.

– Nie ma się czego bać – powiedział spokojnie, choć nie czuł się ani trochę spokojny. – To, co się właśnie sta-ło, jest absolutnie naturalne. Tak się zazwyczaj dzieje pomiędzy mężczyzną a kobietą. Z czasem nauczysz się czerpać z tego przyjemność.

Z jej piersi dobył się cichy odgłos, oznaczający zaprze-czenie.

– Nie zrobię tego – wyszeptała, potrząsając stanowczo głową. – Znajdę inny sposób, by spłacić dług.

– Pragnę cię, Ariel. Może nie jesteś jeszcze gotowa, by to zaakceptować, ale ty także mnie pragniesz.

– Nie! Ja nie… – zwilżyła wargi – …nie chcę pana. Nie chcę być pańską kochanką. Ja… pójdę do Phillipa i po-wiem mu prawdę. Phillip mi pomoże, wiem, że tak.

Na dźwięk imienia największego wroga ogarnęła go furia, gasząc pożądanie. Poczuł gorzki smak w ustach.

– Marlin ci pomoże? Naprawdę tak sądzisz? Zaciągnie cię bez skrupułów do łóżka, a potem wyrzuci na ulicę.

Uniosła wyżej brodę.

– Phillipowi na mnie zależy.

– Marlinowi zależy tylko na nim samym.

– Był dla mnie miły. To mój przyjaciel.

– Chce mieć cię w łóżku i zrobi wszystko, abyś się tam znalazła.

Zacisnęła smukłe, blade dłonie w drżące pięści.

– Skoro tak, jesteście obaj tacy sami. Pan chce, żebym została pańską utrzymanką. On chce tego samego, więc co za różnica?

Postąpił bezwiednie krok naprzód i Ariel natychmiast się cofnęła.

– Ja cię nie porzucę, Ariel. Kiedy nasza znajomość dobiegnie naturalnego końca, umieszczę cię w małym domu w mieście – lub na wsi, jeśli będziesz wolała – i zapewnię dość pieniędzy, byś mogła utrzymać się przez lata. Marlin nigdy by czegoś takiego nie zrobił.

Nie myślał o tym wcześniej, lecz teraz uznał, że to znakomite rozwiązanie.

– Nie masz zbyt wielu możliwości, Ariel. Z pewnością to dostrzegasz. Mogłaś zostać na farmie, poślubić młodego chłopca z okolicy. Ale nie tego chciałaś.

– Chciałam być damą.

– Chciałaś nosić kosztowne stroje i drogą biżuterię, rozbijać się eleganckim powozem. Mogę zapewnić ci te rzeczy, i dużo więcej.

Ariel się nie odezwała, ale jej śliczne niebieskie oczy wypełniły się łzami.

– Znajdę inny sposób – wyszeptała. – Jakoś oddam dług.

Gniew powrócił, tłumiąc ból, jakiego Greville nie życzył sobie odczuwać. Zmroził chłodem jego wnętrze. Ariel pragnęła Marlina, mężczyzny, który wykorzystałby ją i z pogardą porzucił. Przedkładała go nad niego, tak jak kiedyś Margaret.

Chłód narastał, sięgając kości. Przygwoździł ją lodowatym spojrzeniem.

– Podobało ci się, kiedy cię całowałem, Ariel. I dotykałem. – Zarumieniła się. – Twoje ciało mówi „tak", skarbie, choć umysł mu zaprzecza.

– Jesteś diabłem, Justinie Ross. Diabłem w ludzkiej skórze.

Jej słowa bolały. Zaskoczyło go, iż jest w stanie czuć coś takiego. Sądził, że wszelkie emocje dawno w nim umarły. Zablokował uczucia, odgradzając się od nich lodowatym spokojem, ochronną zbroją, którą nosił jak tarczę.

– Może masz rację – przytaknął. – To bez znaczenia. Wcześniej czy później i tak cię posiądę. Możesz na to liczyć, skarbie.

Zacisnęła wargi. Spostrzegł, że drżą. Odwróciła się gwałtownie i ruszyła, wyprostowana sztywno, ku drzwiom. Szarpnęła je, otworzyła i wyszła. Podążył za nią, przeklinając pod nosem, i stał w progu, póki nie upewnił się, że dotarła bezpiecznie do swego pokoju.

Do diabła! Odwrócił się i zatrzasnął za sobą z hukiem drzwi. Nie zamierzał powiedzieć tego, co powiedział, ani, jeśli już o tym mowa, zrobić. Co w niej było takiego, że nie potrafił nad sobą zapanować?

Zamierzał tylko ją pocałować, nic więcej. Lecz kiedy wziął Ariel w ramiona, był stracony.

Nie, żeby ich namiętny pocałunek nie sprawił mu przyjemności. Gdy zamknął oczy, nadal czuł dotyk jej miękkich warg, słyszał, jak wzdycha, gdy objął dłonią jej pierś.

Jesteś diabłem, Justinie Ross. Zacisnął powieki. Okrutne słowa sprawiły mu niespodziewany ból, może dlatego, że pochodziły od niej. Przywołały okropne wspomnienia, jak sądził, dawno umarłe. Wspomnienia ojca i siedmioletniego chłopca, który traktował go jak boga.

– Jesteś diabelskim pomiotem – powiedział ojciec.
– Isobel powinna była utopić cię w rzece jak niechciane-

go szczeniaka. – Wcześniej jego rodzice kłócili się. Matka błagała lorda, by dał jej więcej pieniędzy. Isobel nigdy nie miała ich dość.

Justin patrzył na ojca, widział, jak bardzo ten ojciec nim gardzi, i nawet nie stara się tego ukryć. Odwrócił się więc po prostu i uciekł, z sercem przełamanym na dwoje. Nie odezwał się wtedy, a z upływem lat nauczył się trzymać na wodzy emocje, aż wreszcie przestał cokolwiek odczuwać. Tak było łatwiej. Po jakimś czasie nie był już nawet w stanie sobie przypomnieć, jak to było cokolwiek czuć.

Westchnął w ciszy swojej sypialni. To do niego niepodobne, tracić nad sobą kontrolę. Niepokoiła go myśl, że Ariel zdołała przebić się przez ochronny mur, jaki wokół siebie zbudował.

Zaczął przemierzać podłogę, stawiając długie kroki. Jutro wrócą do Londynu, posępnego, mrocznego domu przy Brook Street i życia osobno. Miał nadzieję, że ta wyprawa zbliży ich do siebie, lecz teraz cel wydawał się odleglejszy niż kiedykolwiek.

Cierpliwości, powiedział sobie. Jak dotąd cierpliwość zawsze mu się opłacała. Dziś wieczorem zaprzepaścił sporo z tego, co udało mu się osiągnąć, lecz jedno było dlań jasne – pocałunek sprawił Ariel przyjemność, podobnie jak pieszczoty. Jej ciało zareagowało, nieważne, czy sobie tego życzyła, czy nie. Zamierzał dopilnować, by nadal tak było.

Potrzebował jedynie czasu.

A kiedy cel wart był czekania, Justin potrafił być bardzo cierpliwy.

* * *

Ariel ocknęła się z niespokojnego snu, kiedy za oknem zajaśniał ponury świt. Przez chwilę leżała po prostu nieruchomo, wspominając poprzedni wieczór i żałując, że nie potrafi o nim zapomnieć. Jęknęła i zwlokła się z łóżka.

Poranna toaleta nie zajęła jej dużo czasu. Zebrała się na odwagę i przygotowała, by stanąć twarzą w twarz z lordem, zdecydowana udawać, że nic się między nimi nie wydarzyło. Że jej nie pocałował, nie gładził jej piersi. A zwłaszcza że nie poddała się pieszczotom, nie odwzajemniła z zapałem namiętnych pocałunków.

Prawda wyglądała wszakże tak, że to się wydarzyło. I nie tylko to. Zareagowała na dotyk lorda niczym dziwka, jaką miała za jego sprawą się stać. Justin Ross wzbudzał w niej emocje, o których istnieniu nie miała dotąd pojęcia. Nie wiedziała, że kobieta może reagować w ten sposób na mężczyznę. Była na siebie zła i czuła się winna, że zdradziła Phillipa. Było to poniżające doświadczenie i może dlatego złajała go tak okrutnie.

Wróciło, choć tylko na moment, mgliste wspomnienie ciepłych męskich warg i głębokich, upajających pocałunków, zastąpione tym, jak sprowokowała go, wymieniając imię Phillipa. Wiedziała, że się rozgniewa i da jej spokój, o co przecież chodziło. Nie spodziewała się tylko, że zobaczy na jego twarzy wyraz cierpienia.

Wiedziała, że go zraniła, choć wydawało się to niemożliwe. Mimo woli zaczęła się zastanawiać, czy lord jest aby na pewno człowiekiem, jakim się wydawał: zimnym, niezdolnym do współczucia. A może był kimś zupełnie innym…

Ta myśl ją zaintrygowała, sprawiła, że zapragnęła poznać go lepiej, odkryć, jakie myśli kryją się za zasłoną chłodnego spojrzenia szarych oczu.

Zaczerpnęła oddechu, uzbroiła się wewnętrznie i ruszyła ku drzwiom, gotowa stawić czoło rozgniewanemu arystokracie, z jakim rozstała się poprzedniego wieczoru. Tymczasem mężczyzna, który czekał na nią w holu, miał na twarzy chłodną, pozbawioną uczuć maskę.

Uznała, że to o wiele bardziej niepokojące niż gniew, jakiego doświadczyła wczoraj.

– Nim wyruszymy, chciałbym coś powiedzieć.

Serce zaczęło jej mocniej bić, tłukąc się o żebra. Jak on może być tak spokojny?

– Słucham, milordzie.

– Jestem ci winien przeprosiny.

Niespodziewane słowa uderzyły ją z taką siłą, że niemal zaparło jej dech. Arogancki lord Greville ją przeprasza? Wydawało się to niemożliwe, a jednak się działo.

– Wczoraj wieczorem nadużyłem twojej szczodrej oferty pomocy, choć tego nie zamierzałem. Tak się po prostu stało i za to przepraszam.

Wpatrywała się weń, jakby widziała go po raz pierwszy w życiu. Uważała, że zna się na ludziach. Póki nie poznała Greville'a. Intrygował ją z każdym dniem coraz bardziej.

– Może powinniśmy oboje przeprosić. Mówiłam rzeczy, których nie czuję, nie naprawdę. Byłam zła, bardziej na siebie niż na pana. Przepraszam za to, co powiedziałam.

Coś zmieniło się w rysach jego twarzy. Skinął lekko głową.

– Możemy przejść zatem do porządku nad poprzednim wieczorem.

– Tak…

Nie było to jednak proste. Zwłaszcza gdy delikatne wygięcie jego zmysłowych warg przywołało wspomnienie namiętnego pocałunku. Nie, kiedy wiedziała, że pociąg, jak odczuwa do lorda, może ją zniszczyć.

No i był jeszcze Phillip. Lord może i ją intrygował, ale to Phillipowi oddała serce. Ale czy na pewno? Odsunęła wspomnienie czarnoskórego chłopczyka, traktowanego jak domowe zwierzątko i ubranego w kolorowy strój po to, aby zabawić przyjaciół Phillipa. Powtórzyła sobie, że Phillip pomaga chłopcu, zapewnia sierocie dom i po prostu nie zdaje sobie sprawy, co czuje malec.

Phillip był dla niej miły i troskliwy. To dżentelmen. Nie przypomina ani trochę zimnego, posępnego lorda. I, w przeciwieństwie do lorda, ma czyste intencje. Była tego pewna, nieważne, co utrzymywał lord.

Musi porozmawiać z Phillipem, opowiedzieć o niegodnym układzie i błagać o pomoc. Pośle mu wiadomość, gdy tylko się odważy i poprosi o spotkanie. To, że przyrzekła lordowi, iż nie zobaczy się więcej z Phillipem, nie miało już znaczenia. Nie, kiedy w grę wchodziło jej szczęście i cała przyszłość.

Kiedy schodzili po schodach, Greville ujął ją pod ramię i Ariel poczuła, że robi jej się ciepło w żołądku. A kiedy położył dłoń na jej talii, by poprowadzić ją w kierunku drzwi, jej członki zdawały się topnieć.

– Jeszcze jedna sprawa – powiedział i zaczekał, aż na niego spojrzy. – Właściwie prośba.

– Tak, milordzie?

– Jak myślisz, czy mogłabyś zwracać się do mnie Justin, przynajmniej kiedy jesteśmy sami?

Przełknęła, niezdolna oderwać wzroku od jego twarzy.

– Justin... – powtórzyła. Nie zabrzmiało to wcale zimno i szorstko, jak mogłaby przypuszczać, a kiedy wypowiedziała imię lorda, jego rysy wyraźnie złagodniały.

Wsiedli do powozu i lord przesunął po niej intensywnym spojrzeniem szarych oczu. Odczuła siłę tego zmysłowego spojrzenia niemal tak, jakby jej dotknął.

Puls Ariel przyśpieszył i coś poruszyło się w dole jej brzucha.

Boże, odetchnie z ulgą dopiero, gdy znajdą się w domu.

* * *

– Witamy z powrotem, milordzie – powiedział Knowles, stojąc u wejścia do ponurego domu Justina przy Brook Street. – Mam nadzieję, że podróż była przyjemna. – Zerknął na Ariel, lecz zaraz odwrócił wzrok.

– Dziękuję, całkiem przyjemna – odparł Justin.
– Choć cieszę się, że jestem znów w domu.
– Cóż, to się może zmienić, gdy dowie się pan, że ma gości.
– Gości? Jakich gości?
– Pańska siostra, milordzie. Lady Haywood przybyła przedwczoraj wraz z synem Thomasem.

Justin zaklął cicho.
– I gdzie jest teraz?
– W Czerwonym Pokoju, milordzie. Spodziewa się wizyty przyjaciół.

Przyjaciół? Nazywała tak klikę bezmózgich adoratorów spijających słowa z jej ust?

Przypomniał sobie, że Ariel nadal stoi obok.
– Jest tu moja siostra – powiedział bez wyrazu. – Nie bywa w mieście zbyt często, lecz najwidoczniej będziemy cieszyć się przez jakiś czas jej towarzystwem.

Ariel skinęła tylko głową. Zauważył jednak, że zbladła. W jej twarzy pojawiło się coś, jakiś rys niepewności, wrażliwości, którego nie było tam przedtem. Przypomniało mu to, że została damą nie z urodzenia, ale za sprawą czystej determinacji. Z pozoru wydawała się równie obyta, jak każda inna kobieta z wyższych sfer. Dama, acz nie z urodzenia. I z pewnością ma tego świadomość.
– Jeśli martwisz się, co powie moja siostra, to niepotrzebnie. Jej opinia nie ma najmniejszego znaczenia.
– Dla mnie ma.
– Tak czy inaczej, musiałabyś kiedyś ją poznać. Równie dobrze może to być teraz. – Podał Ariel ramię i poprowadził ją korytarzem do Czerwonego Pokoju, gdzie Barbara spoczywała na sofie pośród poduszek niczym królowa oczekująca przybycia dworu.
– Czyż to nie mój ukochany braciszek?
– Poprosiłbym, byś czuła się w moich nędznym progach jak u siebie, lecz widzę, że nie ma potrzeby.

Musiał przyznać, że z błyszczącymi czarnymi włosami, jasnoszarymi oczami i nieskazitelną cerą była naprawdę piękna. Nie potrafił wyobrazić sobie, dlaczego wyszła za mężczyznę tak starego jak Nigel Townsend, skoro mogła wybierać spośród wielu młodszych. Jednak Barbara zawsze ceniła niezależność. Jeśli pominąć fakt, że małżonek nie zostawił jej pieniędzy, sprawy potoczyły się zapewne tak, jak zaplanowała.

Uniosła czarne brwi, spoglądając wymownie na Ariel, nadal uczepioną jego ramienia. Dziewczyna uświadomiła sobie, co robi, puściła Justina i odsunęła się spłoniona.

– Lady Haywood, pozwól, proszę, że przedstawię ci pannę Ariel Summers. – Uśmiechnął się kpiąco. – Ariel była… podopieczną naszego ojca.

– Ojciec miał podopieczną? – Barbara parsknęła głębokim, ochrypłym śmiechem. – Sądziłam, że jeśli chodzi o młode kobiety, interesowały go jedynie dziwki.

Ariel zaczerwieniła się jeszcze mocniej.

– Panna Summers mieszka obecnie w tym domu. Ufam, że będziesz dla niej miła.

Barbara spojrzała na Ariel, szacując wzrokiem czyste, delikatne rysy dziewczyny i koronę lnianych włosów.

– Mieszkasz tutaj?

– Zgadza się – odparł Justin, nim miała szansę zrobić to sama.

– Jak to możliwe? Kto jest jej przyzwoitką?

Uśmiechnął się złośliwie.

– Skoro tak troszczysz się o konwenanse, możesz przyjąć na siebie ten obowiązek, gdy jesteś w mieście.

Barbara wstała. Utkwiła spojrzenie w Justinie. Jej wargi wykrzywił zimny uśmieszek.

– Była z tobą w Cadamon, prawda? Nie jest podopieczną ojca i nigdy nie była. Sprowadzasz do domu swoją kochankę i masz czelność prosić mnie, bym służyła jej za przyzwoitkę?

– Co zrobisz lub czego nie zrobisz, nie ma znaczenia.

– Nie jestem jego kochanką – wtrąciła Ariel obronnym tonem, odzyskując głos.

– Kłamiesz – powiedziała Barbara.

– Mówię prawdę.

– Więc co tu, na Boga, robisz?

– Ja... pomagam lordowi Greville w prowadzeniu ksiąg. Potrzebował kogoś, kto potrafi szybko liczyć i kalkulować, a ja jestem w tym dobra.

Barbara nie wydawała się ani trochę przekonana.

– Powiedz jej, by pomnożyła jedenaście przez trzydzieści sześć.

– Trzysta dziewięćdziesiąt sześć – odparła szybko Ariel, zanim Barbara zdążyła otworzyć usta.

– Widzisz? Pomoc panny Summers jest doprawdy nieoceniona.

Najwidoczniej siostra nadal miała wątpliwości, lecz Justina znużyło przekonywanie jej.

– Jak długo zostaniesz? – zapytał, już choćby po to, by zmienić temat.

Barbara zjeżyła się, odparła jednak:

– Niecały tydzień, co z pewnością cię ucieszy. Przyjechałam na ślub lorda Mountmain. Potem wrócimy z Thomasem do Greville Hall.

Tydzień z siostrą to aż nadto, pomyślał, modląc się w duchu, żeby trzymała za zębami swój złośliwy język i nie dokuczała Ariel.

– Skoro tak, przyjemnego pobytu.

Zapewne dla niej będzie przyjemny, lecz on nie zazna spokoju, póki Barbara nie wyjedzie.

Rozdział 9

Ariel odwróciła się od ociekających pogardą szarych oczu siostry lorda Greville'a i przyjęła podane sobie ramię, wdzięczna za możliwość ucieczki.

Zdążyli postąpić zaledwie kilka kroków, gdy korytarz wypełnił się tupotem małych, biegnących stóp. Dziecko, najwyżej sześcio- lub siedmioletnie, zatrzymało się przed nimi, podnosząc raptownie wzrok. Poznało lorda i jego wąską twarzyczkę rozjaśnił uśmiech.

– Wujek Justin! – Chłopczyk rzucił się Justinowi w objęcia i roześmiał radośnie, kiedy ten podniósł go i posadził sobie na ramionach.

– Chyba urosłeś, młodzieńcze.

– Naprawdę?

– Bez wątpienia. To mój siostrzeniec, Thomas – dodał, zwracając się do Ariel. – Thomas, to panna Summers. – Była w jego rysach łagodność, jakiej nie spodziewałaby się tam zobaczyć. Nie sądziła, że to w ogóle możliwe. Najwidoczniej troszczył się o chłopca. Może nie zdając sobie nawet sprawy, jak bardzo.

Uśmiechnęła się.

– Witaj, Thomasie.

Dziecko odwróciło się onieśmielone. Jego długie, czarne rzęsy opadły, zakrywając szare oczy Greville'ów.

Justin postawił malca na podłodze, a ten natychmiast się za niego schował.

– Miło mi panią poznać – powiedział w końcu, uśmiechając się nieśmiało.

Zza pleców lorda dobiegł głos matki chłopca:

– Thomasie! Czyż nie powiedziałam ci, byś został na górze i się pobawił? – Nieśmiały uśmiech zbladł. – Wiesz, że spodziewam się gości. Co ty tu, u licha, robisz?

Syn spojrzał na nią błagalnie.

– Kucharka upiekła pyszne imbirowe ciasteczka. Pomyślałem, że chciałabyś jedno. – Wyjął zza koszuli ciepłe, cokolwiek sfatygowane ciasteczko i podał matce.

Barbara ściągnęła brwi i cofnęła się o krok.

– Na Boga, zabierz to ode mnie. Wygląda, jakbyś na nie nastąpił. Jeśli nie będziesz uważał, pobrudzisz mi suknię.

Drobne ramiona Thomasa opadły. Podobnie dłoń trzymająca ciastko.

– Chodź, Thomasie. – Justin posadził sobie znów chłopca na ramionach. – Ja i panna Summers uwielbiamy ciasteczka. Może pokażesz nam, gdzie ich szukać.

Malec uśmiechnął się, ukazując szczerbę po zębie.

– Są naprawdę dobre, wujku.

– Na pewno.

Chłopczyk odwrócił się, aby pomachać matce, lecz ona zniknęła już w Czerwonym Pokoju. Greville zacisnął szczęki. Widać było, że zależy mu na chłopcu.

Nagle przyszło jej do głowy, że lord dba o potrzeby siostry nie tyle z powodów wizerunkowych, ale dlatego, że troszczy się o siostrzeńca.

Postawił dziecko przed drzwiami kuchni i chłopiec wbiegł do środka.

– To kochany dzieciak – powiedziała, wspominając słodki uśmiech, jakim ją obdarzył.

Greville wzruszył jednak tylko ramionami.

– W tym wieku wszystkie dzieci takie są.

– Zgadza się, lecz zaskoczyło mnie, że i pan tak myśli. Sądziłam, że dziecko byłoby dla pana jedynie ciężarem.

Coś zabłysło w jego spojrzeniu. Naszła ją śmieszna i nieprawdopodobna myśl, że poczuł się zraniony.

– Przeciwnie – powiedział. – Uważam, że dzieci to cenny dar.

Dar? Nie takiej odpowiedzi się spodziewała. Boże, czy zdoła zrozumieć kiedyś tego mężczyznę, choćby trochę?

– I zamierza pan mieć własne? – Potrząsnęła głową. Pytanie było doprawdy absurdalne. – Oczywiście, że tak – odpowiedziała sama sobie. – Będzie pan potrzebował dziedzica.

Justin prychnął drwiąco.

– Nie dbam ani trochę, co stanie się z cholernym tytułem mego ojca. Co zaś się tyczy dzieci... raczej nie nadaję się na ojca.

– Dlaczego?

– Nie mam pojęcia o wychowywaniu dzieci. Prawdopodobnie spisałbym się gorzej niż moja siostra.

Ariel nie sądziła tak ani przez chwilę, nie po tym, jak zobaczyła go z tym chłopcem. Pomyślała o Phillipie i małym Murzynku i spróbowała wmówić sobie, że to nie to samo. Dla swojego dziecka Phillip byłby na pewno cudownym ojcem. Lecz jakoś nie mogła w to uwierzyć. Zmieniła zatem pospiesznie temat.

– Czy pańska siostra zawsze jest tak...

– Skupiona na sobie i nieczuła? Zazwyczaj. Można by sądzić, że urodziła ją moja matka, nie Mary Ross.

Ariel pomyślała, że skoro kobiety są tak do siebie podobne, oznaczało to, iż matka lorda też jest egoistyczna i nieczuła. Skoro porzuciła syna, zapewne tak właśnie było.

– Pańska siostra mnie nie lubi.

– Ona nie lubi nikogo, a zwłaszcza mnie.

– Nie podoba jej się, że jest panu coś winna. Ze mną sprawa ma się podobnie.

Lord odwrócił wzrok, ale nic nie powiedział.
– Thomas czeka. Wejdziemy? – zaproponował. Otworzył wahadłowe drzwi dzielące hol od ciepłego, zaparowanego wnętrza kuchni, lecz Ariel potrząsnęła głową.
– Jeśli nie ma pan nic przeciwko temu, wolałabym darować sobie ciasteczko. – Zbyt wiele się działo. Wolała uniknąć kolejnych zdarzeń, odsłaniających nowe, jeszcze bardziej niepokojące oblicze lorda. – Podróż była dosyć męcząca. Chętnie położyłabym się na chwilę.
Skinął lekko głową.
– Jak sobie życzysz.
Odwróciła się, umknęła i poszukała schronienia w swojej sypialni, zdecydowana zapomnieć o Justinie Rossie, przynajmniej na chwilę. Nie była jednak w stanie usunąć z pamięci łagodnego, pełnego czułości wyrazu jego twarzy, gdy trzymał dziecko.

* * *

Phillip Marlin przeczytał wiadomość otrzymaną tego ranka i uśmiechnął się zadowolony. Do licha. Dziewuszka zmusiła go, by nieźle się za nią uganiał, wyglądało jednak na to, że pościg dobiegł właśnie końca.

Najdroższy Phillipie,
Muszę się z Tobą zobaczyć. Proszę, spotkajmy się Pod Świnią i Kogutem dziś wieczór o dziesiątej.
Twoja przyjaciółka,
Ariel Summers

Nie brzmiało to zbyt romantycznie, ale co za różnica? Dziewczyna wymykała się bez wiedzy Greville'a, ryzykując jego gniew.
Kiedy zostanie już z nią sam na sam w pokoju nad barem, dostanie od niej to, co dawała Greville'owi, a on dopilnuje, aby trzymała buzię na kłódkę. Uśmiechnął się

z satysfakcją na myśl o tym, co powie Justin, gdy się dowie, że Phillip posuwa jego blond dziwkę.

A dowie się wcześniej czy później, już on tego dopilnuje. Dzień wlókł się w nieskończoność. Phillip nie mógł się doczekać wieczoru i chwili, gdy będzie miał Ariel wreszcie pod sobą. Na samą myśl o tym sztywniał mu członek. Dziewczyna była w delikatny sposób kobieca, nieświadomie uwodzicielska i nawet seks z Greville'em nie zdołał zniszczyć otaczającej ją aury niewinności, która tak bardzo go pociągała. Nie mógł się doczekać, by rozłożyć jej nogi i wbić się w nią głęboko.

Postanowił, że wyjdzie z domu o wpół do dziesiątej, by mieć dużo czasu na przygotowania. Obejrzy pokój, zamówi lekką kolację i dużo wina. Nie zamierzał zostawiać niczego przypadkowi – nie tym razem.

Teraz, kiedy znał prawdę o pochodzeniu Ariel i wiedział, że jest bez wątpienia dziwką Greville'a, zamierzał ją posiąść. Dziś zrobi to po raz pierwszy, ale z pewnością nie ostatni.

* * *

– Zatem… jak idzie polowanie? – zapytał Clayton Harcourt, stając w progu ponurego, wyłożonego boazerią gabinetu rezydencji przy Brook Street.

Justin, siedzący za szerokim mahoniowym biurkiem, chrząknął.

– Obawiam się, że niezbyt dobrze.

Harcourt podszedł do kredensu, nalał sobie szklaneczkę brandy, a potem opadł w swobodnej pozie na sofę przed kominkiem.

– Chcesz powiedzieć, że jej nie pociągasz?

Justin westchnął i pokręcił głową, wspominając ostatni raz, gdy byli razem.

– Tego bym nie powiedział. – Nie, powiedziałby raczej, że to, co wydarzyło się pomiędzy nimi, było jak próbowanie słodkiego ognia. – Niestety, jest wystarczająco bystra, by wiedzieć, że kiedy raz znajdzie się w moim łóżku, jej szanse na przyzwoite życie w przyszłości będą znikome.

Clay rozparł się wygodnie na sofie i zakręcił leniwie trunkiem w szklaneczce.

– Jeśli chce mieć męża, to gdy się nią znudzisz, możesz jej jakiegoś znaleźć.

Justin o tym nie pomyślał. Posiadając majątek, mógłby bez trudu zaaranżować dla Ariel małżeństwo, choćby zapewniając dziewczynie suty posag. Nie był to zły pomysł, a jednak jakoś do niego nie przemawiał.

– Zastanowię się nad tym.

– Tymczasem może przyłączylibyście się dziś wieczorem do mnie i Teresy? Idziemy do Madisona. To jaskinia hazardu na Jermyn Street, bardzo dyskretny lokal. Teresa lubi tam bywać, więc może i Ariel się spodoba.

Justin spojrzał na stertę piętrzących się na biurku dokumentów. Niektóre dotyczyły przemysłu tekstylnego, inne transportu morskiego i pozostałych obszarów biznesowych zainteresowań Claytona.

– Mam mnóstwo do zrobienia.

– I sporo czasu. Zabawa nie zacznie się wcześnie. Poza tym, jak zdołasz uwieść dziewczynę, jeśli nie będziesz się z nią widywał?

– Rzeczywiście. – Poza tym, kiedy był z nią, praca wyraźnie mu nie szła. – Dobrze, jeśli Ariel się zgodzi, przyłączymy się do was. – Clay podał mu adres i Justin zapisał go na skrawku papieru. Gdy tylko przyjaciel wyszedł, Greville posłał po Ariel. Zjawiła się po kilku minutach.

– Chciał się pan ze mną zobaczyć? – Miała na sobie różową suknię dzienną obszytą pod biustem i na skraju spódnicy taśmą w kolorze mchu.

– Wyglądasz pięknie w różowym, panno Summers.

Jej twarz przybrała niemal taki sam odcień różu.

– Dziękuję, milordzie.

– Jeden z moich przyjaciół, Clayton Harcourt, zaprosił nas, byśmy przyłączyli się dziś wieczorem do niego i jego przyjaciółki. Wybierają się pograć w karty i pomyślałem, że to ci się spodoba.

Jej twarz pojaśniała, lecz zaraz przygasła.

– Bardzo bym chciała, milordzie, lecz już się z kimś umówiłam. – Odwróciła wzrok i coś w jej twarzy obudziło czujność lorda.

– Mogę zapytać, z kim?

Patrzyła wszędzie, tylko nie na niego.

– Wybieram się odwiedzić koleżankę ze szkoły. To znajoma Kassandry.

– Rozumiem. – Kłamała, na dodatek bardzo nieprzekonywająco. Lecz ten brak wprawy w oszukiwaniu łagodził nieco jego gniew.

– Przykro mi, że nie będę mogła wybrać się z wami – powiedziała i tym razem zabrzmiało to szczerze. – Na pewno dobrze bym się bawiła.

– Tak… W rzeczy samej. Dlatego, im więcej o tym myślę, tym bardziej jestem pewny, że powinnaś pójść. Poślij wiadomość koleżance i zawiadom, że twoje plany uległy zmianie.

– Och, nie mogę przecież…

– Przeciwnie, możesz – wycedził. – Przypominam ci, że póki nie wypełnisz swojej części umowy, w taki czy inny sposób, musisz robić to, co ci każę. Idź więc i wyślij wiadomość przyjaciółce, a potem spędzimy razem wieczór u Madisona.

– Jak pan sobie życzy, milordzie – wycedziła Ariel, odwróciła się i wymaszerowała z pokoju.

Justin zacisnął w pięść spoczywającą na blacie dłoń. Kłamała… ale dlaczego? Z pewnością nie po to, by spotkać się z Marlinem. Nie może być aż tak głupia. Drugi syn lorda Wiltona był dla kobiet niebezpieczny, zwłaszcza jeśli nie chronił ich tytuł ani rodzina. Justin już raz ją ostrzegł, obawiał się jednak, że mu nie uwierzyła.

Możliwe, że zaryzykuje wszystko dla Marlina, i na myśl o tym aż zakłuło go w piersi z zazdrości.

Było to uczucie tak mu obce, że przez chwilę nie potrafił go zidentyfikować. Nie był zazdrosny od czasu, kiedy tak głupio zadurzył się w Margaret. Nie spodziewał się doświadczyć tego uczucia nigdy więcej.

Zacisnął szczęki, by zapanować nad gniewem. Cokolwiek Ariel zamierzyła, nie spotka się z Marlinem: ani tego wieczoru, ani żadnego w dającej się określić przyszłości. Począwszy od jutra, zacznie bardziej ją kontrolować, a przynajmniej poinstruuje któregoś z lokajów, by miał na nią oko i w porę zapobiegł nieszczęściu.

Pomyślał o Ariel z Marlinem i poczuł ból w piersi. Próbował przekonać sam siebie, że dziewczyna jest wystarczająco bystra, by przejrzeć Marlina, i że się w nim nie zakocha, ból nie chciał jednak ustąpić.

Rozdział 10

Jak szybko minęły te lata! Trudno uwierzyć, że wkrótce zakończę naukę i opuszczę szkołę, miejsce, które zdaje mi się w większym stopniu domem niż jakikolwiek inne. Będę okropnie za nim tęsknić, podobnie jak za przyjaciółkami, mimo to nie mogę się doczekać, aby wejść w nowy świat, który tam na mnie czeka, zająć w nim miejsce jako osoba, która na nowo się narodziła.

Słowa listu blakły w pamięci Justina, kiedy z Ariel pod ramię kroczył po bruku w kierunku Salonu Gry Madisona, nierzucającego się w oczy, dwukondygnacyjnego budynku przy Jermyn Street. Trzymając dłoń na talii dziewczyny, przeprowadził ją przez drzwi, strzeżone przez mocno zbudowanego mężczyznę w ciemnoczerwonym fraku. Weszli do pogrążonego w półmroku, nieco zadymionego wnętrza.

Wyczuwał pod palcami, jak bardzo jest usztywniona. Podczas całego wieczoru, a także kolacji – na szczęście Barbara okazała się zbyt zajęta, by w niej uczestniczyć – zachowywała się nader chłodno, nieobecna duchem i zdystansowana.

Teraz, w miarę jak rozglądała się dookoła, rezerwa zaczęła topnieć, zastąpiona charakterystyczną dla niej ciekawością, pragnieniem, aby doświadczać życia we wszystkich jego przejawach. To właśnie owo pragnienie doprowadziło ją śliską ścieżką do jego ojca, i w rezultacie, do niego.

Minęli główny salon utrzymany w tonacji ciemnej czerwieni i złota, ze zdobionymi draperiami i tureckimi dywanami. Wyposażenie było tu krzykliwe, tapeta odstawała w niektórych miejscach od ścian, a meble wyglądały na nieco zniszczone. W pomieszczeniu, z którego można było wejść do kilku mniejszych, panował tłok. Większość gości była dobrze ubrana, zdarzali się jednak skromniej odziani, a kilku wyglądało, jakby wtoczyli się do salonu wprost z ulicy.

Oczywiste było, że lokal przeznaczony jest dla szerokiej klienteli. Niektórzy przychodzili tutaj zapewne, aby zabawić się z dala od czujnych oczu plotkarzy z towarzystwa.

Prowadząc ją, czuł, jak jej podniecenie rośnie. To, że nie znalazła nic odstręczającego w lichym otoczeniu, zbyt mocno uróżowanych kobietach i podpitych mężczyznach, sprawiło, iż jeszcze mniej mu się tu podobało.

– Nie wiedziałam, że takie miejsca w ogóle istnieją – zauważyła z niejakim podziwem, przyglądając się gościom siedzącym za zielonymi stolikami lub pochylającym się nad stołami do gry w kości. Błysnęła ku niemu niespodziewanym, olśniewającym uśmiechem. – Cieszę się, że nakłonił mnie pan do przyjścia.

Lecz Justin nie był zadowolony. To nie było dla niej odpowiednie miejsce i żałował, że dał się namówić Harcourtowi. Odwrócił się w poszukiwaniu przyjaciela i spostrzegł, że stoi niedaleko, wsparty o ścianę. Miał na sobie brązowy surdut i bufiaste bryczesy. Obok niego stała drobna, ciemnowłosa kobieta odziana w wydekoltowaną szmaragdowozieloną suknię z czarnymi dodatkami. Śmiała się zbyt głośno z czegoś, co Clayton szeptał jej do ucha.

– Tam. – Poprowadził Ariel ku przyjacielowi i jego towarzyszce. Dostrzegł w jej oczach błysk niepewności, zamaskowany niemal natychmiast promiennym uśmiechem.

Clay spostrzegł ich, pomachał i poprowadził ku nim Teresę.

– Udało ci się – powiedział i uścisnął dłoń Justina.

– Nie byłem pewny, czy przyjdziesz.

– Clay, oto panna Summers. Wspominałem ci o niej.

– Rzeczywiście, i to nieraz. – Przesunął spojrzeniem brązowych oczu po wysokiej jak na kobietę Ariel z wyraźną aprobatą, acz bez uwodzicielskich intencji.

– Bardzo mi miło, panno Summers. – Clayowi jakoś udało się odgadnąć, że Ariel jest dla niego kimś więcej niż kochanką. Będzie w jego towarzystwie bezpieczna. Jak dobrze mieć takiego przyjaciela, pomyślał z ulgą.

Clayton przedstawił Teresę. Była atrakcyjną kobietą, córką aktorki, mniej więcej dwudziestoletnią. Zdenerwowanie Ariel ulotniło się gdy Teresa serdecznie się z nią przywitała.

Nadal uważał jednak, że to nie miejsce dla niej. Ponieważ suknie, które zamówili, nie były jeszcze gotowe, wybrała na ten wieczór skromną toaletę z jedwabiu w kolorze bladobłękitnym. Z zaczesanymi wysoko, złotymi włosami, smukłą sylwetką i niebieskimi oczami o niewinnym spojrzeniu wyróżniała się z otoczenia niczym anioł w salonie diabła.

Skrzywił się w duchu na to wyobrażenie.

– Od czego zaczniemy? – zapytał Clay, przeciągając lekko głoski. – Gramy już do kilku godzin i nieźle nas oskubali.

– Panna Summers lubi grać w wista – powiedział Justin, przypomniawszy sobie, co mówiła podczas jazdy powozem. – Może zaczęlibyśmy od tej gry?

Ariel uśmiechnęła się, rozpogodzona. Podobało mu się, że jej gniew nie trwa długo. Pomyślał, że zapewne nie ma czasu się gniewać, skoro wokół niej tyle się dzieje.

Podeszli do stolika, lecz okazało się, że są tylko dwa wolne miejsca. Ariel usiadła obok Teresy, a Justin postawił przed nią stosik sztonów. Grała doskonale, jak przekonał się o tym podczas jazdy z Cadamon. Może nawet wygra, pomyślał rozbawiony.

Ariel dotknęła rosnącego stosu sztonów. Teresa, która nieustająco przegrywała, wstała w końcu od stolika i ruszyła na poszukiwanie Claya. Obaj panowie zniknęli jakiś czas temu w innej części salonu, Ariel zaś kontynuowała grę.

Rozdający uprzątnął stół, przygotowując go do następnego rozdania. Spojrzała na zegar, stojący na kominku w przeciwnym końcu pomieszczenia. Dziesiąta.

Powinna rozmawiać właśnie z Phillipem, opowiadać o umowie, jaką zawarła z lordem, i błagać o pomoc. Tymczasem zmuszono ją, aby wysłała kolejną wiadomość, odwołując spotkanie, którego tak bardzo potrzebowała.

Nie potrzebowałabyś Phillipa, gdybyś zlekceważyła po prostu dług, pomyślała, jak co najmniej z tuzin razy wcześniej. Lord Greville powiedział, że nie będzie cię zmuszał. Nie zwykła jednak łamać obietnic, zwłaszcza takich, które leżały u podstaw wszystkiego, na co tak ciężko pracowała.

Była coś winna Justinowi i zamierzała spłacić dług. Phillip pomoże, jeśli wystarczy jej odwagi, by się z nim spotkać.

Stos sztonów przed nią rósł, uśmiechała się więc coraz szerzej. Ledwie mogła się doczekać, aby pokazać lordowi, ile wygrała. Już niemal widziała, jak spogląda na nią z aprobatą.

Nie minęło wiele czasu, a stos jeszcze się powiększył, co wywołało komentarze pozostałych graczy: chudego, łysego mężczyzny w niebieskim fraku i blondynki o bujnych kształtach i dużych uszach, a także atrakcyjnej brązowowłosej dziewczyny w wydekoltowanej sukni z czerwonego jedwabiu, wiekiem zbliżonej do Ariel. Zdobiący jej szyję diamentowo-szafirowy naszyjnik wyglądał na kosztowny, a sądząc po sposobie, w jaki flirtowała ze stojącym za nią mężczyzną, dziewczyna sprzedawała zapewne swoje wdzięki za klejnoty.

Było to niepokojące spostrzeżenie, przypominało bowiem jej sytuację. Zmusiła się, by o tym nie myśleć. Odrzuciła także sugestię kobiety, aby podwoić stawkę. Mogła przegrać, a chciała zatrzymać wygraną. Uznała zatem, że pora zadowolić się tym, co ma, i wstała od stolika z dłońmi pełnymi sztonów.

Podeszła do kasy i zamieniła je na gotówkę, a potem wepchnęła pieniądze do torebki. Właśnie miała przejść przez pokój, aby odszukać lorda, kiedy jej wzrok spoczął na wysokim, jasnowłosym mężczyźnie, któremu towarzyszyły dwie kobiety. Na widok Phillipa z uczepioną jego boku i zachowującą się hałaśliwie blondynką oraz uśmiechniętym szeroko rudzielcem z drugiej strony zatrzymała się jak wryta.

Boże, to przecież niemożliwe!

Ale, oczywiście, było możliwe.

Phillip także ją spostrzegł. Zatrzymał się z miną chłopczyka przyłapanego z ręką w słoiku z konfiturami. Fryzurę miał z lekka rozwichrzoną, ruchy zbyt swobodne. Uświadomiła sobie, że pił. Szepnął coś towarzyszkom, zostawił je przy jednym ze stolików i ruszył ku niej.

– Ariel… na miłość boską, co ty tu robisz? – zapytał tak cicho, że tylko ona mogła go usłyszeć. – Dlaczego odwołałaś spotkanie?

Rozejrzała się, mając nadzieję, że lord ich nie zauważy. Wiedziała, że byłby wściekły.

– To długa historia, Phillipie. I nie pora teraz o tym mówić. – Spojrzała na wystrojone przesadnie kobiety. – Poza tym widzę, że miałeś ważniejsze sprawy.

Phillip poczerwieniał.

– A czego się spodziewałaś? Nie odzywałaś się od tygodni. A kiedy znalazłaś wreszcie dla mnie czas, zmieniłaś zdanie w ostatniej chwili.

– Nie mogłam się wyrwać. Sądziłam, że dziś mi się uda, ale...

– Greville miał inne plany.

– Tak. – Zerknęła znów na kobiety. – Najwidoczniej ty również.

Popatrzył na swoje towarzyszki. Ubrane w jaskrawe satynowe suknie zdobione piórami wyglądały jak dziwki, ponieważ, czego zdążyła się już domyślić, właśnie nimi były.

– Mężczyzna ma swoje potrzeby, Ariel. Z pewnością potrafisz to zrozumieć.

Może potrafiła, a może nie. Po raz pierwszy zaczęła się zastanawiać, co Phillip naprawdę do niej czuje.

– One nic dla mnie nie znaczą – kontynuował, jakby czytał jej w myślach. – Tylko na tobie mi zależy. Chcę się z tobą zobaczyć. Spotkajmy się jutro po południu Pod Świnią i Kogutem, jak zaproponowałaś.

Lecz Ariel nagle poczuła się nieswojo.

– No nie wiem... Ja... nie jestem pewna, czy zdołam się wymknąć.

– O trzeciej – powiedział. – Wynajmę dla nas prywatną jadalnię. Powiedz właścicielowi, że przyszłaś zobaczyć się ze mną, a wszystkim się zajmie.

– Ale nie jestem pewna...

– Musisz przyjść, kochanie. Proszę, nie zawiedź mnie znowu.

Dostrzegła kątem oka ruch i zaczerpnęła raptownie powietrza. Żadne z nich nie słyszało, że lord się zbliża, lecz była pewna, iż musiał usłyszeć przynajmniej część rozmowy.

Utkwił lodowate spojrzenie szarych oczu w Phillipie.

– Panna Summers będzie jutro zajęta. Jak również pojutrze i każdego następnego dnia. Nie przyjdzie do gospody, Marlin.

Mięśnie twarzy Phillipa napięły się.

– Nie posiadasz jej na własność, Greville.

Lord nie pofatygował się, by odpowiedzieć.

– Twoje... damy czekają. – Rzucił kpiące spojrzenie w stronę dwóch wyzywająco ubranych kobiet. – Nie chciałbyś chyba ich rozczarować.

Phillip zacisnął szczęki. Twarz poczerwieniała mu z gniewu. Żyła na szyi pulsowała. Ariel przez chwilę sądziła, że doprowadzi do konfrontacji, i stała nieruchomo, wstrzymując oddech. Zamiast tego jednak ukłonił się jej sztywno, rzucił przepełnione nienawiścią spojrzenie lordowi, odwrócił się i odszedł. Na swoje towarzyszki nawet nie spojrzał. Wyminął je, jakby ich tam w ogóle nie było. Jedna krzyknęła, aby zaczekał, lecz on szedł po prostu dalej. Pośpieszyły za nim.

– Zatem... to z Marlinem miałaś się dziś spotkać. – Gwar w pomieszczeniu sprawiał, że byli jak na wyspie, gdzie nikt nie mógł ich podsłuchać.

– Ja... nie wiem, o czym pan mówi.

– Wiedziałem, że kłamiesz, nie byłem jedynie pewny dlaczego.

Zadarła wyżej brodę.

– Dobrze więc. Chciałam z nim porozmawiać. Poprosić o pomoc.

– Kochasz go?

Pytanie, zadane tak niespodziewanie, zaskoczyło Ariel. Czy kochała Phillipa? Kiedyś tak właśnie myślała. Teraz wydawało się, że było to wieki temu.

– Ja... nie wiem.

Chwycił ją mocno za ramię i pociągnął ku drzwiom. Zatrzymał się jedynie na chwilę, aby powiedzieć Claytonowi Harcourtowi, że wychodzą, a potem ruszył dalej. Gdy wyszli, powóz pojawił się jak za dotknięciem czarodziejskiej różdżki. Siwki tańczyły pod nabijaną srebrem uprzężą, srebrne latarnie oświetlały drzwi. Wsiedli i spoczęli na skórzanych siedzeniach, Ariel po jednej stronie, Justin po drugiej. Żadne się nie odezwało. Powóz szarpnął i ruszył. Cisza gęstniała i po chwili była już gęstsza niż dym w salonie gier.

– Nie chciałam pana okłamać – powiedziała Ariel cicho. – Nie wiedziałam po prostu, co innego mogłabym zrobić.

Greville się nie odezwał. Siedział nachmurzony, promieniując chłodem na cały powóz.

– Sądziłam, że Phillip mógłby pożyczyć mi trochę pieniędzy, bym mogła pana spłacić. A także znaleźć zatrudnienie, co pozwoliłoby mi oddać dług jemu. – Justin spojrzał na nią ostro i nie odrywał wzroku, kiedy szukała czegoś gorączkowo w torebce. – Oto pieniądze, które pożyczył mi pan na grę. – Wyjęła wygraną. Ujęła jego dłoń, rozprostowała zaciśnięte palce i odliczyła kwotę. – A tyle wygrałam. – Wcisnęła mu resztę gotówki. – Wiem, że to dopiero początek, ale…

Zacisnął rękę, zgniatając pieniądze, zarówno banknoty, jak i monety. Na widok jego pochmurnej miny poczuła ucisk w piersi. Zastukał głośno w dach pojazdu.

– Zatrzymaj się! – rozkazał woźnicy. – Natychmiast! – Otworzył drzwi, zanim powóz na dobre się zatrzymał, wyskoczył i zatrzasnął je za sobą. – Zawieź pannę Summers do domu i dopilnuj, aby bezpiecznie tam dotarła.

– Dobrze, milordzie. Ale jak pan wróci?

– Jakoś sobie poradzę. – Odszedł pospiesznie, stawiając długie kroki i pokonując odległość w zadziwiającym tempie. Ariel przyglądała się temu przez okno, dziwnie poruszona. Był zły, nawet wściekły. Ale to wyraz cierpienia w jego oczach sprawiał, że ściskało jej się serce.

Zraniła go. Wydawało się to niemożliwe, wiedziała jednak, że się nie myli. Sądził, że odrzuca go ze względu na Phillipa, ale nie była to prawda. Nie ufała już Phillipowi tak, jak kiedyś. Nie, kiedy wspomniała małego Murzynka trzymanego w charakterze domowego zwierzątka. Nie po tym, jak zobaczyła go z kobietami.

Lecz nadal nie zamierzała zostać kochanką lorda. Tu nic się nie zmieniło. Marzyła o tym, aby być damą. Pragnęła lepszego życia: dla siebie i dla dzieci, które pewnego dnia urodzi, a potem wychowa. Odkąd opuściła dom, przekonała się jednak, że bycie czyjąś utrzymanką to najdalsza droga do celu. Pragnęła męża i rodziny, teraz to wiedziała. Chciała wieść życie kobiety godnej szacunku, akceptowanej przez przyjaciółki takie jak Kassandra Wentworth. Chciała sprostać wizerunkowi, na który tak ciężko pracowała.

Mimo to, kiedy myślała o lordzie, coś ściskało ją w piersi.

Powóz toczył się z wolna, a ona spoglądała na opustoszałe ulice za oknem, starając się zignorować troskę o Greville'a. Pulsowała jej w sercu niczym drzazga.

* * *

Justin siedział w zadymionym barze tawerny Pod Zającem i Podwiązką lub też Podwiązką i Zającem. A może była to Zajęcza Podwiązka – nie pamiętał i nic go to nie obchodziło. Jakkolwiek nazywało się to miejsce, panował w nim chłód. Lodowaty ziąb wciskał mu się do krwi, zwalniając jej bieg. Członki miał zesztywniałe z zimna. Na kominku płonął jednak ogień, nie wyglądało też na to, by ktoś oprócz niego marzł.

Miał dziwne podejrzenia, iż chłód pochodzi z głębi jego ciała.

Rozejrzał się po gospodzie. Pomieszczenie miało niski sufit z solidnymi belkami i podłogę z szerokich desek. Przypomniał sobie, że był tu kiedyś z Clayem. Lokal znajdował się niedaleko jaskini hazardu i, na szczęście, w dosyć bezpiecznej dzielnicy.

Zachwiał się lekko na ławie, oparł plecami o szorstką ścianę i wypił ostatni łyk piwa z kolejnego dzbanka.

Rzadko zdarzało mu się pić. Teraz był już nieźle wstawiony, lecz nie dbał o to. Chciał wyłączyć umysł, wyrzucić z niego scenę z Ariel w powozie. Spojrzał na stosik monet i banknotów, które stopniowo przepijał – drobna wygrana Ariel, pieniądze, którymi chciała spłacić część długu.

Zaklął cicho, wulgarnie. Naprawdę sądziła, że chodzi mu o przeklętą forsę? Miał jej więcej, niż zdoła kiedykolwiek wydać, a inwestycje ciągle ją pomnażały.

Nie chciał pieniędzy Ariel. Chciał jej. Pragnął mieć ją w swoim łóżku. Wejść w nią. Wchłonąć słoneczne ciepło, jakie promieniowało z niej niczym ogień. Rozjaśnić swój ponury świat, choćby na chwilę.

Wiedział, że to listy są wszystkiemu winne. To one podbiły jego serce, jak nie mogłoby tego dokonać nic innego. Nauczył się podziwiać jej determinację, żelazną wolę, jakiej wymagało wydostanie się z biedy i zostanie kimś. Podziwiał ją nawet za środki, jakie przedsięwzięła, za odwagę, by zawrzeć w wieku czternastu lat układ, który wydał się korzystny mężczyźnie w wieku jej ojca.

Podziwiał Ariel Summers, choć nie był pewien, czy może jej ufać. Potępiał się też za to, jak ją z początku potraktował. Boże, nie zamierzał domagać się, by wypełniła warunki umowy zawartej z jego ojcem łajdakiem. Zanim ją spotkał, zamierzał pomóc jej zacząć nowe życie. Zasłużyła na to swoją determinacją i wytrwałością.

A potem wszedł i zobaczył ją z najbardziej znienawidzonym wrogiem, Phillipem Marlinem. Stara niechęć uderzyła weń niczym młot, skłaniając, by robił i mówił rzeczy, o które nigdy by się nie posądzał.

W jednej chwili cofnął się w czasie i zamiast Ariel zobaczył twarz Margaret, wspomniał, jak leżała naga w ramionach Phillipa. Hrabianka Margaret Simmons była piękna i nieposkromiona. Justin zakochał się w niej od pierwszego wejrzenia, gdy tylko poznał dziewczynę na przyjęciu w majątku jej ojca, położonym niedaleko Oksfordu, gdzie studiował. Clay przedstawił ich sobie i miesiącami spotykali się po kryjomu, Margaret nie chciała bowiem powiedzieć hrabiemu, że widuje się z nieprawym synem lorda Greville'a.

Justin wiedział, że po skończeniu studiów będzie w stanie zapewnić jej wygodne życie. Okazał się na tyle szalony, że sądził, iż dziewczyna zechce go poślubić. A potem, pewnego ranka, otrzymał anonimowy list.

Przyjdź do Piejącego Koguta jutro o trzeciej. Twoja ukochana będzie czekała.

Nie rozpoznał pisma, mimo to przybył następnego dnia, punktualnie o trzeciej, do leżącej na uboczu gospody. Właściciel, ewidentnie przez kogoś opłacony, zaprowadził go na piętro. Otworzył drzwi jednego z pokoi i zobaczył skotłowaną pościel, zrzucone na podłogę prześcieradła i Margaret z Phillipem. Leżeli nadzy w miłosnym uścisku.

Ogarnęła go zimna furia.

Margaret krzyknęła, lecz Phillip tylko się roześmiał.

Justin miał ochotę go zabić.

Opanował się jednak, skinął lekko głową i powiedział:

– Przepraszam za wtargnięcie. Widzę, że jesteście zajęci. – Margaret trzęsła się ze strachu. Zignorował ją. – Przekonasz się, że dama ma rozliczne talenty – powiedział do Marlina. – Może bywa czasami nazbyt gorliwa, ale nadrabia to biegłością. – Do Margaret zaś powiedział: – Sądzę, moja droga, że znalazłaś dla siebie idealnego partnera. – Odwrócił się i wyszedł z sercem nieodwracalnie złamanym.

Niechętnie to wspominał. Sądził wtedy jeszcze, że ma serce.

Pociągnął kolejny łyk piwa i otarł usta grzbietem dłoni. Zerknął na ogień, zastanawiając się, czy nie przysunąć się bliżej. Nawet czubki palców zdrętwiały mu z zimna.

Podeszła do niego kelnerka, niski rudzielec o imponującym biuście, wyraźnie widocznym w wycięciu bluzki.

– Jeszcze jeden, przystojniaku?

W głowie mu się kręciło. Trunek przytępił zmysły tak, iż trudno mu było myśleć, lecz właśnie tego chciał.

– Będę potrzebował pokoju. Macie wolny?

– Nawet kilka, na górze. – Wskazała drewniane schody w końcu baru.

Justin pchnął ku niej resztę pieniędzy. Było ich aż nadto, aby zapłacić za nocleg i piwo, które zdoła jeszcze wypić.

– To powinno wystarczyć.

Porwała pieniądze, zorientowała się, że jest ich więcej niż dosyć i uśmiechnęła się uwodzicielsko.

– Za tyle forsy należy ci się dodatkowa usługa, jeśli będziesz chciał. – Objęła dłonią ciężką pierś i ścisnęła wymownie. Sutek naparł na cienki materiał bluzki.

Justin potrząsnął głową.

– Może innym razem.

Rudowłosa wzruszyła ramionami.

– Jak pan chce. – Wróciła z kolejnym dzbankiem piwa i postawiła go przed Justinem. Pociągnął solidny łyk gorzkiego napoju i oparł głowę o ścianę, czekając, aż alkohol wsączy mu się w żyły. Zastanawiał się, czy zdoła choć trochę go rozgrzać. Żałował, że nie jest na tyle pijany, by zasnąć, nie myśląc o Ariel. Obawiał się, że bez względu na to, ile by wypił, i tak mu się to nie uda.

Wiedział, że to żądza doprowadziła go do takiego stanu. Wszelkie inne uczucia dawno w nim umarły. Miał jednak sumienie, ono zaś nie dawało mu spokoju.

Walczyło z pożądaniem.

Pociągnął jeszcze łyk piwa zastanawiając się, które w końcu zwycięży.

* * *

Minęły dwa dni.

Nastała kolejna jesienna noc, wietrzna i zimna, spowijając dom w szarą mgłę odosobnienia. Ariel przewracała się na łóżku, nie mogąc zasnąć. Leżała tak od kilku godzin, wytężając słuch, aby pochwycić dźwięk wskazujący, że lord wrócił. Na próżno jednak.

Barbara spędzała wieczory poza domem. Rzadko wracała wtedy przed świtem. Mały Thomas spał bezpiecznie w swoim łóżeczku, namówiwszy wpierw Ariel, by przeczytała mu bajkę. Lecz Justin nie wrócił.

I wyglądało na to, że nikt się tym nie przejmuje.

– Jest lordem – powiedział po prostu kamerdyner. – Wróci, gdy będzie gotowy.

Lecz jeśli coś mu się stało? Kiedy wyskoczył z powozu, był późny wieczór, a on był sam. Ulice Londynu nie są bezpieczne. Jeśli go napadnięto i potrzebuje pomocy? Czy nikt w tym domu nie troszczy się o lorda Greville?

Uświadomiła sobie, że skoro Justina nie ma, mogłaby spotkać się z Phillipem. Nadarzała się okazja, na którą tak czekała. Lecz po ostatnim spotkaniu nie ufała mu już, a nawet gdyby było inaczej, spotykanie się z nim teraz, kiedy wiedziała, co czuje lord, byłoby najokrutniejszą ze zdrad.

Usłyszała coś i nastawiła uszu. Niepewne kroki rozbrzmiały w holu. Coś spadło na podłogę i się rozbiło. Usłyszała stłumione przekleństwo, a potem kroki na schodach. Przysłuchiwała się, jak milkną w oddali. Ten, kto był w korytarzu, zatrzymał się przed pokojem w końcu holu.

Pokojem Justina.

Zalała ją fala ulgi tak intensywnej, że całe jej ciało zwiotczało. Położyła znów głowę na poduszce, wypuściła wstrzymywane długo powietrze i zmówiła krótką modlitwę, dziękując Bogu, że sprowadził Justina bezpiecznie do domu. Nagle poczuła się senna. Powieki opadły, zakrywając zmęczone, podrażnione z niewyspania oczy. Po raz pierwszy od trzech dni zapadła w mocny, spokojny sen.

Rozdział 11

Ariel nie widziała Justina ani tego dnia, ani następnego. Wiedziała, że jej unika, a po tym, co zaszło pomiędzy nimi, wolała sama go nie szukać. Bez ustanku zastanawiała się, gdzie był przez te dwa dni nieobecności, nie mogąc wyrzucić z pamięci wspomnienia tamtych wyzywająco ubranych kobiet.

„Mężczyzna ma swoje potrzeby", powiedział Phillip. Skoro tak, lord nie jest zapewne wyjątkiem.

Zamknęła oczy, aby odpędzić wyobrażenie Justina leżącego obok zuchwałej blondynki. Próbowała wyobrazić go sobie całującego roześmianego rudzielca i wyczuwała instynktownie, że kobieta, którą lord wziąłby do swego łóżka, nie przypominałaby tamtych. Byłaby piękna i godna pożądania i na samą myśl, że prawdopodobnie tak właśnie się stało, aż przewracało się jej w żołądku. Nie chciała myśleć o lordzie zadającym się z inną kobietą. Wyobrażać sobie, jak ją całuje, kocha się z nią. A ponieważ zawsze była wobec siebie szczera, musiała zadać sobie pytanie: dlaczego? Próbowała przekonać samą siebie, że to jedynie kwestia dumy. Powiedział, że to właśnie jej pragnie, jakby żadna inna nie była wystarczająco dobra. Jeśli mówił poważnie…

Jeśli mówił poważnie, czy oznaczało to, że mu na niej zależy? Jest dla niego kimś szczególnym i różni się od kobiet, które znał?

A jeśli tak jest, czy ma to znaczenie?

Jednak głęboko w sercu, tam, gdzie wolała nie zaglądać, wiedziała, że owszem, ma znaczenie. I to olbrzymie.

Westchnęła, kończąc się ubierać, a potem przetrwała jakoś poranną paplaninę Silvie i ruszyła w dół schodami, kierując się do pokoju śniadaniowego. Nie była tak naprawdę głodna, wiedziała jednak, że powinna coś zjeść. Ledwie tknęła jedzenie od chwili, kiedy rozstała się tamtej nocy z lordem.

W połowie szerokiej kamiennej klatki schodowej zatrzymała się nagle. U podstawy schodów czekała na nią Barbara ze zwykłym, protekcjonalnym wyrazem twarzy. Ariel ścisnął się żołądek i wszelka myśl o jedzeniu wywietrzała jej z głowy. Zmusiła się, aby iść dalej.

– Lady Haywood. – Dygnęła nisko, spuszczając wzrok, by dama nie spostrzegła, jak bardzo jest zdenerwowana.

– Wygląda na to, że mój brat chce się z tobą zobaczyć. Powiedziałam, że ci to przekażę.

Ariel uniosła z wahaniem wzrok.

– Wie pani, o co chodzi? – Gdy tylko wypowiedziała te słowa, wiedziała już, że popełniła błąd. To było głupie pytanie. Justin prawie z siostrą nie rozmawiał, a już z pewnością nie omawiałby z nią niczego, co tyczyłoby się Ariel.

Barbara uśmiechnęła się złośliwie.

– Jeśli brat przypomina w czymkolwiek swego ojca, prawdopodobnie znudziły mu się już twoje wątpliwe wdzięki. – Wykrzywiła rubinowe wargi. – Nie obawiaj się jednak, na pewno okaże się hojny. Greville'owie nie mają w zwyczaju zostawiać za sobą armii niezadowolonych dziwek.

– Powiedziałam już: nie jestem jego dziwką.

Barbara uniosła idealnie zarysowaną brew.

– Nie? Cóż, może chce porozmawiać właśnie o tym. Jeśli jeszcze się z tobą nie przespał, musi być zdeterminowany, aby to zrobić. Jakby nie było, znajdziesz go w gabinecie. – Obróciła się z szumem jedwabnych, niebiesko-zielonych spódnic i odeszła.

Ariel zaczerpnęła drżącego oddechu, przygotowując się na spotkanie z mężczyzną, który stawał się stopniowo ważną częścią jej życia. Nie wiedziała, jak do tego doszło ani kiedy, i nie zdawała sobie sprawy, że tak jest, aż do dnia, gdy nie wrócił na noc do domu. Nie mogła spać ani jeść. Martwiła się o niego tak bardzo, aż bolało ją serce.

Zadrżała, idąc korytarzem. Kiedy wysiadał z powozu, był na nią zły. Czy wystarczająco, żeby zażądać wypełnienia warunków umowy? Bała się spotkania, a zarazem, w głębi serca, nie mogła się doczekać, by go zobaczyć.

Zapukała szybko od drzwi, a gdy odpowiedział, weszła. Stał za biurkiem, odwrócony do niej plecami, z założonymi za plecy rękami, wpatrując się w rzędy ksiąg, lecz tak naprawdę ich nie widząc. Odwrócił się i serce Ariel ścisnęło się na widok jego twarzy. Wydawał się znużony, pokonany. Nie widziała go dotąd takiego. Ruszyła ku niemu, czując palący ból w piersi.

– Dziękuję, że przyszłaś – zaczął oficjalnie, wskazując jej miejsce przed biurkiem. Usiadła powoli, rozkładając starannie spódnice, by zyskać na czasie. Podniosła wzrok i wpatrywała się przez kilka sekund w twarz lorda, usiłując odczytać jego myśli i zastanawiając się gorączkowo, co by tu powiedzieć.

– Ja… my wszyscy martwiliśmy się o pana. Cieszę się, że wrócił pan bezpiecznie do domu.

Popatrzył na nią szarymi oczami, podkrążonymi z braku snu.

– Doprawdy?

– Ja… – Spojrzała mu w oczy. – Tak. Bardzo się cieszę.

Nie skomentował tego, lecz jego twarz przybrała na chwilę dziwny, trudny do określenia wyraz. Usiadł za biurkiem, wsparł łokcie na blacie i pochylił się ku niej.

– Domyślasz się chyba, dlaczego chciałem się z tobą zobaczyć.

– Prawdę mówiąc, nie jestem pewna.

– Czas mija. Pora, byśmy podyskutowali o naszym układzie.

Ariel zacisnął się żołądek. Boże, tego się właśnie obawiała. Zwilżyła wargi, wspominając słowa siostry lorda.

– To znaczy…?

Wyprostował się nieco i utkwił wzrok w ścianie tuż nad jej głową, jakby dostrzegał tam coś niezmiernie interesującego.

– To oczywiste, że pomyliłem się, sądząc, iż z czasem możesz… odwzajemnić sympatię, jaką do ciebie czuję. Ponieważ myśl o zostaniu moją kochanką jest dla ciebie aż tak odrażająca…

– Nie o to chodzi! Nie wolno panu tak myśleć, milordzie!

– Nie? Więc w czym rzecz?

Zastanawiała się przez chwilę, jak ubrać myśli w słowa, wiedziała bowiem, jak ważne może okazać się to, co teraz powie.

– Nie chodzi o pana – powtórzyła. – Cóż, może chodziło, na początku. Nie znałam pana wtedy, a prawdę mówiąc, potrafi pan być dość onieśmielający.

Kąciki jego ust uniosły się. Były to ładnie zarysowane usta, pamiętała też jeszcze, iż są o wiele bardziej miękkie, niż na to wyglądają.

– Tak… zapewne.

– Teraz, gdy pana poznałam… uważam, że jest pan… cóż, bardzo atrakcyjnym mężczyzną i każda kobieta, którą wybrałby pan na kochankę, czułaby się z pewnością zaszczycona.

– Każda, tylko nie ty – stwierdził chłodno.

– Nie. Chodzi o to, że nie chcę być niczyją kochanką.

– Nawet Phillipa Marlina?

Spłonęła rumieńcem. Naprawdę sądził, że wolałaby Phillipa? Ponieważ nagle i z niebywałą jasnością uświadomiła sobie, że gdyby musiała wybierać, wolałaby związać się z lordem.

– Chcę tylko powiedzieć, że bycie utrzymanką mężczyzny oznacza coś zupełnie innego, niż sobie kiedyś wyobrażałam. I prawdę mówiąc, gdy zawierałam ten układ, nie wierzyłam, że kiedykolwiek będę musiała go wypełnić. Sądziłam... że kiedy nadejdzie czas... znajdę inny sposób, by zwrócić poniesione koszty. Teraz jestem starsza i wiem, jaką przyszłość może mieć przed sobą tego rodzaju kobieta. Nie mogę znieść myśli, że miałabym sprzedawać swoje ciało jak najpodlejsza dziwka.

Na lewym policzku lorda zadrgał mięsień.

– Nie myślałem o tobie w ten sposób – powiedział cicho. A kiedy nie odpowiedziała, westchnął przeciągle i wstał. – Teraz to już i tak nieważne. Powiedziałem ci kiedyś, że do niczego nie będę cię zmuszał. Poprzedniej nocy uświadomiłem sobie jednak, że napomykając nieustająco o kosztach twojej edukacji, robię właśnie to. Od tej chwili możesz zatem uważać swój dług za spłacony.

Serce podskoczyło jej w piersi. Z pewnością źle go zrozumiała. Ale jej puls bił coraz szybciej, a umysł podpowiadał, że to prawda. Już po wszystkim! Jestem wolna! – krzyczał głosik w jej głowie. Siedziała, drżąc na całym ciele, oszołomiona z ulgi, zastanawiając się, dlaczego się nie uśmiecha. Nie śmieje w głos z radości.

– Znajdę dla ciebie jakieś lokum – mówił tymczasem lord – i przydzielę miesięczną pensję...

– Nie. – Wypowiedziała to słowo bezwiednie, lecz kiedy je usłyszała, wiedziała już, że tak właśnie należało postąpić.

Justin podniósł raptownie głowę.

– Co takiego?

– Powiedziałam: nie. Nie mogę nadal korzystać z pańskiej łaskawości.

– Nie chcesz korzystać z mojej łaskawości? Nie masz rodziny, pieniędzy ani nikogo, do kogo mogłabyś się zwrócić. O czym ty, na miłość boską, mówisz?

– Mówię, że nie przyjmę od pana ani szylinga więcej, dosyć już wzięłam. I nadal chcę to zwrócić. – Spojrzała na zaściełający biurko stos papierów, skoroszytów i teczek, wypełnionych niekończącymi się rzędami liczb. Niektóre, otwierane widać najczęściej, miały już ośle uszy. – Chcę pracować dla pana, jak do tej pory.

Przez chwilę nie był w stanie się odezwać.

– To niemożliwe – powiedział w końcu.

– Dlaczego? Ma pan obowiązki jako lord i prowadzi rozliczne interesy. Nic dziwnego, że jest pan zajęty od świtu po zmierzch. I przyznał pan, że nienawidzi zajmować się rachunkami. Mogę robić to za pana.

– Kobiety godne szacunku nie imają się tego rodzaju zajęć.

– Ani nie zawierają układów, jaki zawarłam ja.

Usiadł ciężko na krześle.

– Gdzie miałabyś zamieszkać?

– Tutaj, oczywiście. W domu jest mnóstwo miejsca i spłaciłabym dług szybciej, gdybym nie musiała wydawać na mieszkanie i jedzenie. Ma pan tuziny służących. Mogę mieszkać na trzecim piętrze, tam gdzie oni.

Justin przeczesał palcami włosy i kilka czarnych, gęstych pasm opadło mu na czoło.

– To szaleństwo.

Wreszcie była w stanie się uśmiechnąć.

– Otrzymałam od pana niezliczone dary: wykształcenie, sposób wysławiania się, nawet ubrania, które noszę. Zamierzam odpłacić się panu pracą. Co w tym szalonego?

Podniósł wzrok i przyszpilił ją stanowczym spojrzeniem. Zmęczony czy nie, rozgniewany czy spokojny, wydał jej się jednym z najprzystojniejszych mężczyzn, jakich poznała.

– Jest jeszcze jeden problem: pożądam cię, Ariel, i to się raczej nie zmieni. Zwłaszcza jeśli tu zostaniesz.

Mały demon w głowie Ariel podniósł paskudny łeb.

– Zawsze może pan wrócić do kobiety, z którą spędził pan ostatnie dwa dni.

– Nie byłem z kobietą.

– Oczywiście, to nie moja sprawa, ale…

– Jeśli już musisz wiedzieć, upiłem się i pozostawałem w tym stanie przez dwie doby. Kiedy wróciłem, nadal byłem pijany. I możesz mi wierzyć, zapłaciłem za to.

Miała dość przyzwoitości, żeby się zarumienić.

– Przepraszam. Jak powiedziałam, to nie moja sprawa. – Lecz demon w jej głowie uśmiechał się z zadowoleniem, Ariel zaś czuła się zdecydowanie lepiej, niż powinna.

Justin okrążył biurko i ruszył ku niej. Ariel także wstała. Zatrzymał się tuż przed nią.

– Dobrze… zrobimy, jak proponujesz, pod trzema warunkami.

Spojrzała na niego podejrzliwie.

– Jakimi?

– Po pierwsze, zostaniesz w swej dotychczasowej sypialni. Oboje zainwestowaliśmy zbyt dużo, by zrobić z ciebie damę. Zamierzam dopilnować, by nadal tak cię traktowano.

– Trudno mi protestować przeciwko temu, by żyło mi się lepiej. A pozostałe warunki?

– Kiedy tu będziesz, postanowimy coś w kwestii twojej przyszłości.

– I?

– I będziesz trzymała się z dala od Phillipa Marlina.

Nie mogłaby widywać się z Phillipem, pozostając pod dachem lorda. Zabawne, lecz rezygnacja z tego nie wydała jej się tym razem zbyt trudna.

Uśmiechnęła się, czując się wolna po raz pierwszy od lat. Wolna i kierująca swoim życiem. Cokolwiek się stanie, jakakolwiek przyszłość ją czeka, zdecyduje o niej sama.

– Zgoda – powiedziała stanowczo i uśmiechnęła się szeroko. – Kiedy zaczynamy?

* * *

W zadymionej sali klubu Brooksa, mieszczącego się przy St. James, Clay Harcourt rozparł się wygodnie na krytym brązową skórą fotelu naprzeciw swego przyjaciela, Justina Rossa. Kiedyś Justin rzadko zaglądał do klubu. Teraz bywał tam prawie co wieczór.

Clay zaciągnął się cygarem, odchylił głowę i patrzył, jak dym unosi się błękitną smużką ku sufitowi.

– Zatem… jak twoja nowa pracownica?

Justin spojrzał na niego nieprzytomnie.

– Przepraszam. Co powiedziałeś? Musiałem odpłynąć myślami.

– Widzę. A nie myślałeś przypadkiem o kobiecie? Może o bystrym utrapieniu z uśmiechem świętej i twarzyczką anioła pod koroną złotych włosów?

Justin prychnął z dezaprobatą.

– Niestety, myślę o niej przez cały czas. Prawie żałuję, że siostra wyjechała. Dawała się wszystkim we znaki, lecz stanowiła także, podobnie jak Thomas, swego rodzaju bufor. Bez niej to istne piekło.

Clay zachichotał cicho. Justin był z natury posępny i zdystansowany, lecz takiego nie widział go nigdy, nawet w czasach, gdy sądził, że kocha Margaret.

– Nie trać ducha, przyjacielu. Dziewczyna spłaci dług. Za jakieś, powiedzmy, dziesięć lat?

Justin rzucił mu mroczne spojrzenie.

– Płacę jej po królewsku, a zważywszy jak się czuję, uważam twoje żarciki za mało zabawne.

Clay powstrzymał uśmiech.

– Wybacz – powiedział, choć w jego głosie nie słychać było skruchy. Justinowi dobrze zrobi, jeśli ktoś wytrąci go na chwilę z równowagi. A on chętnie się tego podejmie.

Zakołysał szklaneczką z brandy i wciągnął do nozdrzy słodkawą woń trunku.

– Ariel mieszkała u ciebie, zanim zjawiła się Barbara. Dlaczego teraz trudniej ci to wytrzymać?

– Ponieważ odkąd powiedziałem jej, że anuluję dług, Ariel się zmieniła. Przedtem była zawsze czujna, bała się, co mogę zrobić. Teraz wygląda na to, że czuje się przy mnie zupełnie inaczej.

– Zapewne ci ufa. Mogłeś zażądać wypełnienia warunków układu, lecz tego nie zrobiłeś. Postąpiłeś tak, jak uznałeś za słuszne. Z pewnością wzbudziłeś w niej zaufanie.

– Możliwe... gdyby o to chodziło. Lecz prawdę mówiąc, działałem z pobudek egoistycznych, chroniąc się przed wyrzutami sumienia. Nie było w tym nic szlachetnego.

Clay nie zaprotestował. Przyjaciel zawsze racjonalizował swoje pobudki i zachowanie, stawiając się w możliwie najgorszym świetle. Clay wiedział dokładnie, dlaczego Justin postąpił tak, jak postąpił – zależało mu na dziewczynie, podziwiał ją i szanował, a w tym nie było za grosz egoizmu.

Justin westchnął.

– Najgorsze jest to, że im bardziej mi ufa, im bardziej jest wobec mnie otwarta i szczera, tym bardziej jej pragnę. Mój szlachetny wizerunek z każdym dniem blednie, mówię ci. Za każdym razem, kiedy się do mnie uśmiecha, mam ochotę zerwać z niej ubranie, rzucić ją na dywan i pożreć to słodkie drobne ciało. Nie wiem, jak długo jeszcze wytrzymam.

Clay upił łyk brandy.

– Jeśli aż tak pragniesz dziewczyny, zawsze możesz ją poślubić.

Pomimo ciemnej karnacji widać było, że Justin zbladł.

– Poślubić?

– Czemu nie? Jesteś kawalerem, a Ariel w odpowiednim wieku. Oczywiście, chociaż wspominam o tym z przykrością, istnieje możliwość, że od początku zagięła na ciebie parol.

– To śmieszne. Nie nadaję się do małżeństwa i Ariel o tym wie.

– Cóż, sam mówiłeś, że jest bystra. Twego ojca niełatwo było upolować, a jednak zdołała przekonać go do swego planu. – Uśmiechnął się. – A miała wtedy zaledwie czternaście lat.

– Małżeństwo nie wchodzi w grę – burknął Justin.

– Dlaczego?

– Ponieważ tego rodzaju związek wymaga choć odrobiny emocjonalnego zaangażowania. A wszystko, co czuję do Ariel, to czysta, zdrowa żądza.

Clay zaciągnął się cygarem i wypuścił dym. Nie zamierzał się sprzeczać, gdyż to i tak nic by nie dało. Lecz jego zdaniem Justin czuł do Ariel zdecydowanie coś więcej niż tylko pożądanie. Oczywiście, nie przyzna się do tego – nawet przed sobą.

– Może kolejna wyprawa do madame Charbonnet trochę by ci pomogła – zaproponował, głównie po to, żeby wybadać grunt. – Kobiety są tam piękne i, jak obaj wiemy, bardzo utalentowane.

Justin spojrzał na niego zniesmaczony.

– Nie sądzę. Przynajmniej nie teraz.

Nie chciał innej kobiety. Pragnął wiotkiej blondynki. To, że wypierał się swoich uczuć, nie zaskoczyło Claya. Lekceważony przez ojca, porzucony przez matkę i zdradzony przez Margaret pogrzebał uczucia tak głęboko, że teraz nawet on nie mógł ich odnaleźć. Przy rzadkich okazjach, gdy jednak się uzewnętrzniały, wmawiał sobie, że to coś zupełnie innego, o wiele bardziej pragmatycznego niż zwykłe ludzkie emocje.

Upił łyk brandy, zastanawiając się, czy powinien współczuć przyjacielowi, czy z pobłażaniem się uśmiechnąć.

– Daj sobie trochę czasu – powiedział. – Sprawy zwykle same się układają.

Justin nie odpowiedział. Clay zastanawiał się, jak długo zdoła jeszcze się powstrzymywać. Domyślał się, że było jedynie kwestią czasu, nim słodki, ufny aniołek wyląduje na plecach w puchowym łożu lorda Greville.

Z drugiej strony, może o to właśnie małej spryciarce chodziło.

* * *

Nadszedł październik, a wraz z nim jesień. Ariel ledwie to zauważyła. Tego ranka zmierzała do gabinetu, nucąc pod nosem i taszcząc ciężki skoroszyt, który zabrała wieczorem do swego pokoju. Pracowała ciężko każdego dnia, a czasem i wieczorami, lecz z niejakim zdziwieniem przekonała się, że sprawia jej to przyjemność.

Dobrze było robić coś pożytecznego, wykorzystując wiedzę, którą z takim samozaparciem zdobyła. Zastanawiała się, dlaczego inne kobiety nie odkryły jeszcze, że praca nie musi być katorgą, jak często przedstawiali to mężczyźni. Jeśli robiło się coś, co się lubi, można było czerpać z tego sporą satysfakcję i całkiem dobrze się bawić.

Podeszła do drzwi, obróciła srebrną gałkę i weszła bez pukania. Dzieliła teraz gabinet z lordem: podczas gdy on królował za wielkim mahoniowym biurkiem, Ariel zajmowała mniejsze, po przeciwnej stronie pokoju. Praca była dla nich najważniejsza i dawno przestali przejmować się formalnościami.

Greville podniósł wzrok, wymamrotał coś pod nosem, a potem pochylił ciemną głowę nad teczką, która leżała przed nim na blacie.

Ariel zatrzymała się na chwilę, żeby po prostu na niego popatrzeć. Miał na sobie białą koszulę i szare bryczesy, surdut koloru burgunda przewiesił przez oparcie krzesła. Podwinięte rękawy ukazywały muskularne przedramiona porośnięte szorstkimi, ciemnym włoskami.

Pogoda była tego dnia jesienna, w powietrzu czuło się wilgoć i chłód. Gruba warstwa chmur zakrywała słońce. Na biurku Justina płonęła lampa, rzucając cienie na jego twarz i uwydatniając rzeźbione kości policzkowe. Ciemne włosy, zwykle starannie przystrzyżone, urosły nieco i wiły się na śnieżnobiałym kołnierzyku.

Ciekawe, czy są tak miękkie i jedwabiste, na jakie wyglądają, a szyja tak muskularna jak przedramiona, pomyślała i coś załaskotało ją w żołądku. Przestraszona tym, jaki obrót przybrały jej myśli, przycisnęła mocniej do piersi skoroszyt, podeszła do regału za plecami lorda i spróbowała odstawić ciężką księgę, bacząc pilnie, by patrzeć jedynie przed siebie i myśleć wyłącznie o pracy.

Próbowała wsunąć księgę na miejsce, ale pomimo swego wzrostu nie była w stanie tego zrobić. Usłyszała, że lord odsuwa krzesło i staje za nią.

– Pozwól, że ci pomogę. – Stał tak blisko, że dotykał torsem jej pleców. Czuła prężące się pod skórą mięśnie, kiedy odkładał na wysoką półkę ciężki tom. Choć książka stała już na swoim miejscu, żadne z nich się nie poruszyło. Ariel poczuła, że zalewa ją fala gorąca. Zegar na kominku tykał miarowo, w tym samym rytmie, co jej bijące mocno serce.

Powoli, jakby bał się ją przestraszyć, lord opuścił ręce i położył dłonie na ramionach dziewczyny. Jej nozdrzy dobiegła słaba woń atramentu i delikatny, męski zapach, właściwy tylko jemu. Czuła, jak podnosi się i opada jego klatka piersiowa. Ciepły oddech muskał jej policzek, poruszając kosmykami włosów.

– Ariel... – wyszeptał ochryple. Prośba, słyszalna w tym głosie, trafiła jej wprost do serca. Nie myślała o tym, co robi, ale po prostu odwróciła się i spojrzała na niego. W jej oczach wyczytał odpowiedź.

Dotknął delikatnie jej policzka. Przesunął kciukiem po dolnej wardze i Ariel zadrżała.

– Justin… – wyszeptała dla czystej przyjemności wypowiedzenia jego imienia.

Wpatrywał się w nią uważnie szarymi oczami, w których kryły się tysiące niewypowiedzianych myśli.

– Ariel… na Boga, co ty ze mną robisz. – Zaczerpnął drżącego oddechu i ujął w dłonie jej twarz. Jęknął, zrezygnowany, i przycisnął wargi do jej ust. Pocałunek był czuły, a zarazem głęboki. Wabiący, wilgotny i oszołamiający. Sprawił, że zmysły Ariel zaczęły wirować.

– Starałem się – wyszeptał cicho, całując kąciki jej ust.

– Nie masz pojęcia, jak bardzo. – Odwrócił jej głowę i całował ją wciąż od nowa, wdzierając się głębiej i głębiej, smakując, skłaniając, by otworzyła się dla niego. Jego język wśliznął się jej do ust niczym gorący, wilgotny wąż, poruszając ją głęboko, zawłaszczając.

Jęknęła i przywarła do Justina, otoczyła ramionami jego szyję, czując, że jej trzewia zmieniają się w płynny ogień. Kolana miała jak z gumy. Dotąd nigdy się tak przy nim nie czuła, ani razu. Lecz przedtem się go bała. Teraz było inaczej.

Pocałował ją znowu. Poruszył się, a wtedy poczuła jego dłonie pod biustem. Otoczył długimi, ciemnymi palcami półkule jej piersi i drażnił sutki, aż zesztywniały, napierając na materiał sukni. Jęknęła cicho.

– Ariel… – wyszeptał, ugniatając miękkie ciało i posyłając tysiące płonących strzał wzdłuż jej członków. Przywarła do niego, wstrząsana słodkim dreszczem. Wiedziała, że powinna go powstrzymać, ale, na Boga, przyjemność była tak słodka, odczucia tak cudowne, że jej zdradzieckie ciało nie chciało słuchać.

Zamiast tego przylgnęła doń jeszcze mocniej. Justin całował przez chwilę bok jej szyi, a potem objął znów w posiadanie usta. Poczuła, że sięga do guzików z tyłu jej sukni. Odpiął jeden i właśnie miał zająć się następnym, gdy wyszeptała cicho, acz z jawną desperacją w głosie:

– Justin…?

Jeśli go teraz nie powstrzyma, potem nie będzie już tego chciała.

Wzdrygnął się. Przez kilka długich sekund stał nieporuszony, jego pięknie dłonie znieruchomiały, gdy starał się zapanować nad pożądaniem. Przez mgnienie oka żałowała, że w ogóle się odezwała. Chciałaby doświadczać dłużej tej magii, przekonać się, jak jasno może zapłonąć ogień. Wiedziała jednak, że to droga do katastrofy.

Zaczerpnął drżącego oddechu i wyprostował się. Obrócił ją delikatnie i zapiął guzik z tyłu sukni.

– Przepraszam – powiedział chrapliwie. – Nie planowałem tego.

Nie było potrzeby przepraszać. Chciała, żeby ją pocałował. I nie tylko. Nie mogła mu jednak tego powiedzieć.

– To nie była twoja wina. To się po prostu... stało.

W szarych oczach, zwykle tak nieprzeniknionych, zabłysły na moment emocje. A potem maska znowu opadła.

– Zważywszy na ewentualne konsekwencje, lepiej, by nie zdarzyło się to znowu. Prawdę mówiąc, lepiej, byśmy nie widywali się przez jakiś czas. – Odsunął się od niej, opuścił rękawy i zapiął guziki przy mankietach. – Mam poza miastem kilka spraw. Wyjadę i nie będzie mnie przez kilka tygodni.

Serce w niej zamarło.

– Tygodni? – Wolała nie myśleć, jak pusty i nieprzyjazny będzie bez niego ten wielki dom. Jak bardzo będzie za nim tęskniła. – Nie mówiłeś, że zamierzasz wyjechać.

Wydawał się zakłopotany i uświadomiła sobie, że podjął decyzję dopiero przed chwilą. Wyjeżdżał przez nią, z powodu tego, co wydarzyło się pomiędzy nimi, a za co była odpowiedzialna w stopniu zdecydowanie większym niż on.

– Muszę sprawdzić, co dzieje się w fabryce tekstylnej i czy poczyniono tam jakieś postępy. Zostawię ci listę spraw do załatwienia. Sądzę, że zdołasz sporo zrobić, gdy nikt nie będzie cię rozpraszał.

– Tak... zapewne. – Tylko że on jej wcale nie rozpraszał. Lubiła ich ożywione dyskusje. Lubiła z nim pracować, dowiadywać się różnych rzeczy o biznesie: jak z sukcesem inwestować, które banki dają największy procent i komu można udzielić bezpiecznie pożyczki.

Lubiła z nim rozmawiać, mieć świadomość, że jest gdzieś w domu.

Zerwał z oparcia surdut i zarzucił go na ramiona.

– Wychodzę i wrócę późno.

Nie odezwała się, patrzyła jedynie, jak zmierza ku drzwiom, stawiając długie kroki. Ostatnio często wychodził wieczorami. Wiedziała, że postępuje tak, aby ją chronić, a może także siebie.

Po raz pierwszy od przyjazdu do domu przy Brook Street uświadomiła sobie, że nie chce być już przed nim chroniona.

Rozdział 12

Clayton Harcourt zastukał energicznie do drzwi domu Justina, a potem czekał niecierpliwie, aż kamerdyner go wpuści.

– Dzień dobry, panie Harcourt. – Knowles otworzył ciężkie drzwi z typowym dla siebie brakiem entuzjazmu. – Bardzo mi przykro, ale lord Greville jest w tej chwili nieobecny. Zechce pan zostawić dla niego wiadomość?

Clay zmarszczył brwi. Miał do omówienia pilny interes i niewiele czasu.

– Tak, chętnie. Mam tu papiery i chciałbym, żeby na nie zerknął. Jeśli można, zostawię je w gabinecie. – Wszedł do holu, jak zwykle mrocznego i cokolwiek posępnego, ściskając pod pachą cienką skórzaną teczkę. Zdjął rękawiczki z koźlęcej skórki, rzucił je na kapelusz i podał kamerdynerowi, który poprowadził go do gabinetu.

Gdy tam dotarli, służący otworzył szeroko drzwi, cofnął się i powiedział:

– Proszę mi wybaczyć, panno Summers. Nie wiedziałem, że pani jeszcze pracuje. Pan Harcourt przyniósł dokumenty i chciałby zostawić lordowi wiadomość.

– Oczywiście. Proszę wejść. – Stała za biurkiem, odziana w błękit i biel, z jasnymi włosami upiętymi wysoko.

Uśmiechnęła się i przesunęła w stronę Claya kryształowy kałamarz i pióro.

– Dziękuję. To zajmie jedynie minutę. – Była jeszcze ładniejsza, niż ją zapamiętał, taka jasna. Światło i słoneczny blask, skontrastowane z mroczną powierzchownością i śniadym kolorytem Justina. Nic dziwnego, że tak go do niej ciągnęło.

Martwiło to nieco Claya. Nie ufał na ogół kobietom. Znał zbyt wiele takich, które bez wahania ucięłyby mężczyźnie to i owo, by patrzeć, jak wije się z bólu.

Knowles wrócił do swoich zajęć, a Clay uznał, iż chwila rozmowy z Ariel uśmierzy być może jego niepokój.

– Miałem nadzieję zastać lorda Greville'a – zagail.

– Otrzymałem propozycję biznesową i pomyślałem, że mógłby uznać ją za interesującą. Rzadko param się finansami, jednak ten drobny interes wyglądał tak zachęcająco, że się skusiłem.

– Obawiam się, że lord wróci późno. Rankiem planuje zaś wyjechać na kilka tygodni do Cadamon. – Nie wyglądało na to, by była z tego zadowolona.

– Jak zrozumiałem, towarzyszyła mu pani, gdy udał się tam poprzednio.

– To było co innego.

– Ach tak?

Uniosła wyżej brodę.

– Zamierzał uczynić mnie swoją kochanką, o czym zapewne pan wie.

Ukrył rozbawienie.

– Zakładam, że to się zmieniło.

– Tak. – Nie wydawała się jednak szczególnie uszczęśliwiona.

Otworzył teczkę, wyjął plik papierów i położył je na stosie w rogu biurka.

– Traktowałbym panią dobrze. Nie jest ani trochę podobny do ojca. Nie utrzymuje kochanek. Prawdę mówięc, nie miał dotąd żadnej na stałe. Nie znaczy to, oczywiście, że żył jak mnich.

– Z pewnością. Wyobrażam też sobie, że wiele kobiet z wdzięcznością przyjęłoby na siebie rolę jego utrzymanki, jeśliby im ją zaproponował.

– Gdyby ich pragnął, tak. Próbuję pani powiedzieć, że jest pani dla niego kimś więcej niż tylko przygodą.

Ariel się nie odezwała. Nie zamierzała niczego mu ułatwiać.

– Nie wiem, na ile go pani poznała. Może uświadomiła sobie już pani, że nie jest tak zimny i nieczuły, jaki się wydaje.

To ją zainteresowało.

– Opowie mi pan o nim?

Clay się uśmiechnął.

– Co konkretnie chciałaby pani wiedzieć?

– Wydaje się tak strasznie daleki. Czy nie miał dotąd nikogo bliskiego? Nikogo, komu by na nim zależało? Wiem, że matka go porzuciła, a ojca nigdy nie było. Przekonałam się już, że lady Barbara troszczy się tylko o siebie. Wspomniał kiedyś o babci, lecz chyba się z nią nie widuje, a mały Thomas przebywa głównie na wsi.

– Mnie na nim zależy – powiedział Clay łagodnie.

Ariel zwróciła na niego spojrzenie niebieskich oczu, pięknych i niewinnych… a przynajmniej takie się wydawały.

– Mnie także – powiedziała.

Clay zamilkł na chwilę, zastanawiając się, czy dziewczyna jest szczera i wystarczająco mądra, aby domyślić się, że cynizm i chłód to jedynie maska, za którą skrywa się prawdziwy Justin.

– Z tego, co zrozumiałem, o panią też nikt się nie troszczy. Przypuszczam, że to was łączy.

Uśmiechnęła się łagodnie i nieco smutno.

– W pewnym sensie. Lecz w przeciwieństwie do Justina byłam jako dziecko bardzo kochana. Miałam matkę, jaką córka może sobie tylko wymarzyć, i oddanych dziadków. Dopiero kiedy umarli i zostałam sama z ojcem, poznałam, co znaczy złe traktowanie. Rozumiem, jak ważna jest miłość. Nie sądzę jednak, by Justin miał o tym choć blade pojęcie.

– Może powinna więc pani go nauczyć.

– Nauczyć?

– Uważam, że człowiek musi wpierw wiedzieć, jak to jest być kochanym, nim będzie w stanie odwzajemnić miłość. Bo tego z pewnością można się nauczyć.

– Może i tak. Cóż, gdyby wystarczyło mi odwagi, mogłabym zapewne spróbować. Niestety, ryzyko jest zbyt duże. Wyjadę, gdy tylko zwrócę dług. Lord Greville płaci mi absurdalnie wysoką pensję, lecz trudno mi protestować. – Uśmiechnęła się szelmowsko. – Poza tym zapewne jestem jej warta.

Clay się roześmiał. Podobała mu się pewność siebie dziewczyny, tak inna od niepochlebnej opinii Justina na własny temat.

– Justin obiecał, że kiedy wypełnię swoje zobowiązania, poszuka dla mnie posady. Ufam mu w tej kwestii i sądzę, że będę zadowolona z każdej, jaką mi znajdzie.

– Zapewne... przynajmniej przez jakiś czas.

– Co ma pan na myśli?

Wzruszył ramionami, starając się, by wyglądało to nonszalancko.

– Jest pani młoda i bardzo atrakcyjna. To normalne, że pewnego dnia zechce pani wyjść za mąż.

– Jestem kobietą, panie Harcourt, taką samą jak inne. Oczywiście, pewnego dnia będę chciała mieć rodzinę.

Clay skinął jedynie głową. Wydawało się, że dziewczyna jest dokładnie taka, jak opisał ją Justin – uczciwa i zdeterminowana, słodka i szczera.

– Proszę więc przyjąć moje najlepsze życzenia, panno Summers. I poprosić, z łaski swojej, Justina, by zerknął na dokumenty, które zostawiłem na biurku, dobrze?

Niech wpadnie do mnie, zanim wyjedzie. Jeśli uznamy, że warto zaangażować się w ten interes, będziemy musieli działać szybko.

– Zostawię mu wiadomość – odparła Ariel. – Na wypadek, gdyby wyjechał wcześnie rano.

– Dziękuję. – Pożegnał się grzecznie, odebrał od lokaja rękawiczki oraz kapelusz i wyszedł, rozmyślając nad rozmową, którą dopiero co odbył.

Kiedy rozmawiał z Justinem w klubie, był na wpół przekonany, że dziewczyna jest małą spryciarką i że była nią już jako czternastolatka. Teraz uznał, iż być może się mylił. Jeśli tak było, a Justin rzeczywiście jej pragnął, może małżeństwo nie jest takim złym pomysłem. Wsunął kapelusz pod ramię i założył rękawiczki z koźlęcej skórki. Z pewnością małżeństwo ma też zalety. Mnóstwo ludzi się żeni. Prawdę mówiąc, sam nie miał nic przeciwko temu, aby ożenić się za jakiś czas i mieć dzieci. Oczywiście, nie był z natury wierny, lecz to nie miało znaczenia. Prawie żaden z jego przyjaciół taki nie był. Małżeństwo okazałoby się jednak zapewne dobre dla Justina – gromadka dzieci biegających po domu i żona obdarzająca go uczuciem, jakiego nie zaznał w dzieciństwie. Może pomogłaby mu zrzucić pancerz irytującego chłodu, który nosił jak ciężką zbroję.

Z drugiej strony, być może dziewczyna nie jest wcale taka niewinna. Może zmierza teraz po prostu do celu w sposób bardziej wyrafinowany, niż kiedy miała czternaście lat. Pozostawało mieć nadzieję, że Justin okaże się wystarczająco bystry, by odkryć prawdę.

Jak to dobrze, że nie jestem na jego miejscu, pomyślał.

* * *

Ariel wpatrywała się w wyblakły baldachim nad łóżkiem z czterema słupkami. Za oknem szalała burza. Wiatr wył jak potępieniec, złowróżbnie czarne niebo przecinały błyskawice. Było już dobrze po północy, a jednak nie mogła zasnąć.

Myślała o Justinie, o tym, co zaszło pomiędzy nimi w gabinecie. Kiedy zamknęła oczy, czuła ciepło jego twardego ciała, gorące, słodkie emocje przeszywające niczym ogniste strzały każdy jej nerw. Na samą myśl o tym drżała, jakby znalazła się znów w jego ramionach.

Doświadczenie było tak oszołamiające, że nie chciała, by się skończyło. Wiedziała, że on też tego nie chciał. Prawdę mówiąc, zdumiało ją, że znalazł w sobie dość siły, by przestać. Dlaczego? Zapytywała samą siebie. W głębi serca znała jednak odpowiedź.

Czytywał jej listy od lat. Poznał najskrytsze myśli oraz marzenia i teraz znał ją zapewne lepiej niż ktokolwiek na świecie. Chciał się z nią kochać, wiedział jednak, że zniszczyłby tym samym jej marzenia.

Westchnęła. Justin udawał twardego i bezlitosnego. Nie wierzyła już jednak, że naprawdę jest właśnie taki. Pracując z nim na co dzień, dowiedziała się, ile zmian wprowadził w Cadamon – jak twierdził po to, by zwiększyć przychody. Bez wątpienia w końcu tak właśnie się stanie, mimo to nie wierzyła, by śliczne czteropokojowe domki, które budował dla robotników, powstawały wyłącznie z chęci zysku.

No i był jeszcze chłopiec, Thomas Towsend, siostrzeniec Justina. Od razu rzucało się w oczy, że malec kocha wujka i jest to uczucie odwzajemnione. Justin bardzo się o niego troszczył. Gdyby sądził, że siostra się zgodzi, chętnie zatrzymałby Thomasa przy sobie w Londynie. Oddanie dziecka nie wpłynęłoby jednak dobrze na status Barbary w towarzystwie, a właśnie pozycja liczyła się dla niej najbardziej. Chłopiec pozostał zatem przy matce, a Justin płacił rachunki, wmawiając sobie, że postępuje tak wyłącznie ze względów praktycznych.

Był jeszcze układ, który kiedyś zawarła. Dzięki hojności lorda zyskała wykształcenie, którego tak rozpaczliwie pragnęła. A potem, zamiast odebrać dług, Justin uwolnił ją od zobowiązań i, gdyby tylko wyraziła zgodę, dalej by się nią opiekował.

Nie wiem, na ile zdołała go pani poznać, powiedział Clayton Harcourt. *Może uświadomiła sobie już pani, że nie jest tak nieczuły, jaki się wydaje.*

Justin nie był łajdakiem bez serca, za jakiego kiedyś go uważała.

Był tylko rozpaczliwie, boleśnie samotny.

Powiew wiatru załomotał okiennicą, wytrącając Ariel z zamyślenia. Strugi zimnego deszczu uderzyły z nową siłą o kamienne ściany budynku. Justin był gdzieś tam, na zewnątrz, ponieważ bał się pozostać z nią pod jednym dachem. Był poza domem, a ona martwiła się o niego.

I nie tylko się martwiła. Stłumiła falę bolesnych emocji, po raz pierwszy ważąc się spojrzeć prawdzie w oczy.

Boże, ja się w nim zakochałam.

Ta niewyobrażalna wcześniej myśl sprawiła, że ścisnęło ją w gardle. Jak to się mogło stać? I kiedy? Czy była to chwila, konkretna minuta i sekunda, czy proces postępował stopniowo, wciągając ją niczym ruchome piaski? Może stało się tak, kiedy spojrzała głębiej w te szare, chłodne oczy i dostrzegła kłębiące się w nich emocje? A może wtedy, kiedy uświadomiła sobie, iż szorstki sposób bycia to jedynie fasada skrywająca rozpacz i samotność, towarzyszące mu od tak dawna?

Łzy zakłuły ją pod powiekami. Łzy współczucia dla Justina i pustego życia, jakie prowadził. I dla siebie za to, że pokochała mężczyznę niezdolnego odwzajemnić uczucia. Jak mogła dopuścić do tego, że zakochała się w kimś, kto nie wiedział nawet, co znaczy to słowo?

Mogłaby pani spróbować go nauczyć.

Zdanie wypowiedziane mimochodem przez Harcourta prześladowało ją, odkąd je usłyszała. Czy ktoś taki jak Justin mógłby nauczyć się kochać?

A jeśli nawet, czy była w wystarczającym stopniu kobietą, by tego dokonać? I, co ważniejsze, czy wystarczyłoby jej odwagi? Usłyszała, jak wchodzi. Drzwi wejściowe otwarły się, a potem zamknęły. Na schodach zadudniły ciężkie kroki. Justin rzadko pił i wiedziała, że dziś też nie jest pijany. Po prostu zmęczony, przemoknięty i samotny. Jutro wyjedzie. Nie była pewna, kiedy wróci. Unikała go tygodniami. Teraz wydało jej się absolutnie konieczne, by się z nim zobaczyć – jeszcze tej nocy, zaraz. Dłonie drżały jej, gdy wychodziła z ciepłego, szerokiego łóżka i narzucała błękitny pikowany szlafrok. Wyciągnęła spod kołnierzyka luźno zapleciony warkocz, opuściła go na plecy i ruszyła przez pokój z mocno bijącym sercem i ściśniętym gardłem.

Otwarła ostrożnie drzwi, upewniła się, że nikogo ze służby nie ma w pobliżu i wymknęła się na korytarz. Na jego końcu paliła się lampa w srebrnej oprawie, rzucając na ściany migotliwy blask. Ariel zadrżała, gdyż w korytarzu panował przeciąg. Pośpieszyła ku głównej sypialni i zatrzymała się przed progiem.

Słyszała, jak porusza się po drugiej stronie grubych dębowych drzwi. Zaczerpnęła głęboko oddechu, chwyciła za klamkę, nim opuściła ją odwaga, nacisnęła ją i weszła do tonącego w półmroku pokoju. Znalazła się w saloniku, skąd otwarte drwi prowadziły do sypialni. Na palenisku płonął ogień, a na komodzie z marmurowym blatem ustawiono zapaloną lampę. Justin stał przed komodą, przygotowując się do snu.

Na chwilę zaparło jej dech. Zdążył zdjąć już surdut, kamizelkę i białą koszulę. Mokre czarne bryczesy opinały mu biodra i długie, umięśnione nogi w wysokich czarnych butach niczym warstwa farby. Wilgotne od deszczu włosy przywarły do karku, na czoło opadł pojedynczy lok. Szeroką, śniadą pierś pokrywała gęstwina ciemnych kręconych włosów, zwężając się ku płaskiemu brzuchowi.

Zwilżyła podświadomie wargi ze wzrokiem utkwionym w to uosobienie męskiej urody. Póki nie podniósł wzroku, nie uświadamiała sobie, że się porusza w jego kierunku. Zauważył ją i znieruchomiał. Troska zastąpiła zaskoczenie. Ściągnął grube czarne brwi.

– Ariel? Co się stało? – Ruszył ku niej. Wystarczyły trzy długie kroki i zatroskany objął dłońmi jej ramiona.

– Nic ci nie jest?

Zwilżyła drżące wargi.

– Musiałam przyjść. Zobaczyć się z tobą.

– Ariel… kochanie… powiedz mi, co się wydarzyło.

– Wszystko w porządku. Ja tylko… nie chcę, żebyś wyjechał.

Milczał przez dłuższą chwilę.

– Nie rozumiem.

– Ja też nie za bardzo. Wiem tylko, że nie chcę, byś jutro wyjechał. Chcę, żebyś został tu ze mną.

Wyraz twarzy Justina zmienił się. Teraz malowała się na niej stanowczość.

– Wiesz, dlaczego wyjeżdżam. Nawet ty nie jesteś aż tak naiwna.

Zarumieniła się lekko, ale nie odwróciła wzroku.

– Wiem. Wyjeżdżasz, żeby znaleźć się daleko ode mnie, ponieważ próbujesz mnie chronić. Nie chcesz mnie skrzywdzić.

W niewiarygodnie szarych oczach pojawiło się na chwilę zmieszanie. Po chwili nie było już wszakże po nim śladu.

– Wyjeżdżam, gdyż cię pożądam. Jeśli zostanę, prędzej czy później zaciągnę cię do łóżka.

Czy naprawdę tak by postąpił? Nie, gdyby tego nie chciała. Wiedziała już teraz, iż może mu ufać.

– Tak bardzo mnie pragniesz, Justinie?

Zacisnął szczęki.

– Wiesz, że tak.

– Więc kochaj się ze mną. Teraz. Jeszcze tej nocy.

Na chwilę źrenice jego oczu zapłonęły, potrząsnął jednak z wolna głową.

– Nie wiesz, co mówisz.

Wyciągnęła rękę i położyła mu ją na piersi.

– Mylisz się, Justinie. Wiem. – I naprawdę tak było. Po raz pierwszy, odkąd wstała z łóżka, uświadomiła sobie z całą mocą, co skłoniło ją, by przyszła do jego pokoju, podjęła ryzyko. Wiedziała, że właśnie tego chce. – Kiedy anulowałeś mój dług, zwróciłeś mi wolność. Pozwoliłeś, bym podejmowała własne decyzje, dokonywała samodzielnych wyborów. Wybieram więc to, czego oboje pragniemy.

Justin wpatrywał się w nią, jakby była kimś innym, inną kobietą.

– Nie mówisz poważnie. Przeciwstawiałaś się temu od dnia, gdy się poznaliśmy.

– Mówię absolutnie poważnie. I jestem tego pewna, jak niczego w całym moim życiu. Kochaj się ze mną, Justinie... proszę.

Minęło kilka długich, pełnych niepewności sekund. Nagle ciałem Justina wstrząsnął dreszcz. Mężczyzna objął Ariel w talii i przyciągnął ku sobie.

Pierś nadal miał mokrą od deszczu. Czuła, jak mocno bije mu serce. Bryczesy moczyły jej szlafrok, lecz o to nie dbała. Podczas długich wieczornych godzin wszystko stało się jasne. Od tej chwili będzie postępowała tak, jak nakazuje jej serce, nieważne, co się stanie i ile będzie ją to kosztować.

Justin wpatrywał się w twarz Ariel, badając wzrokiem rysy, zaglądając w oczy, jakby chciał wejrzeć w głąb jej duszy. Wreszcie pochylił głowę i pocałował ją. Był to najbardziej gwałtowny, a zarazem czuły pocałunek, jakiego doświadczyła. Mówił wszystko to, co chciała usłyszeć i czego zapewne nigdy nie usłyszy. Odpowiedziała z całą świeżo uświadomioną miłością i, Boże, było to takie słuszne, tak dobre. Musnęła wargami kącik jego ust, a potem szyję, nagie ramiona. Poczuła, że drży.

Zaczerpnął oddechu, ujął Ariel delikatnie pod brodę i zmusił, aby na niego spojrzała.

– Jesteś pewna?

Absolutnie, pomyślała. Kocham cię. Nie powiedziała tego jednak. Nie byłby w stanie poradzić sobie z takimi emocjami... Jeszcze nie. Sama dopiero co nauczyła się je akceptować.

– Jestem, Justinie.

Otoczyła ramionami jego szyję, zanurzyła palce w mokre czarne włosy, przyciągnęła go ku sobie i całowała, wdychając piżmowy, męski zapach, aż twarde wargi Justina zmiękły pod dotykiem jej ust. Całował ją głęboko, namiętnie, jakby nie mógł się tym nasycić. Ich ciepłe oddechy mieszały się, wilgotne wargi przywierały do siebie. Ariel zachwiała się, zdumiona tym, jak dobrze pasowały do siebie ich ciała. Czuła się bezpiecznie, przytulona do jego masywnej, szerokiej klatki piersiowej.

A potem już ją podnosił. Z Ariel w ramionach wrócił do sypialni, położył ją na wielkim łożu z baldachimem i zerwał z niej satynowy szlafrok. Pociągnął za tasiemkę bawełnianej nocnej koszuli, a potem zdjął ją Ariel przez głowę. Spłonęła rumieńcem, zawstydzona, lecz nie zrobiła nic, aby się zakryć. Jakżeby mogła, dostrzegłszy w jego szarych oczach błysk uznania? Rozwiązał wstążkę na końcu luźno zaplecionego warkocza i przeczesał palcami jasne włosy, rozpościerając je wokół jej ramion.

– Jesteś piękna – powiedział głosem niskim i ochrypłym. – Piękniejsza, niż sądziłem. – Przesunął palcem wzdłuż linii szczęki, a potem szyi i barku. Dotknął sutka i Ariel poczuła, że ogarnia ją fala ciepła. Pochylił się i całował ją, długo i namiętnie. Objąwszy dłonią pierś, pieścił gładką półkulę, aż nabrzmiała pod dotykiem jego palców.

Opuścił Ariel na chwilę, by zgasić lampę na komodzie i zdjąć przemoczone bryczesy oraz buty, a potem dołączył do niej, nadal wilgotny i zziębnięty. Pochylił się nad Ariel i jął wpatrywać w nią intensywnie szarymi oczami.

– Wiem, że powinienem cię odesłać. Gdybym nie był bękartem bez serca, pewnie tak bym zrobił. – Odsunął z policzka Ariel pasmo długich jasnych włosów. – Lecz nie pozwolę ci odejść. Nie mogę. Za bardzo cię pragnę.

– Justinie… – Wyciągnęła rękę i objęła dłonią jego twardą szczękę. Było coś w jego oczach. Nie tylko głód, ale i bolesna potrzeba, ostra, podszyta cierpieniem tęsknota. A potem jego wargi opadły na jej usta. Jego język wśliznął się do jej ust, głęboko, zaborczo. Gorący, słodki płomień przeszył nagle brzuch Ariel. Pocałunek trwał i trwał.

Na zewnątrz nadal szalała nawałnica, odpowiadająca burzy w jej krwi. Justin przesunął usta na szyję Ariel, a potem powędrował nimi wzdłuż jej ramienia, by chwycić wreszcie zębami sutek. Zaczął mocno ssać i błyskawica przebiegła wzdłuż błękitnych żyłek pod skórą Ariel. Jęknęła. Drżała teraz, a piersi ciągnęły ją boleśnie pod wprawnym dotykiem jego języka. Przesunął jej pieszczotliwie dłonią po żebrach, minął pępek i zsunął dłoń niżej, pomiędzy jasne loczki u zbiegu ud.

Ariel zamarła. Nie wiedziała zbyt dużo o kochaniu się, właściwie tylko tyle, ile powiedziała jej Kit, i nie była pewna, co powinna zrobić, jak zareagować.

– Nie sprawię ci bólu, Ariel – zapewnił łagodnie. – Wierzysz mi, prawda?

Przełknęła i skinęła głową.

– Tak… – Westchnęła, gdy pocałował ją znowu i pozwoliła, aby zalała ją fala ciepła, a mięśnie się odprężyły. Pogładził delikatnie palcem wilgotne ciało pomiędzy nogami, a potem wsunął go głębiej. Gorąco zalało Ariel niczym fala przypływu. Justin zaczął ją pieścić, ustanawiając rytm pasujący do tego, w jakim poruszał się jego język, i Ariel poczuła, jak w jej podbrzuszu narasta przyjemność, słodka i przemożna. Wstrzymała oddech, gdy wsunął palec w śliskie, wilgotne wnętrze jej ciała. Zadrżała, owładnięta doznaniem, jakiego nie doświadczyła nigdy wcześniej. Z jej gardła dobyło się ciche skomlenie. Justin pocałował ją czule.

– Twoje ciało jest na mnie gotowe, Ariel. Jesteś rozpalona i wilgotna, czekasz tylko, bym połączył się z tobą. Zwilżyła wargi. Wiedziała, iż drżą.

– Co... co mam robić?

Obdarzył ją jednym ze swoich rzadkich, słodkich uśmiechów i serce Ariel niemal rozpłynęło się z miłości do niego.

– Po prostu mi zaufaj. Zajmę się resztą.

Odwzajemniła uśmiech i zauważyła w jego oczach błysk czułości, nim ulokował się pomiędzy jej nogami. Poczuła, że jego długi, twardy członek wsuwa się w nią delikatnie, jakby na próbę. Gdy dotknął jej dziewictwa, zatrzymał się. Justin spojrzał na nią, a wtedy dostrzegła w jego oczach mieszaninę ulgi i czegoś więcej, czegoś tak słodkiego i pełnego czułości, że serce podskoczyło jej w piersi.

– Będzie bolało tylko przez chwilę – powiedział. – Postaram się być tak delikatny, jak tylko się da.

Nie spodziewała się bólu i napięła mimo woli mięśnie, a wtedy zaczął całować ją znowu. Na zewnątrz nadal szalała burza. Strzelił piorun i błyskawica rozdarła nocne niebo. Justin był równie nieubłagany. Wypełnił jej usta językiem, serce miłością, a umysł myślami na swój temat. A potem pchnął.

Zaczerpnęła głośno oddechu, nie zdołała jednak krzyknąć, gdyż stłumił okrzyk pocałunkiem. Wsunął się w nią całkowicie, a ona przywarła do niego, drżąca, próbując oswoić się z dziwnym doznaniem. Justin opanował chęć natychmiastowego ulżenia pożądaniu i zawisł nad nią wsparty na łokciach, z czołem zroszonym od potu.

– Dobrze się czujesz?

– Ja... tak. Nie było tak źle.

Uśmiechnął się z ulgą i zaczął znów ją całować: powoli, głęboko. A potem się poruszył. Ariel westchnęła, czując narastające w głębi ciała pulsowanie. Twarde ostrze jego męskości wsuwało się w nią powoli, wypełniając w sposób, który sprawiał, że po skórze przebiegał jej dreszcz. Żar wybuchł, zapłonął niczym fajerwerk w jej krwi. Objęła Justina za szyję, wbiła mu paznokcie w nagie barki. Jej ciało wygięło się ku niemu jakby kierowane własną wolą. Mocniej, głębiej, szybciej, uwodzicielski rytm, pochłaniający umysł, obiecujący... obiecujący...

Jej ciało stężało, zacisnęło się wokół twardego członka. Przeszył ją płomień, rozpalony do białości niczym błyskawica za oknem. Rozpadła się na kawałki, rozpłynęła jak kropla na szybie.

– Justin...! – Przywarła do niego z całej siły, bojąc się go puścić, pewna, że jeśli to zrobi, coś porwie ją i uniesie. Poczuła, że jego ciało napina się, a potem coś gorącego i wilgotnego wystrzeliło w głąb jej łona. Justin jęknął i opadł na nią bezwładnie.

Leżeli tak przez dłuższą chwilę, wsłuchując się w odgłosy burzy i rytmiczne bicie swych serc.

Dobrze zrobiłam, że przyszłam, pomyślała. Nic, co jest złe, nie mogłoby być tak doskonałe.

Justin pocałował ją czule. Odsunął się nieco, objął Ariel i przytulił.

– Nie bolało za bardzo?

Uśmiechnęła się w ciemnościach.

– Było cudownie.

Spostrzegła, że się uśmiecha.

– Mnie także.

– Tak cudownie, jak sobie wyobrażałeś?

– Bardziej. Po stokroć bardziej.

Odprężona opadła na poduszki, zgadzając się z nim całkowicie. Pomyślała, że teraz pewnie zasną, ale gdy tak leżała przytulona do boku Justina, z dłonią na jego piersi, i czuła, jak jego mięśnie napinają się podczas oddechu, zaczęła wędrować palcami to tu, to tam. Znów zaczął budzić się w niej tamten żar.

– Igrasz z ogniem, mała.

Zabrzmiało to żartobliwie. Nie słyszała dotąd, aby żartował w ten sposób i poczuła dumę z tego niewielkiego osiągnięcia.

– Naprawdę?

Chwycił ją za nadgarstek i pociągnął w dół, a potem zacisnął palce Ariel na swej męskości.

– Ojej.

Usłyszała, że się roześmiał, i spodobał jej się ten dźwięk.

– Ostrzegałem cię – powiedział i jego głos brzmiał teraz bardziej ochryple.

– Rzeczywiście – odparła, lecz nie przestała go dotykać. Czuła ten sam palący niepokój, jak wtedy, gdy się kochali. Teraz wiedziała już, że oznacza on, iż chce, by Justin znalazł się wewnątrz jej ciała.

Westchnęła, kiedy rozsunął jej kolanem uda i wszedł w nią jednym gładkim ruchem.

– Nie powinnaś była tego robić – droczył się z nią.

– Będzie cię jutro bolało. – Opuścił głowę i pocałował ją.

Ariel oddała pocałunek, uśmiechając się w duchu. Jutro skończy dziewiętnaście lat. Gdy była dzieckiem, uczono ją, aby trzymała się z dala od ognia. Nie dzisiaj. Tej nocy zamierzała pozwolić, aby jej ciało i umysł płonęły.

Rozdział 13

Jutro są moje urodziny. Skończę szesnaście lat, choć pod pewnymi względami czuję się o wiele starsza. Innym dziewczętom rodzice przysyłają z takiej okazji prezenty, lecz gdybym miała wybierać, wolałabym piknik, a może wycieczkę w jakieś ładne miejsce. Zawsze lubiłam odwiedzać nowe miejsca, choć rzadko miałam po temu okazję. Nie mogę się doczekać, aby zobaczyć Londyn. Po prostu wiem, że go pokocham. Jakże musi być cudowny!

Justin schodził po schodach, uśmiechając się lekko na wspomnienie listu Ariel noszącego datę 27 października. Zapamiętał tę datę i co roku posyłał Ariel na urodziny prezent: błękitny kaszmirowy szal z frędzlą w pierwszym roku, parę drogich rękawiczek z koźlęcej skórki w następnym. Nie mógł zabrać jej wtedy na wycieczkę, lecz teraz zamierzał to naprawić.

Rozbawienie zmieniło się w coś zgoła innego, gdy wspomniał minioną noc. I to, jak się z nią kochał. Była taka, jak sobie wyobrażał, a nawet jeszcze bardziej cudowna, a jej niewinna namiętność podniecała go bardziej, niżli wymyślne sztuczki kurtyzan. Kochali się dwa razy w nocy i jeszcze raz przed świtem. A potem zaniósł ją, uśpioną, do jej sypialni, aby uchronić przez zażenowaniem, gdy rano zjawią się pokojówki.

Rozgrzany wspomnieniem, zszedł z ostatniego stopnia i zobaczył, że zmierza ku niemu Knowles. Wysoki, chudy jak tyka kamerdyner pochylił w lekkim ukłonie łysą głowę.

– Dzień dobry, milordzie. Powóz czeka, by zabrać pana do Cadamon, jak polecił pan wczoraj.

– Tak, cóż, nastąpiła zmiana planów.

– Milordzie?

– Zamiast do Cadamon wybiorę się do Tunbridge Wells. Panna Summers będzie mi towarzyszyć.

Jeśli Knowles był zaskoczony, nie okazał tego.

– Tak, milordzie.

– Powiedz pokojówce panny Summers, by spakowała jej kuferek. Będzie potrzebowała kilku wieczorowych sukien i odpowiednich dodatków. I niech któryś z lokajów zniesie moją walizę. Stoi spakowana przy łóżku. – Nie miał osobistego lokaja, nie przywykł bowiem nigdy do tego, by ktoś wykonywał za niego osobiste czynności.

– Jak pan sobie życzy, milordzie. – Knowles odszedł pośpiesznie na szczudłowatych nogach. Nie był najprzystojniejszym z kamerdynerów, ale z pewnością bardzo skutecznym. Justin zakarbował sobie w pamięci, by po powrocie dać mu podwyżkę.

Wszedł do pokoju śniadaniowego, usiadł na zwykłym miejscu i skinął na lokaja, by nalał mu filiżankę kawy. Nie mógł się doczekać, żeby dowiedzieć się, co Ariel sądzi o jego planach. Po tym, co wydarzyło się pomiędzy nimi tej nocy, pomysł, aby wybrać się gdzieś poza Londyn spłynął na niego niczym olśnienie. Chciał spędzać z nią czas, sprawić, aby przywykła do kochania się z nim i zaakceptowała przyszłość, jaką dla niej planował.

Tunbridge Wells wydawało się do tego nader odpowiednie. Miejscowość położona była w pobliżu Londynu, na tyle jednak daleko, że zapewniała prywatność. I mogła dostarczyć także rozrywek. Były tam dobre restauracje, sklepy oraz teatry, a także śliczne, położone na uboczu domki do wynajęcia. O tej porze roku nietrudno im będzie jakiś znaleźć.

Myśl o tym, żeby być sam na sam z Ariel, kochać się z nią bez konieczności panowania nad emocjami, sprawiła, iż zesztywniał mu członek. Boże święty, to, że wziął ją trzy razy, nie zaspokoiło w najmniejszym stopniu jego apetytu. Chciał kochać się z nią na tysiąc różnych sposobów i nie był wcale pewny, czy i to by wystarczyło.

Westchnął z rezygnacją, żałując wielce, iż nie może wrócić po prostu na górę i zadowolił się wyobrażaniem sobie przyszłych rozkoszy w Tunbridge.

* * *

Ariel przeciągnęła się leniwie, skrzywiła, czując sztywność w mięśniach i ból w miejscach, które nigdy przedtem jej nie bolały. Przestraszona otwarła oczy i rozejrzała się gorączkowo, a potem westchnęła z ulgą, gdy okazało się, iż leży sama w swojej sypialni, przykryta skromnie po brodę.

Justin. Boże, trudno jej było uwierzyć, że poszła do niego w nocy i poprosiła, by się z nią kochał. I że robili razem te wszystkie niewiarygodne rzeczy. A jednak cieszyła się, że tak się stało. Nie zrezygnowałaby z tego, z tych godzin spędzonych w jego ramionach, za nic w świecie.

Nawet, gdyby oznaczało to koniec jej marzeń.

Na myśl o przyszłości poczuła niepokój, odsunęła go jednak, pogrzebała pod słodkim wspomnieniem nocy z Justinem. Pomyśli o tym później. Nie dzisiaj.

Przeciągnęła się znowu, po czym ziewnęła, zakrywając usta. Spojrzała na zegar na kominku i przekonała się, że jest prawie jedenasta, po czym skrzywiła się lekko i zsunęła nogi z łóżka. Usłyszała znajome pukanie i zawołała do Silvie, by weszła. Miała nadzieję, że pokojówka nie zauważy obrzmiałych od pocałunków ust i podrażnionej skóry z boku szyi, w miejscu, gdzie podrapała ją broda Justina.

– Dzień dobry, panienko. – Silvie krzątała się po pokoju, kipiąc, jak zwykle, energią. – Jego lordowska mość polecił, bym spakowała pani kuferek. – Uśmiechnęła się. – Najwidoczniej znowu zabiera panią na wycieczkę.

– Wycieczkę? – Ariel, zaskoczona, uniosła głowę. – Ale dokąd?

– Jego lordowska mość nie powiedział. Z pewnością nie omawiałby swoich planów ze mną.

Ariel usiadła na wyściełanym spłowiałym jedwabiem stołku przed toaletką i zaczęła przeciągać szczotką po splątanych włosach. Cadamon, oczywiście. Justin miał przecież rankiem wyjechać. Uśmiechnęła się skrycie na myśl o tym, co sprawiło, iż zdecydował się ją zabrać.

– Och! – Silvie pośpieszyła ku swojej pani. – Byłabym zapomniała. Rano zapukał do tylnych drzwi służący i spytał o panienkę. – Sięgnęła do kieszeni i wyjęła złożony arkusz papieru. – Zostawił wiadomość i powiedział, że mam przekazać ją pani osobiście.

Ariel zmarszczyła brwi, wpatrując się w arkusz drogiego papieru, zapieczętowany kroplą czerwonego wosku. A potem się uśmiechnęła. Może Kit wróciła z Włoch. Jeśli Ariel potrzebowała kiedykolwiek przyjaciółki, to właśnie teraz. Otwarła pospiesznie list.

Nie był od Kit, a kiedy przeczytała nagryzmolony niebieskim atramentem podpis u dołu strony, dłoń zadrżała jej tak bardzo, że omal nie upuściła listu. Phillip. Boże, Phillip Marlin był ostatnią osobą, od której chciałaby teraz dostać wiadomość. Zaczęła czytać:

Droga Ariel,

Nie wyobrażasz sobie, jak bardzo się martwię. Modlę się, by ten sukinsyn Greville nie zrobił Ci krzywdy. Muszę się z Tobą zobaczyć. Upewnić, że jesteś bez-

pieczna. W Albemarle jest niewielki hotelik, Quintain. Spotkajmy się tam dzisiaj, w kawiarni, o trzeciej po południu. Jeśli cenisz sobie naszą przyjaźń i choć trochę Ci na mnie zależy, nie sprawisz mi zawodu.

Jak zawsze Twój,
Phillip

Zmięła pospiesznie list w dłoni zadowolona, że Justin go nie widział. Na myśl o Phillipie ogarnęły ją wyrzuty sumienia. Nie zamierzała sprawić mu bólu. Prawdę mówiąc, zaskoczyło ją, że jest dla niego aż tak ważna. Nie poczyniła przecież żadnych obietnic, nie zobowiązała się do niczego, chociaż był czas, kiedy sądziła, że właśnie tego pragnie.

Westchnęła. Nie może spotkać się z Phillipem tego popołudnia – wkrótce wyjeżdża przecież z miasta – a jednak to nie w porządku, pozwolić, by tak się martwił.

Nie powinna dłużej go zwodzić, pozwalać mu wierzyć, że nadal coś do niego czuje, nie teraz, kiedy uświadomiła sobie z porażającą jasnością, kto zawładnął jej sercem. Teraz mogła zaoferować Phillipowi jedynie przyjaźń.

– Potrzebuję pióra i papieru, Silvie. Chciałabym, żebyś dostarczyła dżentelmenowi wiadomość ode mnie. Upewnij się, że dotrze wprost do pana Marlina i do nikogo innego.

– Tak, panienko. – Silvie przyniosła mały przenośny sekretarzyk, stojący zwykle na komodzie i Ariel napisała odpowiedź. Kiedy skończyła, poskładała list, zapieczętowała go i podała Silvie wraz z informacją, gdzie mieszka Phillip.

– Zaczekaj, aż wyjedziemy, a potem dopilnuj, by list dotarł do adresata. I nie wspominaj o tym nikomu. Nie ma potrzeby niepokoić lorda.

– Nie musi panienka się martwić – odparła Silvie.

Ariel miała nadzieję, że tak jest w istocie. Wiedziała, co Justin sądzi o Phillipie Marlinie, choć nie wierzyła, że

Phillip jest tak zły, jak odmalował go Justin. To z pewnością animozja wpłynęła na opinię lorda.

Ciekawe, co też mogło spowodować aż tak silną niechęć, pomyślała. Może podczas podróży zdoła namówić Justina, żeby jej to wyjaśnił.

– Zapleciemy dzisiaj panience włosy? – spytała Silvie.

– Tak byłoby najwygodniej.

– Masz rację, doskonały pomysł. – Siedziała zatem, wiercąc się trochę niespokojnie, kiedy pokojówka zaplatała jej warkocz, upinała go w koronę, a potem układała na głowie śliwkowy jedwabny kapelusik i wiązała pod brodą wstążki. I przez cały ten czas Ariel wracała myślami do minionej nocy i kochania się z Justinem.

Zarumieniła się wspomniawszy, jak jego nagie ciało poruszało się nad nią.

Wiedziała, że dziś będzie tak samo.

A potem pomyślała o Phillipie i o tym, jak Justin wpadł w furię na sam dźwięk jego imienia. Martwiło ją, co może się stać, jeśli lord dowie się, że Phillip nie zrezygnował. Przeczucie mówiło jej, że nadciągają kłopoty.

* * *

Justin spoczywał na miękkich poduszkach powozu, przyglądając się Ariel spod na wpół opuszczonych powiek. Ściągnęła brwi, gdy powóz minął rogatki Londynu i skierował się na południe, miast zmierzać dalej na północ, do Cadamon.

– Czy nie jedziemy w złym kierunku? O ile pamiętam, do Cadamon jedzie się w przeciwną stronę.

Uśmiechnął się kątem ust.

– Jedziemy do Tunbridge Wells. To urocze małe miasteczko, bardzo spokojne. Pomyślałem, że chętnie byś je zwiedziła. – Wyglądała ślicznie w śliwkowej podróżnej sukni, ozdobionej kremową koronką. Policzki miała zaróżowione, a wargi nadal wyglądały na obrzmiałe od pocałunków. Wiedział, że to jego dzieło i że to dopiero początek.

Uśmiechnęła się olśniewająco i ciało Justina stężało z pożądania.

– O, tak, czytałam o Tunbridge. Bardzo bym chciała tam pojechać.

– Wszystkiego najlepszego z okazji urodzin, Ariel.

Zaskoczona, otworzyła szeroko niebieskie oczy.

– Ta wycieczka to mój urodzinowy prezent? Nie sądziłam, że wiesz, kiedy je obchodzę.

– Doprawdy? Dostawałaś przecież prezenty i dziękowałaś mi za nie w listach.

Zarumieniła się uroczo i odwróciła wzrok.

– Tak, rzeczywiście. Sądziłam jednak, że zapłaciłeś komuś ze szkoły, aby kupował je dla mnie.

Justin nie odpowiedział. To oczywiste, że tak pomyślała. Nie załączył żadnego liściku, polecił jedynie dyrektorce, by poinformowała Ariel, że prezent pochodzi od niego.

– Zatem... jak to jest mieć dziewiętnaście lat?

Uśmiechnęła się.

– Niemal tak samo, jak mieć osiemnaście, z wyjątkiem... – Rumieniec na policzkach Ariel jeszcze się pogłębił i Justin domyślił się, że chodzi jej o poprzednią noc. Był już tak podniecony, że to niemal bolało. Miał ochotę zaciągnąć firanki i wziąć ją w powozie, lecz wszystko to było dla niej jeszcze zbyt świeże i zapewne nieco przerażające. Nie chciał przestraszyć jej, ujawniając ogrom swego pożądania.

– Jesteś teraz kobietą – stwierdził zatem spokojnie, odsuwając wyobrażenie dziewczyny nagiej, opanowanej świeżo odkrytą namiętnością, którą z taką łatwością w niej wzbudził. – Przypuszczam, że to sporo zmienia.

– Tak, zapewne.

– Kiedy wrócimy, znajdę ci osobne mieszkanie. Niewielki domek w pobliżu Brook Street. Będzie ci tam wygodniej i nie będziesz musiała przejmować się plotkami.

Ariel przyglądała mu się przez chwilę spod opuszczonych rzęs.

– Wolałabym, byśmy porozmawiali o przyszłości dopiero po naszym powrocie, jeśli ci to nie przeszkadza. Dzisiaj są moje urodziny i nie życzę sobie żadnej sprzeczki, która mogłaby je zepsuć.

Sprzeczki? A o co tu się sprzeczać? Przyszła do niego, kochała się z nim, jak od dawna tego pragnął. Najwyższy więc czas pomyśleć o przyszłości. Lecz nie powiedział tego. Dzisiaj są jej urodziny. Sprawy praktyczne mogą zaczekać do ich powrotu.

– Ile masz lat, Justinie? – Nie spodziewał się, że o to zapyta.

– Dwadzieścia osiem. – Czasami czuł się wszakże tak, jakby miał ich co najmniej sto. – Wydajesz się zaskoczona. Sądziłaś, że jestem starszy?

– Czasami. Bywało też jednak, że spojrzałam na ciebie i wydawało mi się, iż jesteśmy niemal w tym samym wieku.

Prychnął, odrzucając taki pogląd. Zostawił za sobą młodość lata temu… o ile w ogóle był kiedyś młody.

– Wyglądasz młodziej, kiedy się śmiejesz. Wiedziałeś o tym? Za rzadko to robisz.

Justin nie odpowiedział. Co miał powiedzieć? Że kiedyś uśmiechał się przez cały czas, lecz było to tak dawno, że ledwie pamiętał tamte czasy?

– Co cię uszczęśliwia, Justinie? Daje ci radość?

Zmarszczył brwi. Pytanie wydało mu się zupełnie absurdalne.

– Nie mam czasu zajmować się takimi błahostkami – burknął, lecz zaraz uświadomił sobie, że to ona wnosi w jego życie radość.

Nawet teraz, gdy na nią patrzył, spowitą blaskiem słońca, wpadającym przez okno, z wymykającymi się spod kapelusika jasnoblond włosami, coś ciepłego rozkwitało mu w sercu. Ogrzewało je i wsączało w żyły słodką, trudną do zdefiniowania tęsknotę. Nie był w stanie określić, za czym tak tęskni. Sądził, że kiedy już ją posiądzie, tęsknota minie. Tymczasem za każdym razem, kiedy na niego spojrzała, uśmiechnęła się po swojemu, łagodnie i słodko, zdawała się rozjaśniać mrok w jego duszy, wzmagając jeszcze tęsknotę. Zastanawiał się, co mogłoby sprawić, by to uczucie osłabło.

– Gdy byłam dzieckiem, kochałam burzę – mówiła tymczasem Ariel. – Wdrapywałam się na dach naszej chaty i patrzyłam, jak ciężkie czarne chmury przewalają się po niebie. Uwielbiałam obserwować błyskawice, słyszeć dookoła huk grzmotu. To było niebezpieczne, wiem, a jednak burza nieodparcie mnie przyciągała. Chciałam dotknąć chmur, sprawdzić, z czego są zrobione.

Może nadal to robiła, pomyślał, wspomniawszy mrok w swojej duszy i to, że wydawało się możliwe, iż zdoła dosięgnąć go i rozproszyć.

Nie odezwał się jednak i Ariel umilkła. Odwróciła twarz ku oknu, a Justin siedział w milczeniu, zadowolony, iż może po prostu się jej przyglądać. W piersi wezbrała mu znów tęsknota zabarwiona pożądaniem – uczucie, z którym zdążył już blisko się zaznajomić, odkąd Ariel zjawiła się w Londynie.

Pragnął znowu ją posiąść, zagubić się w niej. Przeżyć raz jeszcze chwilę olśnienia, jaka stała się już jego udziałem. Ten głód rzadko go opuszczał. Teraz też rósł z zastraszającą szybkością, potęgując żądzę. Gdy tylko dojadą do Tunbridge znajdzie mały, przytulny domek, zaniesie Ariel do łóżka i będzie się z nią kochał, aż ciało nasyci się jej ciepłem, ciemność zniknie z jego serca i poczuje wreszcie, jak to jest pławić się w słonecznym blasku, który pochodzi z wnętrza.

Oczywiście, to nie będzie trwało wiecznie. Nic nie mogło zmienić na dłużej jego prawdziwej natury. Ciemność go odnajdzie, spadnie nań niczym potwór z głębin i pociągnie za sobą w cienisty mrok.

Zawsze tak się w końcu działo, lecz teraz nie pora się tym martwić. Teraz miał Ariel, a ona była niczym rozjaśniająca noc latarnia morska. Zamierzał chociaż przez chwilę wygrzewać się w jej cieple.

* * *

Podróż minęła szybko. Justin starał się prowadzić uprzejmą rozmowę i nawet od czasu do czasu się uśmiechał, lecz Ariel dostrzegała pod zwykłym zachowaniem palące, żarzące się pożądanie. Nie próbował go ukryć, pozwolił, żeby uświadomiła sobie, jak bardzo na niego działa. To jawne pożądanie, ledwie wstrzymywana żądza sprawiała, że zaciskał się jej żołądek, a członki drżały z napięcia i oczekiwania.

Nim dojechali na miejsce, było późne popołudnie i nastrój Justina coraz bardziej się pogarszał. Wydawał się niespokojny i Ariel udzielał się ten niepokój. Zatrzymali się pod biurem niejakiego Harry'ego Higginbottoma, pośrednika obrotu nieruchomościami, o którym Justin dowiedział się w Londynie. Dokonano wynajmu domku, który okazał się całkiem dużym domem z kwaterami dla służby i stajnią z tyłu. Był to ładny budynek, położony przy cichej, zadrzewionej uliczce na obrzeżach miasta, obrośnięty kurtyną bluszczu. Jego okna wychodziły na niewielką łąkę, za którą widać było rząd drzew w bogatych barwach jesieni.

– Jest uroczy – powiedziała, kiedy wprowadził ją do wyłożonego parkietem holu, a potem obszedł wraz z nią parter, podczas gdy lokaje wnosili na piętro ich bagaże. Choć zbudowany z kamienia, w niczym nie przypominał ponurej siedziby lorda przy Brook Street. Ze swymi małymi, ładnie umeblowanymi salonikami, wielobarwnymi dywanami i tuzinami połyskujących w słońcu, oprawnych w ołów szyb wydawał się promieniować ciepłem i urokiem.

Wrócili do holu. Justin ujął dłoń Ariel i spojrzał w kierunku schodów.

– Zobaczymy, co jest na górze? – Jego głos brzmiał teraz inaczej, bardziej ochryple, a kiedy na niego spojrzała, spostrzegła, że pociemniały mu tęczówki. Był w nich żar i taki głód, że odpowiedź uwięzła jej w gardle.

– Na górze? Tak… to chyba dobry pomysł.

Wbiegli razem na piętro i śmiejąc się jak dzieci, podeszli do masywnych drzwi, za którymi znajdowała się główna sypialnia. Ariel nie słyszała dotąd, by Justin śmiał się tak swobodnie. Nie uwierzyłaby, że ten dźwięk może być tak bogaty i ciepły. Spojrzeli na drzwi i śmiech z wolna zamarł im na ustach.

– Masz pojęcie, jak bardzo cię pragnę?

Ariel zwilżyła wargi, niezdolna oderwać od niego wzroku.

– Może mi pokażesz?

Zacisnął zęby tak mocno, aż zadrgały mu mięśnie, a potem porwał Ariel w ramiona, otworzył drzwi, wszedł i zamknął je za sobą kopnięciem. Postawił ją, ujął jej twarz w dłonie i przycisnął usta do jej warg. Pocałunek, żarliwy i głęboki, sprawił, że Ariel poczuła się tak, jakby topniały jej wszystkie członki.

Chciała go dotknąć. Musiała to zrobić. Drżącymi dłońmi zdarła z niego surdut i wyciągnęła mu koszulę z bryczesów. Jego skóra był niczym gładkie, ciepłe szkło, gdy przesuwała dłońmi po napiętych mięśniach pleców.

Justin rozpiął guziki z tyłu jej sukni i po chwili była już naga. Jego usta odnalazły jej usta. Rozchyliła je dla niego, zachęcając, aby pogłębił pocałunek.

Odszukał dłonią jej płeć i jął pocierać mały guzek pośrodku. Ariel jęknęła i zaczęła rozpinać pospiesznie guziki jego bryczesów. Odsunął się tylko na chwilę, by zedrzeć z siebie resztę ubrania, a potem zaniósł ją i położył na łóżku. Było szerokie, wygodne i zapadła się w nie, przygnieciona ciężarem jego ciała.

– Ariel... – powiedział niemal z czcią. Jego dłonie poruszały się na jej piersiach – wprawne, nieubłagane, zdecydowane – wydzierając Ariel z gardła cichy jęk. Ułożył się na niej i pchnął.

Zadrżał i znieruchomiał.

A potem zaczął się poruszać.

Szeptała jego imię, kiedy to wsuwał się w nią, to wysuwał, zwiększając tempo, ustanawiając rytm i rozbudzając w niej pożądanie. Po prostu brał, co chciał, a ona odkryła, że pragnie dokładnie tego samego. Poddała się zatem głębokiej, pulsującej sile i osiągnęła szczyt, zalewana falami rozkoszy. Justin doszedł w kilka chwil po niej, dostarczając jej kolejnej chwili niewypowiedzianej przyjemności.

Przywarła do niego. Czuła, że opada spiralą w dół, myślała o tym, jak bardzo go kocha, i wiedziała, że choćby żyła nie wiem, jak długo, będą to jej najlepsze urodziny.

* * *

Tunbridge Wells, jak wkrótce odkryła, było uroczą miejscowością wypoczynkową zbudowana wokół żelazistych źródeł wykorzystywanych od 1609 roku. Lecznicze wody sprzedawano we flaszkach podróżnym, którzy przybywali tutaj, by uciec od gwaru wielkiego miasta i wypoczywać, a przy tym nie musieć obchodzić się bez eleganckich sklepów oraz teatrów.

Opuściwszy dom po nocy spędzonej na intensywnym kochaniu się, ruszyli do miasta w powozie Justina. Zjedli posiłek w maleńkiej restauracji wychodzącej na ocieniony drzewami deptak Pantiles, a potem włóczyli się przez jakiś czas po sklepach i magazynach. Zatrzymali się na chwilę, aby posłuchać koncertu w parku, a potem przyglądali się występującym na promenadzie żonglerom i rzucali monety małpce, która krążyła wśród publiki, zbierając datki i uchylając w podzięce kapelusza.

Po południu Justin wziął Ariel za rękę i zaprowadził do sklepu, gdzie sprzedawano finezyjną biżuterię. Mały i raczej niepozorny człowieczek w okularach w złotej oprawce uśmiechał się do nich rozpromieniony, gdy przeglądali kosztowne drobiazgi wystawione w szklanej gablotce. A potem Justin zażyczył sobie obejrzeć piękny naszyjnik z diamentów i pereł.

– Cudowny, prawda? – zapytał sprzedawca, wręczając mu klejnot.

Justin tylko się uśmiechnął. Wziął naszyjnik, stanął za Ariel i zapiął go jej na szyi.

– Prezent urodzinowy – powiedział, zaskakując ją. Sądziła, że oglądają klejnoty jedynie dla zabawy; nawet nie przyszło jej do głowy, że mógłby którymś ją obdarować.

Skinął na sprzedawcę, który spoglądał na Ariel z wszystkowiedzącym uśmiechem, sprawdziwszy wpierw, że nie ma obrączki. Poczuła, że zaciska się jej żołądek, a uśmiech znika nieubłaganie z twarzy. Justin chyba tego nie zauważył, kontynuował bowiem transakcję, szykując się, by kupić ekstrawagancki prezent, jakby był zwykłą błyskotką.

Ariel spojrzała na niego i potrząsnęła nerwowo głową.

– Nie, proszę, milordzie, nie mogłabym... – Wyciągnął rękę i odpiął naszyjnik, który spadł wprost w drżące dłonie Ariel. To był prezent, jaki mężczyzna mógłby dać kochance, i sprzedawca był tego w pełni świadomy. Mimo iż kochali się namiętnie zaledwie przed kilkoma godzinami, Ariel nie chciała myśleć o sobie w ten sposób.

– Jest śliczny, naprawdę... ale ja... – Przeniosła spojrzenie z wyrażającej samozadowolenie twarzy subiekta na mrocznejące oblicze Justina. Serce biło jej jak szalone i modliła się w duchu, aby nie poczuł się urażony.

– To bardzo miłe z twojej strony, ale... nie chcę, żebyś kupował mi tego rodzaju prezenty.

Przeniósł spojrzenie na sprzedawcę, a potem znów na pobladłą twarz Ariel. Przez chwilę wpatrywał się w nią wszystkowiedzącym, rozumiejącym spojrzeniem.

Nie zaprotestował, odłożył po prostu klejnoty do wyściełanego aksamitem pudełka i jął przyglądać się znowu przedmiotom w gablotce.

– Chciałbym zobaczyć ten – powiedział, wskazując zwyczajny złoty medalion. Sprzedawca podał mu go, zdecydowanie mniej podekscytowany. Klejnot był owalny, pięknie grawerowany. Pośrodku błyszczał pojedynczy diament.

– Może ten bardziej ci się spodoba. – Zapiął jej medalion wokół szyi. Poczuła na skórze dotyk gładkiego, chłodnego metalu. – Prosty, ale promienny i jasny jak dama, która będzie go nosiła.

Uśmiechnęła się doń z głębi serca, tłumiąc łzy. Dotknęła drżącymi palcami medalionu.

– Cudowny – powiedziała. – Będzie dla mnie zawsze cenny. Dziękuję, Justinie.

Coś poruszyło się w jego twarzy. Ujął jej dłoń w swoją, odwrócił i wycisnął na niej pocałunek. Ciepły dotyk jego warg otulił serce Ariel niczym skrzydła.

– Zbliża się wieczór – powiedział. – Musisz być zmęczona. Może powinniśmy wrócić już do domu. – Spoglądał na nią z żarem i było oczywiste, co się stanie, kiedy zostaną wreszcie sami.

Ariel uśmiechnęła się radośnie, odprężona i wyraźnie zadowolona.

– Doskonały pomysł, milordzie.

Justin odwzajemnił uśmiech i Ariel uświadomiła sobie, że ostatnio uśmiechał się jakby częściej. Może Clayton Harcourt miał rację. Może zdołałaby nauczyć Justina, jak kochać.

Wielce na to liczyła.

Z każdym dniem kochała go nieco bardziej. Na samą myśl o tym, że mógłby nie odwzajemnić tych uczuć, jej serce ściskała żelazna obręcz.

Rozdział 14

Były to pamiętne urodziny. Poza wprawiającym w zakłopotanie spotkaniem z lordem Foxmoore'em, znajomym Justina, który przebywał akurat w Wells z żoną i córką, czas spędzony w tym czarującym miasteczku uznała za cudowny. Nie miała ochoty wyjeżdżać, wiedząc, jakim problemom będzie musiała stawić czoło w Londynie.

Niestety, kłopoty pojawiły się znacznie wcześniej, gdy tylko minęli rogatki. Im bliżej było do domu, tym bardziej zachowanie Justina się zmieniało. Z beztroskiego, czarującego mężczyzny, jakim był w Tunbridge, zmieniał się znów w posępnego, zamkniętego w sobie osobnika, lorda Greville'a.

– Wkrótce będziemy w Londynie – powiedział, wyrywając Ariel z zamyślenia. – Jutro skontaktuję się z moim prawnikiem i polecę mu, by zaczął szukać dla ciebie odpowiedniego domu. Potrwa to trochę, lecz jestem pewien, że w końcu znajdziemy coś, co ci się spodoba.

Ariel nie była w stanie oddychać. Bała się tej chwili. Gdy byli daleko, mogła o wszystkim zapomnieć. Teraz nie dało się już uniknąć konfrontacji.

– Zdaję sobie sprawę, że po tym, co między nami zaszło, nie mogę mieszkać dłużej w twoim domu. Miałam wszakże nadzieję, że pomożesz mi znaleźć lokum, za które mogłabym płacić sama. Nic wielkiego, wystarczy zwykłe mieszkanie. Nie spłaciłam jeszcze długu, ale mogłabym pracować dla ciebie w wolnym czasie, po tym, jak skończę pracę na posadzie, którą dla mnie wyszukasz.

Justin utkwił w niej spojrzenie. Zauważyła, że zaczął mu drgać mięsień na policzku.

– O czym ty mówisz?

– O znalezieniu zatrudnienia. Zgodziliśmy się, że nasz... związek sprawił, iż nie mogę pozostawać dłużej w twoim domu. A skoro tak, będę potrzebowała źródła dochodów. Obiecałeś, że pomożesz mi je znaleźć. Proszę jedynie, byś dotrzymał obietnicy.

– Lecz to, co proponujesz, nie ma sensu. Odebrałem ci dziewictwo, więc jestem za ciebie odpowiedzialny. Mam mnóstwo pieniędzy, więc nie ma potrzeby, byś pracowała niczym prosta chłopka.

– Jestem chłopką – przypomniała mu łagodnie.

Parsknął oburzony.

– Jesteś damą. Stałaś się nią dzięki uporowi i ciężkiej pracy. Nie pozwolę ci tego zmarnować.

Potrząsnęła głową, walcząc ze łzami.

– Nie rozumiesz.

– Jesteś jeszcze młoda. Nie masz doświadczenia w tego typu sprawach. Może to ty nie rozumiesz.

Przygryzła dolną wargę, aby powstrzymać jej drżenie.

– Widziałeś, jak na mnie patrzyli, wiem, że to dostrzegłeś. Udawałeś, że jest inaczej, ale dostrzegłeś. Żona lorda Foxmoore'a ledwie raczyła otworzyć usta, a nie odezwałaby się w ogóle, gdyby mąż jej do tego nie zmusił. Wiem, co sobie myślała... co wszyscy myśleli. Widziałam to w ich spojrzeniu. Że jestem twoją dziwką.

– Ariel... kochanie.

– To prawda, i dobrze o tym wiesz. Jeśli pozwolę, byś opłacał za mnie czynsz, kupował mi biżuterię i kosztowne ubrania, będę zasługiwała na to ohydne miano.

Wyprostował się na siedzeniu i niemal dotykał głową sufitu.

– Tamtej nocy, gdy przyszłaś do mego pokoju, wiedziałaś, na co się decydujesz. I co wybierasz.

Zamrugała i odwróciła wzrok, aby nie dostrzegł w jej oczach łez.

– Wybrałam ciebie, Justinie. Chciałam, żebyś się ze mną kochał, ale sądziłam, że będę mogła nadal kierować swoim życiem.

Justin odprężył się w widoczny sposób. Usiadł obok Ariel i objął ją ramionami.

– Zawsze byłaś praktyczną młodą kobietą, prawda?

– Zapewne.

– Gdy miałaś czternaście lat wiedziałaś, że chcesz od życia czegoś więcej niż to, co mogłaś znaleźć na małej farmie ojca. I znalazłaś sposób, aby urzeczywistnić swoje pragnienia.

– Innego wyboru nie miałam.

– Wykazałaś się praktycyzmem i znalazłaś sposób, aby rozwiązać problem. Bądź taka i teraz. Pozwól mi się tobą zająć.

Brzmiało to tak prosto, tak łatwo. Wystarczyło, by pozwoliła mu dbać dalej o swoje potrzeby. Wolałaby nie pogłębiać zależności, ale być może zyskałaby więcej czasu. Chciała nauczyć Justina miłości. A im dłużej i częściej będzie z nim przebywała, tym większa będzie szansa, że jej się uda.

– Mam świadomość, że sprawy nie idą dokładnie tak, jak zaplanowałaś – powiedział łagodnie – ale czy zastanawiałaś się, co będzie, jeśli pojawi się dziecko?

– Dziecko? – powtórzyła, wracając gwałtownie do rzeczywistości.

– Wiesz, że istnieje taka możliwość.

– Cóż, tak, oczywiście... Wiem, że to co robiliśmy, może mieć konsekwencje, ale by tak się stało, potrzeba z pewnością więcej niż kilku dni.

– Wystarczy kilka minut. – Wyciągnął rękę i dotknął jej policzka. – Istnieje możliwość, że nawet teraz nosisz pod sercem moje dziecko.

Położyła bezwiednie dłoń na brzuchu. Był płaski i jędrny pod rdzawą podróżną suknią, lecz jeśli Justin miał rację, to mogło szybko się zmienić. Czy byłoby to takie znowu okropne? Pomyślała o małym Thomasie, jego śniadej cerze i wielkich szarych oczach. Taki śliczny chłopczyk. Syn Justina wyglądałby z pewnością podobnie.

Odwróciła się i spojrzała na niego.

– Nie mam nic przeciwko temu, aby urodzić twoje dziecko, Justinie. Prawdę mówiąc, bardzo mi się ten pomysł podoba.

Wyraz twarzy Justina zmienił się. Coś mrocznego i nieodgadnionego zabłysło w jego spojrzeniu. Przyglądał się Ariel przez chwilę, a potem odwrócił wzrok i skierował go na krajobraz za oknem. Mijały sekundy. Kiedy znów na nią spojrzał, z wyrazu jego twarzy nie dało się nic wyczytać.

– Tak czy inaczej – powiedział – znalezienie odpowiedniego lokum zajmie trochę czasu. Może zdołasz oswoić się z tą myślą.

– Może – odparła niezobowiązująco, opierając głowę na jego ramieniu.

Nie chciała być utrzymanką Justina, ale kochała go i chyba dokonała rzeczywiście wyboru, o jakim wspominał, gdy przyszła tamtej nocy do jego pokoju i poprosiła, by się z nią kochał. Czy gdyby pozwoliła mu się utrzymywać, okazałoby się to naprawdę aż tak straszne? Przynajmniej byliby razem. Nie musiałaby martwić się o pieniądze czy znalezienie odpowiedniej pracy. Chodziło też o Justina. Kochała go. Chciała, by był szczęśliwy. Pragnęła przepędzić precz ciemność otulającą go niczym ciężka czarna peleryna. Sposobem na to była miłość. I nauczenie go, jak ma ją kochać.

Dokonam tego, postanowiła. Z czasem wszystko się ułoży.

Zignorowała delikatne poczucie straty, które ścisnęło ją za serce.

* * *

Justin chodził w tę i z powrotem przed kominkiem. Na dworze zapadł już zmrok. Wkrótce służący udadzą się na spoczynek i będzie mógł pójść do Ariel. Będą kochali się w wygodnym łóżku w jej sypialni, a potem uśnie z nią przytuloną do boku i będzie spał, póki świt nie zmusi go, żeby wrócił do swego pustego pokoju.

Powinien być zadowolony, że plan uwiedzenia się powiódł, a sytuacja rozwijała się zgodnie z jego oczekiwaniami. Choć bowiem Ariel nie wyraziła jeszcze zgody, by nadal ją utrzymywał, jej protesty stopniowo słabły. To tylko kwestia czasu, a ulegnie jego życzeniom i sprawa przybierze obrót, o jaki mu od początku chodziło.

Zaklął cicho. Nadal miał przed oczami jej twarz, kiedy wysiadała z powozu: nieco pobladłą, pozbawioną blasku i żywotności, przepełnioną niepewnością i rezygnacją. Nie umknęło też jego uwagi, iż oczy dziewczyny lśniły od łez.

Co za kobieta płacze, ponieważ mężczyzna zaoferował się dbać o jej potrzeby? Pragnął się nią opiekować, chronić ją i zapewnić jakie takie bezpieczeństwo w przyszłości?

Do licha, czy nie zdawała sobie sprawy, że próbuje zrobić to, co dla niej najlepsze? Musiał jednak przyznać, że było to również najlepsze dla takiego samolubnego bękarta jak on.

Przeczesał palcami włosy i odrzucił je z czoła. Do licha, chciał być już z Ariel. Kochać się z nią i śmiać jak w Tunbridge Wells.

– Boże, oszczędź mi niezbadanych głębi kobiecego umysłu – burknął, żałując, iż nie może rozwiązać sytuacji w sposób, który usunąłby pustkę z jej spojrzenia.

Ariel dobrze odgadła: domyślne uśmieszki i pogardliwe spojrzenia, jakimi obrzucano ją w Tunbridge, nie uszły jego uwagi. Powtarzał sobie, iż można się było ich spodziewać, a jednak mu przeszkadzały. Najwidoczniej Ariel równie dobrze jak on zdawała sobie sprawę, że jest obiektem niewybrednych komentarzy.

Westchnął i ukłąkł, aby poprawić polana w kominku. Pragnął dziewczyny już teraz i żałował, że muszą minąć godziny, nim będzie mógł do niej dołączyć. I że nie może być tak, jak w przytulnym domku w Tunbridge Wells. Lecz skoro był, jaki był, to się nigdy nie stanie.

* * *

Minął tydzień, a po nim następny. Ariel siedziała samotnie w gabinecie, podsumowując cyfry w kolumnie. Zawierały informacje o projekcie, które Clayton Harcourt zostawił dla Justina, nim wyjechali do Tunbridge. Dotyczyły przejęcia kontrolnego pakietu udziałów w kopalni węgla w Northumberland.

Sądząc po wyliczeniach, Clay miał chyba rację. Zyski, jeśli zasoby okażą się zgodne z przewidywaniami, powinny być olbrzymie. Justin przystał na propozycję przyjaciela i wystosował ofertę, chociaż nie zgodził się zamknąć transakcji tak szybko, jak życzyłby sobie tego Clay. Był o wiele bardziej cierpliwy niż jego impulsywny przyjaciel i wolał zaczekać, aż Ariel wszystko sprawdzi i potwierdzi, że wyliczenia się zgadzają.

Na ile mogła ocenić, inwestycja powinna okazać się trafiona.

Odłożyła gęsie pióro i odchyliła się na oparcie dębowego krzesła. Była dumna ze swojej pracy i zadowolona z tego, że Justin tak bardzo na niej polega.

Przeciągała się właśnie na twardym drewnianym krześle, gdy zapukano do drzwi. Podniosła wzrok i zobaczyła zmierzającą ku niej Silvie. Wyraźnie zdenerwowana,

toczyła wzrokiem dookoła i natychmiast zaraziła niepokojem Ariel.

– O co chodzi, Silvie?

Pokojówka obejrzała się przez ramię, jakby sprawdza-
ła, czy nikt nie może ich zobaczyć, a potem wyciągnęła
rękę.

– Kolejny list. Przyniesiono go pod wejście dla służby
i przekazano kucharce, pani Willis, a ona dała go mnie.

Ariel przyjęła zalakowaną kopertę, zakłopotana tym,
że wiadomość może pochodzić od Phillipa.

– Dziękuję, Silvie. – Odwróciła się i przeczytała list,
czując niemiły ucisk w żołądku.

Droga Ariel,

*Dni mijają, ale nie mój niepokój o Ciebie. Powie-
działaś, że czujesz wobec mnie jedynie przyjaźń, lecz
moje serce wzbrania się w to uwierzyć. Muszę Cię zobaczyć. Jak zapewne wiesz, dzisiaj Greville ma w planach cotygodniowe spotkanie w interesach ze swoim
przyjacielem, Claytonem Harcourtem. Ponieważ nie
chciałaś przyjść do mnie, ja przyjdę do Ciebie. Spotkajmy się w stajni za domem o dziesiątej wieczorem.
Proszę, błagam, że względu na nas oboje, nie zawiedź
mnie.*

Twój przyjaciel na wieki,
Phillip

Boże w niebiesiech, Phillip wydawał się niemal zde-
sperowany, a wszystko przez nią. Powinna być bardziej
szczera, pójść i powiedzieć mu wprost, że zakochała się
w Justinie. Zamiast tego próbowała oszczędzić jego
uczucia i tylko pogorszyła sytuację.

Nie była pewna, skąd Phillip wie o cotygodniowych
spotkaniach z Harcourtem, lecz był to rytuał, którego

obaj ściśle przestrzegali. Zwykle spotykali się w klubie przy ulicy St. James i Justin zazwyczaj wracał wtedy do domu po północy.

Nie będzie go, i dobrze. Wyjaśni sprawy z Phillipem raz na zawsze.

– Mam zanieść odpowiedź? – spytała Silvie, wyrywając Ariel z zamyślenia.

– Owszem. Może tak będzie najlepiej. – Usiadła przy biurku i nakreśliła szybko odpowiedź, potwierdzając, że spotka się z Phillipem tak, jak proponował. Zapieczętowała kopertę woskiem i podała pokojówce.

– Dopilnuję, żeby od razu to dostał.

– Dziękuję, Silvie. – Przyglądała się, jak dziewczyna znika w korytarzu. Ciekawe, co też sobie pomyślała. Miała nadzieję, że pokojówka nie sądzi, iż łączy ją z Phillipem niestosowny związek. Przez chwilę zastanawiała się, czy nie wyjaśnić wszystkiego dziewczynie, nie była to jednak sprawa Silvie, poza tym nie bardzo wiedziała, co właściwie powiedzieć. Na szczęście wieczorem problem się rozwiąże i to, co myśli pokojówka, przestanie mieć znaczenie.

Westchnęła, żałując, że będzie musiała zranić znowu uczucia Phillipa, i próbując nie martwić się o to, co mu powiedzieć. Zasiadła do pracy, zdecydowana wyrzucić z głowy wszelką myśl o nadchodzącym spotkaniu.

* * *

Ciepłe poranne słońce przenikało przez witrażowe okna miejskiej rezydencji Claytona Harcourta. Pocałował ponętną młodą kobietę, którą odprowadził właśnie do drzwi.

Poklepał ją lekko po pupie.

– Bądź dobrą dziewczynką, Lizzy, i wróć teraz do domu. O mało nie zabiłaś mnie tej nocy. Jeszcze kilka takich rundek i za nic nie doszedłbym do siebie.

Elizabeth Watkins, niedawno owdowiała hrabina May, roześmiała się zadowolona.

– Jesteś silny jak byk, Claytonie. Myślę, że po prostu ci się znudziłam.

– Kto mógłby się tobą znudzić, kochanie? Masz piersi jak dojrzałe melony, usta niczym aksamitna rękawiczka, a...

Pukanie do drzwi przerwało śmiałą ripostę. Ponieważ odesłał poprzedniego wieczoru kamerdynera i większość służby, zerknął wpierw przez wizjer. Ku swemu zaskoczeniu, przekonał się, że na ganku stoi Justin Ross oparty o kamienny posążek lwa.

Wydawał się bardzo zmartwiony. Było o wiele za wcześnie na wizytę towarzyską, zaś w interesach mieli spotkać się dopiero wieczorem. Z czymkolwiek Justin przyszedł, musiało to być dla niego ważne.

Clay odwrócił się do Elizabeth odzianej w pomiętą suknię, którą porzuciła poprzedniego wieczoru beztrosko na podłodze. Dotknął masy niedbale upiętych ciemnych loków, uśmiechnął się i powiedział:

– Jeśli nie chcesz spotkać się z moim przyjacielem lordem Greville'em, powinnaś wyjść tylnymi drzwiami. Powiem woźnicy, by zabrał cię z alejki za domem.

Nie to, by Justin skomentował jakkolwiek obecność w domu Claytona damy o tak wczesnej porze. Clay nie obawiał się niedyskrecji ze strony przyjaciela, już raczej miał na uwadze wrażliwość owej damy.

– Może zobaczymy się później w tym tygodniu – zasugerowała Elizabeth, muskając wargami jego policzek. A kiedy Clay skinął jedynie niezobowiązująco głową, pośpieszyła ku wejściu dla służby, wydąwszy z lekka śliczne wargi.

Justin zastukał znowu i Clay otworzył drzwi.

– Przepraszam, że musiałeś czekać – powiedział. – Żegnałem się z... przyjaciółką.

Justin uniósł brwi. Popatrzył za przyjacielem, kiedy ten schodził po stopniach i wydawał polecenie stangretowi, aby odebrał damę z bocznej alejki. Dokonawszy tego, wrócił do domu i zamknął drzwi.

– Myślałem, że spotkamy się wieczorem – powiedział do Justina, prowadząc go korytarzem. Nie był odpowiednio ubrany, aby przyjmować wizyty, gdyż miał na sobie jedynie wciągnięte w pośpiechu bryczesy i pomiętą białą koszulę, rozpiętą prawie do pasa. Był też boso. Justin zdawał się jednak tego nie zauważać.

– Nasze spotkanie nadal jest aktualne – powiedział, dziwnie zażenowany. – Nie chodzi o interesy. Przyszedłem do ciebie po radę.

– Ach, musi więc chodzić o kobietę.

Dopiero teraz Justin zauważył niekompletny strój Claya.

– Jedno jest pewne: w tej kwestii zasługujesz na miano eksperta. Mam nadzieję, że ta była starsza niż poprzednia.

– Nie miałem pojęcia, że dziewczyna ma tylko szesnaście lat – zaprotestował Clay. – Wyglądała na dwadzieścia pięć. Poza tym trudno byłoby nazwać ją dziewicą. – Uśmiechnął się szeroko i otworzył drzwi do pokoju śniadaniowego. – Ta jest wdową, jeśli to cię uspokoi. Śliczną i bardzo uczynną, jeśli mogę to tak nazwać.

Justin uśmiechnął się kątem ust. Wszedł za Clayem do zalanego słońcem pokoiku z widokiem na ogród za domem. Usiedli przy wypolerowanym dębowym stole. Kucharka, przysadzista, siwowłosa kobieta, która pracowała dla Claya od czterech lat, zjawiła się po chwili, by przygotować śniadanie. Ponieważ lokaj jeszcze nie wrócił, nalała obu panom po filiżance kawy, a potem umknęła do kuchni.

Clay przechylił się z krzesłem tak, iż oparło się o ścianę, i zadowolony popijał kawę.

– No dobrze, co było tak ważne, że nie mogło poczekać do wieczora?

– Myślę o tym, by się ożenić – wypalił znienacka Justin.

Krzesło Claya stuknęło, kiedy odepchnął się od ściany.

– Ożenić? Ty? Myślałem, że zawsze odżegnywałeś się od tego.

– Bo i tak było. – Westchnął. – Do wczoraj. Ostatnio jednak często o tym myślę. Jak sądzisz, czy ktoś taki jak ja może się ożenić i być szczęśliwy?

Clay spojrzał na niego nad brzegiem filiżanki.

– „Szczęśliwy" rzadko odnosi się do stanu małżeńskiego – powiedział, wspominając swą biedną matkę i jej nie-odwzajemnioną miłość do mężczyzny żonatego z inną.

– Zazwyczaj ludzie żenią się dla pozycji albo pieniędzy. Lecz jeśli mówisz o Ariel, zapewne byłoby to możliwe. Ale dlaczego chcesz się żenić? Z pewnością za wcześnie jeszcze, by nosiła twoje dziecko. Odgrywa skrzywdzoną dziewicę? Domaga się, abyś postąpił, jak należy?

– Prawdę mówiąc, nie sądzę, by myśl o małżeństwie kiedykolwiek przemknęła jej przez głowę. Rozumiesz, jestem lordem, Ariel zaś córką biednego dzierżawcy. Odgrywa rolę damy bez zarzutu, w głębi duszy jednak nadal postrzega siebie jako chłopkę.

– Została twoją kochanką. Tego właśnie chciałeś. Dlaczego miałbyś coś zmieniać?

Justin potrząsnął głową.

– Ponieważ to mi nie wystarcza. Nie potrafię tego wyjaśnić. Za każdym razem, gdy na nią patrzę, widzę dobro, którego nie chcę zniszczyć. Chcę, by to światło, które ma w sobie, płonęło zawsze równym blaskiem.

Otoczył długimi palcami filiżankę, ale nie podniósł jej do ust.

– Zdaję sobie sprawę z ryzyka, jakie musiałaby podjąć. Byłbym zapewne okropnym mężem, ale przynajmniej mogłaby pokazać się na ulicy z podniesioną głową. Nie mogę kochać jej tak, jak kochałby inny, po prostu tego nie potrafię, lecz mogę dać jej coś innego, o wiele bardziej realnego. Szacunek. Możliwość stania się damą, jaką zawsze pragnęła być.

Clay milczał i trawił słowa Justina. Czy powinien poślubić Ariel? Mógł sądzić, że nie jest zdolny pokochać dziewczyny, lecz było jasne, że jest w niej już niemal zakochany.

– Jak tak dalej pójdzie – kontynuował Justin – prędzej czy później pojawią się dzieci. Będą bękartami, Clay. Nie sądzę, by Ariel zdawała sobie sprawę, co to oznacza, lecz ja wiem doskonale. – Utkwił wzrok w twarzy przyjaciela. – Obaj wiemy.

I była to prawda. A jeśli Justin troszczy się o kobietę choćby w połowie tak, jak wydawało się Clayowi, chęć oszczędzenia jej i dzieciom bólu, którego obaj doświadczyli, stanowiła wystarczający powód, by zalegalizować związek.

– Nie sądzę, byś potrzebował mojej rady – powiedział w końcu. – Myślę, że już zdecydowałeś. – Uśmiechnął się i wyciągnął rękę. – Gratulacje, przyjacielu.

Justin uścisnął mu dłoń i błysnął uśmiechem, jaki Clay rzadko u niego widywał: przepełnionym ulgą i… czyżby była to radość?

Justin wstał.

– Lepiej już pójdę. Mam sporo do zrobienia. Chcę, by wszystko było idealnie, gdy się oświadczę.

– Do zobaczenia wieczorem w klubie – powiedział Clay.

– Będę tam – odparł Justin beztrosko i Clay się uśmiechnął. Przyjaciel zasłużył na trochę szczęścia. Bóg jeden wie, że nie doświadczył go zbyt wiele. On zaś mógł mieć jedynie nadzieję, że Ariel Summers jest taka, za jaką przyjaciel ją uważa.

Zacisnął szczęki. Bo jeśli jest inaczej, niech Bóg ma ją w opiece.

* * *

Subiekt w salonie jubilerskim Sanborn i Synowie przy Ludgate Hill stał za ladą, przyglądając się dobrze ubranemu dżentelmenowi, który wszedł właśnie do sklepu. Odziany w kosztowny gołębioszary surdut, z rubinowym pierścieniem na palcu, wyglądał w każdym calu na gościa z towarzystwa. Zapewne był nawet arystokratą.

Subiekt, mężczyzna po czterdziestce, z szerokim nosem i cofniętą brodą, pośpieszył ku potencjalnemu klientowi.

– Dzień dobry panu. Czym mogę służyć?

– Przyjaciel polecił mi pański sklep. Powiedział, że cieszycie się opinią uczciwych i macie klejnoty najlepszej jakości.

Sprzedawca uśmiechnął się zadowolony z pochwały, na którą niewątpliwie zasługiwał.

– Rodzina Sanbornów trudni się tym od z górą pięćdziesięciu lat.

– Szukam pierścionka – powiedział mężczyzna. Pochylił się, by lepiej widzieć zawartość gablotki. – Najlepsze byłyby chyba szafiry – powiedział, ściągając czarne brwi. – Pasowałyby do oczu damy. No i, oczywiście, brylanty. Coś eleganckiego, ale nie wulgarnego. Stosownego, by się oświadczyć.

Sprzedawca dosłownie się rozpromienił. Większość mężczyzn z towarzystwa zadowalała się podarowaniem wybrance pierścionka, który był w rodzinie od lat i który nosiły zapewne ich matki. Ten mężczyzna pragnął czegoś bardziej osobistego, co sam by wybrał.

– Możemy wykonać każdy pierścionek, jakiego pan sobie zażyczy, lecz jeśli da mi pan chwilę, przyniosę z zaplecza kilka, które już mamy. Sądzę, że jeden doskonale by się nadawał. – Pierścionek, o którym myślał, miał pośrodku szafiry o doskonałym szlifie, otoczone brylantami bez skazy. Był wystarczająco okazały, by zadowolić najbardziej wybredną damę, a mimo to delikatny i wcale nie ostentacyjny.

Pośpieszył na zaplecze i wrócił z trzema najdroższymi pierścionkami, jakie miał w sklepie, po czym wyłożył je na czarny aksamit tuż pod wiszącą lampą, aby możliwie najlepiej wyeksponować ich zalety.

Kiedy dżentelmen oglądał po kolei klejnoty, sprzedawca przyglądał mu się, czekając. Mężczyzna był wysoki, przystojny, o szerokich ramionach i dziwnie onieśmielający. Klejnoty w sklepie były naprawdę najwyższej jakości i sprzedawca bardzo się z tego cieszył, gdyż widać było, że tego klienta lepiej nie rozczarować.

Mężczyzna wziął do rąk ostatni pierścionek i jął przyglądać mu się uważnie. W chłodnych szarych oczach kłębiło się od emocji, których sprzedawca nie potrafił jednak odczytać. Niepokój, miłość, pożądanie? Jedno nie budziło wszakże wątpliwości: dominowała nadzieja i sprzedawca po prostu musiał się uśmiechnąć.

Zbyt rzadko praca, którą wykonywał z takim zaangażowaniem, bywała doceniana przez kogoś, kto naprawdę znał się na rzeczy.

– Wezmę ten. – Klient wskazał cudowny krąg idealnie oszlifowanych kamieni.

– Doskonały wybór, proszę pana. Ja też bym go wybrał. – Odniósł pozostałe pierścionki i wrócił z małym, aksamitnym puzderkiem, wyłożonym białą satyną. Gdy klient zapłacił, wsunął klejnot do pudełeczka i podał je nabywcy. – Wszystkiego najlepszego z okazji ślubu – powiedział.

– Dziękuję. – Wysoki mężczyzna uśmiechnął się, wsunął pudełeczko do wewnętrznej kieszeni doskonale skrojonego surduta, odwrócił się i wymaszerował ze sklepu.

Sprzedawca spoglądał w ślad za nim, zastanawiając się, czy rzeczywiście dżentelmen porusza się teraz bardziej żwawo, niż kiedy wchodził do sklepu. Lecz może tylko tak mu się wydawało.

Rozdział 15

Zapadła ciemność. Z północy nadciągnęła mgła, spowijając miasto kurtyną szarości. Ariel stała przy oknie w Czerwonym Pokoju, spoglądając w gęstniejący mrok, i rozmyślała o spotkaniu z Phillipem.

– Ariel? – Głos Justina, dobiegający z odległości ledwie metra, wyrwał ją z zamyślenia.

– Tak, milordzie?

Przygotowywał się do spotkania z Claytonem Harcourtem, co da jej okazję załatwienia raz na zawsze spraw z Phillipem. Dawno powinna była to zrobić.

– Wydajesz się dziś roztargniona. Coś się stało?

Serce podskoczyło jej w piersi.

– N–nnie, oczywiście, że nie. – Zmusiła się do uśmiechu. – Trochę boli mnie głowa. Chyba położę się wcześniej.

– Jeśli jesteś chora, mogę odwołać spotkanie i zostać z tobą w domu.

– Nie! To znaczy, nie bądź niemądry. Nim wrócisz, dawno mi przejdzie.

Przyglądał się jej przez chwilę uważnie i Ariel modliła się w duchu, żeby nie zauważył, jak bardzo jest zdenerwowana. W końcu skinął głową.

– Dobrze więc. Chyba już czas, bym wyszedł.

Pocałowała go posłusznie, a potem odprowadziła do drzwi, gdzie Knowles zarzucił mu na ramiona pelerynę.

Gdy wyszedł, odetchnęła z ulgą, a potem spojrzała na ozdobny zegar dziadunia, przypomniała sobie o spotkaniu z Phillipem i poczuła, że niepokój powraca. Westchnęła raz jeszcze i wróciła do swego pokoju. Wieczór ciągnął się w nieskończoność, gdy przemierzała wciąż od nowa pokój, czekając na umówioną godzinę. Nie cieszyła się na spotkanie, chciała tylko mieć je już za sobą. Jej życie wkrótce się zmieni. Prawnik Justina, pan Whipple, nie znalazł jeszcze lokum, do którego mogłaby się wprowadzić, była jednak pewna, że nastąpi to wkrótce. Tymczasem Justin przychodził do niej co noc, aby namiętnie się kochać. Zostawał niemal do świtu z Ariel przytuloną do boku i widać było, że niechętnie ją opuszcza.

Wierzyła, że z każdym dniem bardziej mu na niej zależy. Nie życzyła sobie, by jej problemy z Phillipem coś zepsuły.

Stojąc przy oknie sypialni, przyglądała się, jak pasma mgły snują się po alejkach i zastanawiała nad tym, co powie Phillipowi. Należało być szczerą i wyznać wprost, że go nie kocha. Prawdę mówiąc, teraz wiedziała już, że nigdy go nie kochała. Cokolwiek czuł do niej Phillip, nie było to odwzajemnione.

Chciała, by zniknął na dobre z jej życia, przestał zagrażać obecnemu szczęściu.

Spojrzała na zegar na kominku. Za pięć dziesiąta. Czas na nią. Chwyciła leżący na łóżku ciepły, wełniany szal, owinęła się nim i ruszyła ku schodom dla służby. Większość służących udała się już na spoczynek. Wymknęła się cicho i pobiegła wzdłuż kamiennej alejki ku stajniom za domem.

W środku panował półmrok, rozjaśniany jedynie światłem pojedynczej lampy. Pachniało maścią, nawozem, świeżo naoliwioną skórą i sianem. Weszła głębiej, wsłuchując się w ciche posapywanie koni, odgłosy podków uderzających o kamienną podłogę. Sprawdziła, czy w pobliżu nie ma stajennych, i zaczęła rozglądać się za Phillipem.

– Ariel... – zawołał cicho, wychodząc z mroku pustego boksu. – Cieszę się, że przyszłaś. Bałem się, że znów mnie zawiedziesz.

Podeszła bliżej, lecz zatrzymała się w pewnej odległości od niego.

– Nigdy nie chciałam cię zawieść, Phillipie. Czasami coś po prostu się dzieje.

Przysunął się bliżej. Czuła zapach jego wody kolońskiej, widziała złoty połysk włosów. Wyciągnął rękę i objął dłonią jej policzek.

– Wiesz, jak bardzo za tobą tęskniłem? Jak chciałem cię zobaczyć?

Ariel odwróciła się w przypływie poczucia winy.

– Muszę coś ci powiedzieć. Sądziłam... miałam nadzieję, że kiedy przeczytasz wiadomość, zrozumiesz.

Phillip zacisnął szczęki.

– Zrozumiesz, co? Że Greville cię uwiódł? Oszukał i zwabił do swego łóżka? Myślisz, że jestem głupi, Ariel? Że się tego nie domyśliłem?

Ariel otworzyła usta, aby zaprotestować, lecz słowa uwięzły jej w gardle i wydobyło się z niego jedynie słabe miauknięcie.

– Nie znasz go tak jak ja – mówił tymczasem Phillip. – Nie zdajesz sobie sprawy, do czego jest zdolny. Próbowałem ci powiedzieć. Ostrzec cię, lecz nie słuchałaś.

Ariel potrząsnęła głową.

– Mylisz się, jest dobry i uczciwy. Po prostu o tym nie wie.

– To łajdak, Ariel. Skradł ci dziewictwo. A może zaprzeczysz?

Odwróciła wzrok. Jej policzki pokrył rumieniec.

– Kocham go.

Phillip chwycił ją za ramiona.

– On cię wykorzystuje, nie widzisz tego? A gdy mu się znudzisz, porzuci.

Łzy zakłuły ją pod powiekami.

– Mylisz się. Nigdy by czegoś takiego nie zrobił.

– Nie wolno ci mu ufać, Ariel. Musisz opuścić to miejsce jeszcze tej nocy. Chodź ze mną, kochanie. To, co się wydarzyło, należy już do przeszłości. Zajmę się tobą, obronię przed Greville'em.

Potrząsnęła głową i uniosła wyżej brodę.

– Powiedziałam ci, co czuję. Proszę, Phillipie, idź już. Nie jesteś tu bezpieczny. Gdyby Greville dowiedział się, że przyszedłeś... – Zaczerpnęła gwałtownie oddechu, kiedy przyciągnął ją do siebie, położył dłoń z tyłu jej głowy i jął wyciskać na ustach karzące pocałunki. Wepchnął jej przy tym język w usta tak głęboko, że omal się nie zadławiła.

Naparła dłońmi na jego klatkę piersiową i spróbowała go odepchnąć, uwolnić się, a potem zesztywniała nagle, kiedy poczuła, że wsuwa dłoń za stanik sukni. Objął dłonią jej pierś i ścisnął bezlitośnie.

– Jesteś moja – wyszeptał. – Znalazłem cię pierwszy. – Rozdarł suknię, a potem koszulę, ocierając boleśnie sutki. Ariel stłumiła szloch i spróbowała go kopnąć, był jednak silniejszy, niż na to wyglądał. Rozdarła się jej spódnica i zburzyła fryzura. Zaczęła mocniej się opierać, teraz już nie na żarty przerażona. Poślizgnęła się i runęła na słomę, pociągając Phillipa za sobą.

– Puść mnie! – zażądała, próbując go zrzucić.

– Będę cię miał, przysięgam. Przywykłaś do smrodu stajni, urodziłaś się do tego. Powinienem był potraktować cię tak od początku.

Ariel próbowała krzyknąć, lecz zakrył jej usta dłonią, a drugą usiłował zadrzeć spódnice. Próbowała go ugryźć, wyrwać się, na próżno jednak. Poczuła, że odpina brycze-sy. A potem przygniatający ją ciężar zniknął nagle, niczym porwany nadnaturalną siłą. Phillip odwrócił się, gotów się bronić, kiedy solidna pięść wylądowała mu na policzku, posyłając na ścianę. Uderzył w nią z taką siłą, że z haka spadła ciężka uprząż – prosto na jego głowę.

Ariel podniosła wzrok i zobaczyła wysokiego, potężnie zbudowanego rudowłosego mężczyznę. Stał na szeroko rozstawionych nogach, zacisnąwszy dłonie w pięści. Cyrus McCullough, stajenny Justina. Zaczęła drżeć niepowstrzymanie i ledwie była w stanie mówić.

– Panie McCullough... dzięki Bogu, że pan przyszedł.

Phillip jęknął i otworzył oczy. Jego pierś to unosiła się, to opadała gwałtownie, z kącika ust sączyła się krew. Otarł ją wierzchem dłoni.

– Co ty, u diabła, wyprawiasz?

– Tam, skąd pochodzę, chłopcze – powiedział Cyrus – nie traktujemy zbyt dobrze tych, którzy próbują wziąć siłą niechętną panienkę.

Phillip zacisnął szczęki, zrzucił z siebie uprząż i stanął chwiejnie na nogi. Ariel przerzuciła opadające teraz swobodnie włosy na plecy i spróbowała otrząsnąć spódnicę ze źdźebeł słomy. Nie była jednak w stanie tego zrobić. Za bardzo trzęsły się jej ręce.

– Skąd pan wiedział, że tu jesteśmy?

– Mieszkam na górze i usłyszałem jakieś hałasy. Pomyślałem, że lepiej zejdę i sprawdzę, co to takiego.

– Dziękuję panu. Nie wiem, co by się stało, gdyby nie zjawił się pan w porę.

Phillip zacisnął blade dłonie i utkwił mordercze spojrzenie w Cyrusie.

– Jestem synem lorda. Wiesz, co to znaczy, staruszku? Spędzisz następnych dwadzieścia lat w Newgate za to, co mi zrobiłeś.

– Nic podobnego – wtrąciła Ariel, obrzucając Phillipa pełnym pogardy spojrzeniem. – Wspomnij o tym choć słówko, a pójdę do Greville'a i powiem mu, że próbowałeś mnie zgwałcić. – Nawet w ciemności widać było, że Phillip zbladł. – Nie chcę kłopotów i ty też wolałbyś ich uniknąć. Nikt z nas nie zająknie się słowem o tym, co się tu dziś wydarzyło. Słyszysz, Phillipie?

Zaklął pod nosem, a potem przeczesał dłońmi włosy i skinął niechętnie głową.

– Wróć lepiej do domu, panienko, nim zauważą, że cię nie ma.

Ariel przytaknęła i uśmiechnęła się z wdzięcznością do Cyrusa.

– Jeszcze raz dziękuję. – Zerknęła po raz ostatni na Phillipa i wyszła. Stukot zamykających się drzwi zagłuszył odgłos kolejnego ciosu, jaki Szkot wymierzył Phillipowi.

* * *

Justin stał przy oknie pogrążonej w mroku sypialni, przyglądając się, jak Ariel opuszcza stajnię. W świetle wyglądającego zza chmur księżyca widać było wyraźnie, że ma rozdartą suknię i stanik. Pasma długich blond włosów powiewały na wietrze, uwolnione z upięcia. Szal, który miała na sobie, wychodząc, zniknął, a gdy skierowała się do wejścia dla służby, zauważył, że do spódnicy przyczepiły się z tyłu źdźbła słomy.

Zamknął oczy, walcząc z falą mdłości. Ciężar, który przygniótł mu nagle piersi, uniemożliwiał wręcz oddychanie.

Wrócił do domu kilka minut po tym, jak wyszedł. Wśliznął się przez boczne drzwi i wszedł niepostrzeżenie na górę. Obserwował Ariel przez cały wieczór i widział, że z każdą godziną staje się coraz bardziej spięta.

Zdawał sobie, oczywiście, sprawę, że go okłamała. I był zdecydowany dowiedzieć się dlaczego.

Teraz już wiedział.

Gniew zmieszany z rozpaczą sprawił, że zadrżał. Jedynie przypadek sprawił, że zauważył Phillipa Marlina w alejce z tyłu domu i widział, jak wchodzi do stajni.

Przedtem przysłuchiwał się, jak Ariel wychodzi z pokoju. Był niemal pewny, że dziewczyna opuści zaraz dom i zastanawiał się, dokąd zamierza się udać i czemu nie chce, by on o tym wiedział.

Gdy tylko zobaczył, że Marlin wchodzi do stajni, prawda uderzyła weń z siłą gromu, choć w pierwszej chwili nie mógł uwierzyć świadectwu swych oczu. Czekał, obserwując stajnię i mając nadzieję, że Ariel do niej nie wejdzie, że jest jakieś inne wytłumaczenie. Przemknęło mu przez myśl, by zejść i ich zaskoczyć, lecz Marlinowi już raz udało się go poniżyć, nie zamierzał więc pozwolić mu na to znowu. Zamiast tego tkwił nieruchomo przy oknie ze ściśniętym żołądkiem i mokrymi od potu dłońmi, modląc się, by jego przypuszczenia okazały się niesłuszne.

A potem Ariel wyszła wreszcie z stajni – w podartej sukni, oblepionej pyłem i słomą, z rozpuszczonymi włosami. Było oczywiste, że pieprzyła się z Marlinem. Ból, który wzbierał mu w piersi, wybuchnął nagle niczym pękający wrzód, przynosząc niewypowiedziane cierpienie.

Nie sądził, iż jest w stanie tak cierpieć. Ariel mu to zrobiła, zburzyła ochronny mur, który tak starannie wokół siebie zbudował, pozostawiając go bezbronnym, pokonanym i krwawiącym. Pusta skorupa po mężczyźnie, jakim był przedtem.

Teraz jej nienawidził. Bardziej nawet za to, że osłabiła jego siły obronne, niźli za zdradę. Poruszał się jak mechaniczna zabawka po sypialni oświetlonej jedynie promieniami księżyca, przenikającymi dzielone kamiennymi słupkami okna. Nie zapalając lampy, opadł na krzesło przed kominkiem i zastygł w bezruchu, wpatrując się w wystygłe palenisko i czując, jak przenika go chłód.

Serce łomotało mu w piersi, martwy kawałek mięsa, który powinien być znieczulony, a jednak pulsował bólem. Jak mógł do tego odpuścić? Tak się zaangażować?

Ariel. Już samo wypowiedzenie jej imienia, choćby w myślach, wzmagało ból. Roztopiła jego lodową tarczę ochronną fałszywą radością życia i wykalkulowanym ciepłem. Oczarowała go, zdradziła, praktycznie wykastrowała.

Wpatrywał się w zimne, wygasłe popioły w palenisku i przyszło mu na myśl, że przypominają jego życie. W wieku dwudziestu ośmiu lat był już wyzuty z uczuć i zobojętniały, z zamarzniętym sercem i duszą zimną jak lodowiec.

Roześmiał się chrapliwie i przesunął drżącą dłonią po twarzy zaskoczony, że łzy, które spłynęły mu po policzkach, nie zamieniły się w lód.

* * *

Posłał po Ariel późnym rankiem. Nie spał przez całą noc i choć oczy miał zapadnięte i podkrążone, nic w jego twarzy nie odzwierciedlało przeżytych emocji. Nie dopuści, by ktokolwiek domyślił się, co czuje. Nie dziś. I nigdy więcej.

Czekając, aż zejdzie do gabinetu, strzepnął pyłek z rękawa czarnego surduta i wyprostował mankiety białej koszuli. Ubrał się tego ranka szczególnie starannie, wybierając poważny strój, być może jako znak, że zakończył właśnie szczególny etap w życiu.

Ariel zapukała krótko, a potem weszła i zamknęła za sobą drzwi. Uśmiechnęła się do niego ciepło, choć wydawała się odrobinę wytrącona z równowagi. Nie przyszedł do niej zeszłej nocy. Może zastanawiała się dlaczego.

– Dzień dobry, milordzie.

– Dzień dobry, Ariel. Ufam, że spałaś dobrze.

Policzki dziewczyny pokrył lekki rumieniec.

– Nie tak dobrze, jak bym mogła.

Jeszcze wczoraj ta aluzja do jego nieobecności sprawiłaby mu przyjemność. Teraz sprawiła jedynie, że zacisnął szczęki.

– Tęskniłam za tobą, myślałam… miałam nadzieję, że przyjdziesz do mnie, gdy wrócisz.

Jak ona to robi? Jak to możliwe, by czasem kłamać tak nieudolnie, a innym razem z wprawą prawdziwej mistrzyni?

– Spotkanie przeciągnęło się do późna. Clayton i ja... coś nam przeszkodziło.

Jej ładna twarzyczka posmutniała.

– Och. – Miała na sobie żółtą wełnianą suknię, a jasne włosy przytrzymywały po bokach grzebyki z macicy perłowej, które kupił dla niej w Tunbridge.

Boże, ależ była śliczna. Najgładsza skóra i najbardziej niebieskie oczy, jakie kiedykolwiek widział. To zadziwiające, ale choć nią pogardzał, nadal jej pragnął. Poczuł narastające podniecenie. Nie zamierzał kochać się z nią, nim ją odprawi, ale właściwie, dlaczego nie? On i Marlin pieprzyli już wcześniej te same kobiety. Teraz sytuacja wydawała się podobna.

– Podejdź tu, Ariel.

Spojrzała na niego i uśmiechnęła się, lecz ciepło widoczne w jej spojrzeniu już na niego nie działało. Jego serce chroniły znowu pokłady lodu i nie zamierzał dopuścić, by je stopiła. Podeszła do miejsca, gdzie stał oparty o szafki z aktami.

– Dużo wczoraj zrobiłam – powiedziała, zatrzymując się przed nim. – Sprawdziłam wszystkie wyliczenia i...

Uciszył ją gwałtownym pocałunkiem. Stężała na moment, zaskoczona, lecz zaraz rozluźniła się i rozchyliła usta. Justin złagodził pocałunek. Chciał zapamiętać ten ostatni raz. Jeśli kiedyś pozwoli sobie o niej pomyśleć, a nie zdarzy się to zbyt prędko, chciał pamiętać słodycz zwycięstwa i to, jak posiadł ją dokładnie i całkowicie tuż przed tym, zanim odesłał ją do Marlina.

Pocałował Ariel znowu, pieszcząc językiem wnętrze jej ust, a dłońmi piersi, aż zesztywniały jej sutki, pulsując pożądaniem. Jęknęła cicho i objęła go za szyję. Justin obrócił się i pociągnął ją za sobą. Zamienili się pozycjami i teraz to Ariel stała, przyciśnięta plecami do biblioteczki. Wsunął kolano pomiędzy jej uda, trącając wzgórek i unosząc ją nieco nad podłogę. Usłyszał, jak wciąga gwałtownie powietrze, poczuł, że zatapia palce w jego barkach.

Sięgnął w dół, wsunął rękę pod spódnicę i uniósł ją, przesuwając dłonią po udzie Ariel. Pogłębił pocałunek, dłoń zastąpiła kolano. Pieścił ją, póki nie zwilgotniała i nie była gotowa.

Nie przerywając pocałunku, rozpiął guziki bryczesów i uwolnił członek. Był twardy jak kamień.

– Rozsuń dla mnie nogi, Ariel.

Zachwiała się lekko, zrobiła jednak, co jej polecił, otwierając się dla niego, ufając mu tak, jak on ufał kiedyś jej. Rozdzielił fałdki jej płci i wsunął się w nią jednym mocnym pchnięciem.

Jęknęła, gdy zaczął się poruszać, wbijając się bezlitośnie w jej ciało i unosząc ją nad podłogę. Zadrżała, głowa opadła jej do tyłu. Justin ucałował jej szyję, a potem skubnął ją z lekka zębami. Przywarła doń, szepcząc jego imię.

Uśmiechnął się w duchu, kiedy wnętrze jej ciała zacisnęło się wokół członka. Mimo to nie przestawał wbijać się w nią, póki nie szczytowała drugi raz. Dopiero wtedy pozwolił sobie zaznać ulgi, pompując w nią bezlitośnie, biorąc to, czego pragnął, i wypełniając jej łono gorącym nasieniem.

Po chwili odwrócił się, zaczekał, aż uspokoi mu się oddech i zapiął jak gdyby nigdy nic bryczesy. Musiało być coś w wyrazie jego twarzy – a może raczej czegoś tam zabrakło – co zaalarmowało Ariel.

– Justinie...?

Odwrócił się i spojrzał na nią z takim spokojem i obojętnością, że zbladła.

– Wezwałem cię tutaj w pewnym celu – powiedział rzeczowo. – Pora, byśmy załatwili wreszcie nasze sprawy.

– W jakim celu? Co się stało, Justinie?

– Wczorajszego wieczoru Clayton i ja... cóż, spędziliśmy go w doprawdy czarującym towarzystwie. – Było to oczywiście kłamstwo, ponieważ nie wychodził wcale z sypialni, ale nie czuł się już zobowiązany, by mówić jej prawdę.

– Czarujące towarzystwo? Masz na myśli... kobiety?

– Przykro mi, moja droga, wiedziałaś jednak, że prędzej czy później tak się stanie. Byłaś całkiem dobra, prawdę mówiąc lepsza, niż się spodziewałem, mężczyzna potrzebuje jednak odmiany. A skoro tak się sprawy mają, lepiej będzie, jak opuścisz ten dom.

– Ty... mnie odsyłasz?

– Pomyśl o tym raczej jako o zwolnieniu z pracy.

– Ale co z tym... tym, co przed chwilą zrobiliśmy? – spytała zaszokowana.

– Nie wezwałem cię po to, żeby się pieprzyć, ale to miłe zakończenie znajomości, nie sądzisz?

Z gardła Ariel dobył się zduszony dźwięk. Zbladła jak papier i uchwyciła się kurczowo blatu biurka.

– Chcesz powiedzieć, że między nami wszystko skończone. Że już mnie nie chcesz...

Wzruszył ramionami.

– Apetyczny z ciebie kąsek, więc trudno traktować sypianie z tobą jako uciążliwy obowiązek. Po prostu pojawił się ktoś, kogo pragnę bardziej.

Oczy Ariel wypełniły się łzami. Wielkie błyszczące krople spłynęły po bladych policzkach. W przeszłości trudno byłoby mu znieść taki widok. W przeszłości, lecz już nie teraz.

Otarła je drżącą dłonią i uniosła wyżej brodę.

– Będę musiała znaleźć sobie jakieś mieszkanie. Daj mi dzień lub dwa...

– Wolałbym, żebyś odeszła jeszcze dzisiaj. – Sięgnął do kieszeni kamizelki, wyjął pojedynczą gwineę i wcisnął jej w dłoń. – To powinno wystarczyć, póki nie znajdziesz sobie nowego protektora. – Z Marlinem na podorędziu z pewnością nie potrwa to długo.

Na myśl o nich dwojgu razem poczuł, że w gardle rośnie mu kula. Zacisnął szczęki tak mocno, że na policzku zadrgały mięśnie.

Ariel zacisnęła palce na monecie i spojrzała na niego.

– Nie myliłam się co od ciebie – powiedziała cicho.

– Jesteś podły i okrutny. Nie masz serca. Jak mogłam być taka głupia?

Justin nie zareagował, przyglądał się tylko, jak Ariel unosi wysoko brodę, prostuje ramiona i przemierza ze spokojną godnością pokój.

Jeśli ktoś tu był głupcem, to z pewnością on. Pomyślał o cudownym pierścionku, który kupił, wymarzonym szczęściu z Ariel, i poczuł ból w sercu. Stwardniało i zmieniło się w bryłę lodu, nim wyszła z pokoju i zamknęła za sobą drzwi.

Powstrzymując z trudem łzy, otępiała z szoku i bólu, zamknęła drzwi garderoby w swojej sypialni, zostawiając wszystkie drogie stroje, które kupił jej Greville. Zabrała kilka niezbędnych rzeczy, pożegnała się z zapłakaną Silvie, wzięła do rąk torbę z ozdobnie tkanego materiału i opuściła dom.

Kiedy znalazła się na ulicy długo wstrzymywane łzy popłynęły wreszcie strumieniem, zalewając jej twarz i oczy tak, że ledwie była w stanie widzieć.

Boże, Boże, jak on mógł? Zaszlochała gorzko. Myślała, że go zna. Ufała mu. Zakochała się w nim.

Nie znała jednak zimnego, bezlitosnego, pozbawionego uczuć mężczyzny, jakim był tego dnia w gabinecie. Mężczyzny, który kochał się z nią, by zaspokoić chwilowe pożądanie, a potem wyrzucił jak znoszony but.

Boże święty! Objęła się ramionami w talii i jęknęła cicho. Przez wszystkie te lata, kiedy musiała znosić razy ojca ani razu nie cierpiała aż tak bardzo, nie czuła takiego bólu, niemożliwej do zniesienia tortury. Nie była też tak zagubiona, pozbawiona celu i kierunku. Nie miała dokąd pójść ani nie miała pojęcia, co ze sobą zrobić. Została jej tylko moneta, którą dał jej, gdy ją wyrzucał. Jedyna przyjaciółka, Kassandra Wentworth, przebywała gdzieś we Włoszech, setki mil od Londynu. W przeszłości mogłaby pójść do Phillipa, lecz po tym, co zrobił, wiedziała już, że nie warto.

Phillip był taki jak Justin. Nieczuły, kłamliwy oszust. Może nienawidzili się dlatego, że aż tak byli do siebie podobni.

Zmierzając przed siebie chwiejnie ulicą, z cierpieniem w sercu i oczami pełnymi łez, potknęła się i o mało nie przewróciła. Uchwyciła się metalowego ogrodzenia, próbując skupić się i coś postanowić, umysł miała jednak otępiały, w głowie gonitwę myśli. Szła więc po prostu tam, dokąd niosły ją nogi, przemierzając godzinami ulice.

Dzień chylił się ku końcowi. Wkrótce zapadnie zmrok i będzie potrzebowała schronienia. Spojrzała na swoją rękę, jakby była oddzielona od ciała, zobaczyła, że nadal ściska w niej rączkę torby. Przypomniała sobie, że ma w torbie cały swój dobytek oraz monetę, którą dał jej lord. Jeśli się postara, może uda się za nią przeżyć, póki nie znajdzie jakiegoś zatrudnienia.

Zaczerpnęła oddechu i rozejrzała się dookoła. Zawędrowała dalej, niż sądziła. Budynki były tu mocno zaniedbane, w niektórych oknach brakowało szyb, a okiennice zwisały luźno na zawiasach. Nie miała pojęcia, gdzie jest, okolica wydawała się wszakże znacznie podlejsza niż ta, z której przyszła. Pośrodku ciągu budynków stał jednak niewielki hotel. Może znajdzie w nim tani nocleg.

Weszła do brudnego holu i postawiła torbę na przetartym dywanie.

– Proszę pana? Zechciałby mi pan pomóc?

Urzędnik o czerwonej twarzy oderwał wzrok od stosu papierów i zmarszczył brwi, spoglądając na nią spod daszka z brązowej skóry zakrywającego niemal zupełnie przerzedzone włosy.

– Chce pani wynająć pokój?

– Zgadza się. Nic wyszukanego, zwyczajny...

Rozejrzał się dookoła, nie dostrzegł jednak nikogo.

– Jest pani sama? – wtrącił.

– Tak – odparła.

Przyjrzał się jej uważnie, szacując wzrokiem prostą suknię z brązowej wełny z białą wypustką pod szyją i brązowy kapelusik.

– Gdzie pani mąż? Uciekła pani od niego?

– Nie! Nie jestem... nie jestem mężatką.

Urzędnik spochmurniał jeszcze bardziej i potrząsnął głową.

– Przykro mi. Takie jak pani sprawiają jedynie kłopoty. Nie chcemy tutaj kłopotów.

Ariel spłonęła rumieńcem. Boże, wziął ją za kobietę na jedną noc!

– Zapewniam pan, że nie jestem... taka. Byłam... byłam po prostu... – Zastanawiała się gorączkowo, jak wytłumaczyć mężczyźnie, dlaczego jest sama w mieście o tej porze. – Miałam spotkać się tutaj z kuzynką. Coś musiało ją zatrzymać, a ja nie mam się gdzie podziać. Potrzebuję pokoju, póki się nie spotkamy.

Mężczyzna potrząsnął jednak tylko głową.

– Proszę spróbować gdzie indziej.

Widziała, że prośby na nic się zdadzą. Wyszła więc na ulicę, walcząc z kolejnym przypływem łez. Justin musiał wiedzieć, co się wydarzy, gdy ją wyrzuci. Myliła się co do niego, i to zupełnie. Nigdy mu na niej nie zależało. Nic dla niego nie znaczyła. W sercu czuła ból tak wielki, że ledwie była w stanie oddychać.

Spróbowała szczęścia w dwóch innych hotelach z podobnym rezultatem i wylądowała wreszcie w dusznym pokoiku nad barem w gospodzie na Strandzie. Z dołu dobiegały co prawda pijackie śpiewy i rubaszny śmiech, lecz pokój był czysty i miał solidny zamek.

Opadła na wąskie łóżko pod ścianą. Pomyślała o Justinie. Jak to się stało, że popełniła okropny błąd? Dlaczego nie zorientowała się, jaki naprawdę jest? Jak mogła aż tak źle go ocenić? Na to nie było jednak odpowiedzi. Położyła się w ubraniu i spróbowała zasnąć, godzin mijały wszakże jedna za drugą, a ona nie zmrużyła nawet oka. Gdy wzeszło słońce, nadal leżała skulona, otępiała z bólu i rozpaczy. Próbowała nie myśleć o czułym, wrażliwym mężczyźnie, jakiego udawał Justin, wspomnienia nie dawały się jednak odpędzić. Śmiali się razem w Tunbridge Wells. Pomagała mu w prowadzeniu ksiąg, planowaniu budowy kamiennych domków dla robotników w Cadamon. Kochała się z nim czule w przytulnej willi, którą wynajął.

Ranek minął i nastało popołudnie. Spróbowała zmusić się, by wstać i wyjść, lecz była wyczerpana, kompletnie wyzuta z sił. Nie wiedziała, co mogłaby zrobić, a nawet gdyby wiedziała, nie starczyłoby jej na to woli. Siedziała zatem w bezruchu, z dłońmi oraz stopami zdrętwiałymi z zimna, wsłuchując się w niemrawe bicie złamanego serca.

Minął kolejny dzień. Wspomnienie Justina zatarło się nieco, ból nie był już tak ostry. Wiedziała teraz, że wszystko było kłamstwem. Jego nieczęsty, piękny śmiech, troska, nic nie było prawdziwe. Wypierała wspomnienia jedno po drugim, spychając je w zakamarki pamięci, grzebiąc głęboko w sercu.

Nim wyszła następnego ranka z pokoju, osłabiona brakiem jedzenia, z oczami zapuchniętymi i czerwonymi od łez, pogodziła się z tym, że Justin Ross był naprawdę tak zimny i bez serca, jak w dniu, gdy ją wyrzucił.

I znienawidziła go za to.

Znienawidziła też siebie, ponieważ zbyt łatwo dała się omotać. Przysięgła sobie w duchu, że nie będzie już nigdy tak ufna, tak łatwowierna. Odebrała bolesną lekcję, lecz była młoda i miała przed sobą całe życie. Znajdzie sposób, by przetrwać, jak wtedy gdy miała czternaście lat.

Tylko, że odtąd zacznie polegać wyłącznie na sobie. Nieważne, ile będzie ją to kosztowało. Jak ciężko będzie musiała pracować i jaką cenę zapłacić.

A ilekroć zabraknie jej wytrwałości, pomyśli o zimnym, nieczułym mężczyźnie, którego, jak jej się zdawało, kiedyś kochała. I będzie wdzięczna losowi za to, że się od niego uwolniła.

Rozdział 16

Clayton Harcourt wszedł do gabinetu Justina w domu przy Brook Street. Nie widział przyjaciela od ponad tygodnia. Justin nie pojawił się na umówionym spotkaniu w klubie, przysłał jedynie liścik z przeprosinami. Poza tym nie miał od niego żadnych wiadomości i, prawdę mówiąc, trochę się martwił.

Poza wszystkim, Justin nie zwykł zaniedbywać interesów.

Znalazł go pracującego za biurkiem. Wstał, by się przywitać i kiedy Clay go zobaczył, zatrzymał się w pół kroku, zaskoczony. Zmizerniały, z zapadniętymi policzkami wyglądał, jakby przebył dopiero co poważną chorobę. Ale to jego oczy sprawiły, że Clayowi ścisnęło się serce. Wydawały się puste, wyzute z wszelkich uczuć i wiedział już, że cokolwiek się wydarzyło, musiało mieć coś wspólnego z Ariel.

– Dobrze cię widzieć – powiedział Justin, wychodząc zza biurka. Wyciągnął na powitanie dłoń. – Przepraszam, że nie stawiłem się na spotkanie... Coś mi niespodziewanie wypadło.

– Pomyślałem, że lepiej zajrzę. To do ciebie niepodobne zaniedbywać interesy.

– Tak, cóż, przepraszam także i za to. Podpisałem niezbędne papiery. Możemy w każdej chwili sfinalizować umowę dotyczącą kopalni.

Clay skinął jedynie głową. Nie był w stanie oderwać wzroku od mężczyzny o pustym spojrzeniu, którego miał przed sobą.

– To oczywiste, że stało się coś złego – powiedział łagodnie. – I cokolwiek to było, miało coś wspólnego z dziewczyną.

Justin odwrócił się.

– Wolałbym o tym nie mówić, jeśli można. Powiem tylko, że ślubu nie będzie.

– Tak po prostu?

Justin wzruszył ramionami.

– I bardzo dobrze. Raczej nie nadaję się na męża.

– Gdzie ona jest?

Justin sięgnął do stosu papierów na biurku i zaczął je przekładać.

– Zapewne znalazła już sobie innego opiekuna.

Zabrzmiało to obojętnie, lecz kiedy podniósł wzrok, w jego spojrzeniu było tyle cierpienia, że Clay poczuł się, jakby ktoś go uderzył. Chciał zapytać, co się właściwie wydarzyło, jednak naciskanie na Justina nie przyniosłoby nic dobrego. Jego gospodyni, pani Daniels, ma przyjaciół wśród służby Justina. Poprosi ją, aby dyskretnie ich wypytała.

– Na pewno dobrze się czujesz? – zapytał. – Nie wyglądasz najlepiej. – Tylko raz widział przyjaciela tak zamkniętego w sobie, tak boleśnie wyobcowanego: po tym, jak przyłapał Margaret Simmons w łóżku z Phillipem.

Marlin? Niemożliwe. Bóg nie mógłby być aż tak okrutny. Lecz kiedy Justin ją poznał, Ariel była zadurzona w Marlinie, a ten potrafił radzić sobie z kobietami.

– Wszystko ze mną w porządku – powiedział Justin. – Jestem tylko trochę zmęczony.

Sądząc z tego, jak wyglądał, było to niedopowiedzenie roku. Clay zmusił się, by się uśmiechnąć.

– Skoro jesteś znów wolny, może wybralibyśmy się do madame Charbonnet? – Zapytał jedynie po to, aby wybadać grunt i zobaczyć reakcję przyjaciela.

Justin wykrzywił wargi w najbardziej lodowatym uśmiechu, jaki Clay widział kiedykolwiek.

– Doskonały pomysł. Muszę wyjechać na kilka dni z miasta, lecz kiedy wrócę, na pewno się tam wybierzemy. W końcu każda kobieta jest równie dobra, kiedy leży pod tobą na plecach.

Gorzkie słowa – zbyt ostre nawet jak na Justina – sprawiły, że Clayowi ciarki przebiegły po plecach. Jeśli przedtem Justin był chłodny w obejściu i zawsze czujny, teraz wydawał się wykuty z lodu.

Pomyślał o Ariel Summers i pożałował, że nie może objąć dłońmi smukłej szyi dziewczyny i wydusić z niej życia.

Tak, jak ona zrobiła to z jego przyjacielem.

* * *

Lodowaty jesienny wiatr wciskał się w szpary pokoiku na poddaszu gospody Pod Złotą Kuropatwą. Ariel drżała, próbując zatrzymać ciepło. Pieniądze dawno się skończyły, jednak właściciel pozwolił jej pracować w kuchni, w zastępstwie za Daisy Gibbons, która miała wkrótce urodzić. Płacił jednak nędznie, poza tym tak naprawdę wcale jej nie potrzebował. Gdy dziecko przyjdzie na świat, Daisy wróci do pracy i Ariel będzie musiała odejść.

– Co ja pocznę? – spytała po raz kolejny Agnes Bimms, kucharkę, szorując dno wielkiego żeliwnego czajnika. – Pan Drummond zrobił, co mógł, aby mi pomóc, lecz Daisy urodzi lada chwila. Potrzebuje pieniędzy, wróci zatem do pracy, gdy tylko stanie się to możliwe. Odpowiadałam na ogłoszenia w gazetach, pukałam do drzwi, próbowałam znaleźć zajęcie przez agencję. Zrobiłam wszystko, co tylko przyszło mi na myśl. Bez referencji nikt mnie nie zatrudni.

– Ciężki wstyd, zważywszy, jak jesteś wykształcona, i w ogóle. Byłabyś doskonałą guwernantką w domu jakiegoś bogacza z West Endu. Wstyd, powtarzam.

– Muszę pracować. Wezmę, co się nadarzy.

Agnes uniosła posiwiałe brwi. Była niską, przysadzistą kobietą z puszkiem na brodzie i łagodnym spojrzeniem niebieskich oczu.

– Możesz spróbować czegoś jeszcze.

Ariel uniosła głowę.

– Czego, Aggie?

– W sobotę w parku na rogu odbędzie się targ mioteł. Mogłabyś tam spróbować.

– Targ mioteł? Nie mam pojęcia, co to takiego.

– Szukają ludzi do pracy, nie rozumiesz? Idziesz tam, a ktoś, kto potrzebuje służącej lub robotnika, przygląda ci się i jeśli spodoba mu się to, co zobaczy, zatrudnia cię na rok. A potem na stałe, jeśli okażesz się dobrym nabytkiem.

Ariel uśmiechnęła się z nadzieją.

– Och, Aggie, to cudowny pomysł. Z pewnością znajdzie się ktoś, kto będzie poszukiwał dobrej pracownicy.

– Na pewno, kochanie. – Agnes podała jej kolejny gar do szorowania, lecz nawet ciężka praca nie była w stanie zetrzeć z twarzy Ariel uśmiechu. Tym razem znajdzie pracę, była o tym przekonana.

W piątek Daisy Gibbons wróciła do kuchni, a w sobotę Ariel spakowała torbę, opuściła pełen przeciągów pokoik na poddaszu i ruszyła na targ mioteł. Ubrana w prostą brązową spódnicę, białą bluzkę i mocne buty stawiła się na miejscu jako jedna z pierwszych. Zastanawiała się, czy nie włożyć czegoś ładniejszego, może szarej miękkiej wełny, jednej z dwóch modnych sukien, które pozwoliła sobie zatrzymać w nadziei, iż uda jej się dostać pracę guwernantki, pozwalającą wykorzystać z trudem zdobytą wiedzę. Przeczucie podpowiadało jej wszakże, iż bez referencji szanse na to są znikome, a zajęcie pokojówki łatwiej będzie uzyskać, jeśli ubierze się jak najskromniej.

Około dziesiątej targ pełen był ludzi. Na jednym końcu trawnika zbudowano platformę. Zebrał się wokół niej tłum osób ubranych dobrze albo zdecydowanie skromniej. Ci pierwsi przybyli ewidentnie po to, by znaleźć pracownika. Kandydaci do zatrudnienia wchodzili na platformę, aby zaprezentować się ewentualnym pracodawcom.

Ariel pomyślała z drżeniem, że to jak kupowanie bydła na wiejskim targu. Wolałaby uniknąć takiego upokorzenia, nie miała jednak wyboru. Przez chwilę po prostu obserwowała otoczenie. Zauważyła, że osoby poszukujące konkretnego zajęcia przyniosły ze sobą przedmioty, które to zajęcie symbolizowały. I tak wozacy zawiązali wokół denka czapki kawałek rzemienia, strzecharze trzymali zaś plecionki ze słomy.

Nie była pewna, co symbolizuje zwykłą służącą, odczekała zatem jeszcze chwilę. Badała wzrokiem tłum, szukając kogoś, kto mógłby być zainteresowany zatrudnieniem guwernantki, ale nikogo takiego nie było. Weszła więc na platformę z grupą młodych kobiet, starających się o posadę osobistej pokojówki, lecz wszystkie miały doświadczenie lub referencje i nikt nie zechciał zatrudnić Ariel.

Wchodziła na platformę jeszcze dwa razy, z kandydatkami na stanowisko podkuchennej lub gospodyni, z tym samym rezultatem. W końcu pojawił się ktoś szukający pokojówki. Ariel postanowiła, że nie da się zniechęcić.

Dobrze ubrany mężczyzna o rzednących brązowych włosach stał na ziemi, przyglądając się uważnie dziewczętom poszukującym pracy. Ariel została pominięta tyle razy, że kiedy wskazał na nią i skinął, by się zbliżyła, w pierwszej chwili nie zareagowała. W końcu ruszyła się jednak, próbując spowolnić gwałtownie bijące serce. Sądziła, że mężczyzna zapyta ją, jak długo pracowała jako pokojówka, jednak tym razem brak doświadczenia zdawał się nie stanowić przeszkody.

– Ile masz lat? – zapytał.

– Dziewiętnaście.

– Skąd jesteś?

Ariel zwilżyła nerwowo wargi. Nie miała gdzie spędzić nocy i ani grosza przy duszy. Zmówiła w duchu modlitwę, prosząc Boga, aby mężczyzna dał jej pracę.

– Urodziłam się na farmie w wiosce należącej do lorda Greville'a.

– Masz w Londynie rodzinę?

Potrząsnęła głową.

– Zatem będziesz potrzebowała pokoju?

– Tak, proszę pana.

Skinął głową, wyraźnie usatysfakcjonowany.

– Zabierz swoje rzeczy – powiedział.

– Da mi pan pracę? – Ledwie mogąc uwierzyć w swoje szczęście, pośpieszyła ku zejściu z platformy. Serce biło jej mocno z podekscytowania.

– Lord Horwick da ci pracę. Jestem Martin Holmes, jego rządca. – Szli przez chwilę obok siebie, a potem Holmes powiedział, wskazując otwarty powóz: – Zaczekaj tam. Gdy skończę, zawiozę cię do domu i będziesz mogła się rozlokować.

– Tak, proszę pana. – Dygnęła lekko. – Dziękuję.

Zalała ją fala ulgi. Będzie miała dach nad głową i pełny brzuch. A może lord ma dzieci albo zna kogoś, kto je ma. Z czasem, jeśli się wykaże, może uda jej się zdobyć posadę guwernantki.

Dobre samopoczucie towarzyszyło jej do chwili, kiedy usłyszała, jak dwie mijane kobiety szepczą:

– Biedactwo. Nie wie, co za drań ze starego Horwicka. Nie miną dwa miesiące, a będzie nosiła w brzuchu jego bękarta.

Ariel spłonęła rumieńcem, lecz się nie zatrzymała. Potrzebowała pracy, nieważne u kogo. Jeśli pojawi się problem, wyjaśni lordowi, że jest pokojówką, nie ulicznicą.

Wspomniała, jak Phillip omal jej nie zgwałcił, a potem pomyślała o Greville'u. Poradziła sobie z łotrami gorszymi niż rozpustny, starzejący się arystokrata. Jeśli Horwick miał na myśli coś więcej niż tylko zatrudnienie jej w roli pokojówki, szybko uświadomi mu, jak bardzo się pomylił.

* * *

Justin odchylił się na wyściełane złotym brokatem oparcie sofy w lokalu madame Charbonnet. Clay siedział na krześle obok, z jedną nogą założoną swobodnie na drugą. Obaj przyglądali się paradującym przed nimi pięknym, niemal nagim kobietom. Clay wybrał wysokiego rudzielca z delikatnym francuskim akcentem. Dziewczyna stała teraz za nim, masując mu delikatnie kark, kiedy dopijał brandy czekając, aż Justin dokona wyboru.

– Może ta brunetka? – zasugerowała Celeste Charbonnet, wysoka kobieta po trzydziestce, ciemnowłosa i elegancka, o doskonałym guście w każdej kwestii: od ubrań po znakomite francuskie wina. Zarobiła fortunę, zaspokajając potrzeby mężczyzn, a kobiety, które zatrudniała, były nie tylko najpiękniejsze, lecz i najbardziej utalentowane w całym Londynie.

– Gabrielle ma skórę miękką i delikatną jak niemowlę, a dłonie… tak piękne dłonie zadowoliłyby nawet najbardziej wymagającego mężczyznę. – Dziewczyna o kasztanowych włosach, która paradowała właśnie przed nimi, była niezwykle piękna, mimo to Justin potrząsnął głową.

– Myślę, że dzisiaj miałbym ochotę na blondynkę.

Gabrielle przyjęła odmowę z uśmiechem. W lokalu przebywało tego wieczoru wielu gości. Nie będzie miała kłopotu ze znalezieniem towarzystwa.

Justin spojrzał na zasłony ze złotego aksamitu. Rozsunęły się, ukazując młodą blondynkę, niewysoką, ale o pełnej figurze. Uśmiechała się uwodzicielsko, zmierzając ku niemu odziana jedynie w przejrzysty łaszek z fiołkowego jedwabiu, zakrywający ją od ramion po biodra. Justin zmarszczył brwi.

– Za niska. Wolałbym wyższą.

Zza zasłony wyszły dwie blondynki, norweskie bliźniaczki. Były piękne, o silnym kośćcu i eleganckiej budowie.

– Potrafią zapewnić podwójną przyjemność – zarekomendowała je Celeste.

Lecz coś z nimi było nie tak. Może kolor oczu. Nie był w stanie tego sprecyzować. Po prostu wiedział, że nie będą w stanie zaspokoić jego potrzeb.

– Chciałbym jakąś szczuplejszą, niebieskooką i bardziej… – zamilkł w połowie zdania, uświadamiając sobie z przerażeniem, co robi. Zerknął na Claya i przekonał się, że przyjaciel spochmurniał.

Zamknął oczy, kiedy Celeste pstryknęła palcami i do pokoju weszła kolejna blondynka – typowa angielska róża, naga do pasa i ubrana jedynie w białe jedwabne pończochy i niebieskie satynowe podwiązki. Wyglądała cudownie, mimo to wiedział, że nie jej pożąda. Miała jedną, zasadniczą wadę.

Nie była Ariel Summers.

Wstał, przeklinając w duchu siebie, przeklinając Ariel za to, co mu zrobiła.

– Może nie był jednak dobry pomysł – powiedział do Claya, który przyglądał mu się, zmartwiony, ignorując rudowłosą, która zdążyła usiąść mu już na kolanach i przyciskała się teraz do jego klatki piersiowej, napierając biustem.

– Może i nie – zgodził się z nim Clay, zsadzając blondynkę. Wstał.

– Nie chciałbym zepsuć ci wieczoru. Nie ma powodu, żebyś i ty wychodził – zaprotestował Justin.

– Nic nie szkodzi. Ja też nie jestem dzisiaj w nastroju. – Uśmiechnął się do madame Charbonnet. – Może innym razem. – Wsunął jej w dłoń ciężką sakiewkę. – Żeby dziewczęta o nas nie zapomniały.

– Nie ma obawy, *monsieur*. Na pewno nie zapomną żadnego z was.

Justin ruszył ku drzwiom i gwałtownie je otworzył, ledwie odnotowując, co powiedziała *madame*. Na zewnątrz zaczerpnął głęboko oddechu.

– Wybacz – powiedział do Claya. – Nie chciałem cię zawieść. Nie wiem dokładnie, co się dziś wydarzyło.

– Za to ja wiem – odparł łagodnie Clay. – Nie przejmuj się, wrócimy tu innym razem.

Justin skinął jedynie głową. Próbował wyprzeć Ariel z pamięci i przez większość czasu mu się to udawało. Niekiedy wszakże, na przykład dzisiejszego wieczoru, przypominał sobie o kobiecie, którą, jak mu się wydawało, była. Wspominał jej delikatny śmiech, inteligencję. Słodką, niewinną dziewczynę z listów. Kobietę, w której się zakochał, której ufał jak żadnej, i ból, jakiego nie doświadczył nigdy przedtem, przeszywał mu serce.

Zacisnął szczęki. Zaczerpnął powietrza, a potem z wolna je wypuścił.

– Jestem bardziej zmęczony, niż sądziłem. Wrócę chyba do domu, jeśli nie masz nic przeciwko temu.

– Nie – odparł Clay – nie mam. Dbaj o siebie, przyjacielu.

Justin skinął głową i odwrócił się żałując, że w ogóle tu przyszedł i że zobaczył drobną blondynkę, która przypomniała mu Ariel – a zwłaszcza to, że była w takim samym stopniu dziwką, jak dziewczęta madame Charbonnet.

* * *

Praca dla lorda Horwicka okazała się niełatwa. Dom był olbrzymi, a służba nieliczna. W starym, pełnym przeciągów budynku zawsze unosił się kurz i trudno było utrzymać porządek. Horwick był zaś nie tylko wymagającym chlebodawcą, który żądał pracy od świtu po noc, i to o niemal pustym żołądku, lecz okazał się też w każdym calu tak rozpustny, jak mówiły kobiety na targu.

Odrażający mały człowieczek, przysadzisty, o zaciśniętych wargach, zalatujący alkoholem i dymem z cygar, wpadł dwa razy na Ariel w korytarzu, przycisnął ją do ściany i próbował pocałować. Jak dotąd udawało jej się wyślizgnąć i umknąć.

Nie znosiła pracować dla niego i z każdym mijającym tygodniem starała się go coraz bardziej unikać. Wiedziała, że musi rozejrzeć się za inną pracą, słyszała jednak, że lord odmawia referencji dziewczętom, które odeszły, nie ulegając mu, i rozpowszechnia o nich takie kłamstwa, że trudno im znaleźć jakąkolwiek pracę. Musi zatem oszczędzać, rozglądając się za innym zajęciem podczas jedynego w tygodniu wolnego dnia. Gdy znajdzie coś odpowiedniego, natychmiast odejdzie.

– Trzeba zmienić pościel w czterech pokojach gościnnych we wschodnim skrzydle – powiedziała pani O'Grady, gospodyni. – Lady Horwick wraca jutro ze wsi. Zamierza wydać kilka przyjęć i bal z okazji urodzin siostrzenicy. Na pewno zjedzie się chmara krewnych.

– Zaraz się tym zajmę, pani O'Grady. – Dygnęła przed krępą, siwowłosą Irlandką, która prowadziła lordowi dom, dysponując bardzo skromnymi funduszami. Ariel lubiła gospodynię i zaczynała myśleć o niej jak o przyjaciółce. Chwyciła miotłę i ruszyła na piętro hołubiąc w duchu nadzieję, że nie napatoczy się na Horwicka. Cieszyła się, że lady Horwick wraca. Z pewnością tłusty łajdak nie będzie próbował swoich sztuczek, gdy w domu będzie też jego żona.

Pracowała przez cały ranek i część popołudnia. W przeciwieństwie do reszty domu, pokoje gościnne wyposażono luksusowo.

Kończyła właśnie zmieniać pościel w ostatnim, kiedy drzwi pokoju otwarły się i do środka wtoczył się niski, baryłkowaty mężczyzna.

– Witaj, moja droga – powiedział. – Szukałem cię i miałem nadzieję, że cię tu zastanę.

Ariel zamarła.

– Szukał mnie pan? Czego pan sobie życzy?

Horwick ściągnął brwi.

– Chyba się mnie nie boisz? Zapewniam, że nie ma potrzeby. Z pewnością zdążyłaś się już zorientować, jak bardzo mi się podobasz.

– Mam pracę – powiedziała Ariel, odsuwając się, kiedy do niej podchodził.

– Tak. Zapewne. Mogę coś na to poradzić. Gdybyś okazała się bardziej spolegliwa, twój zakres obowiązków mógłby drastycznie się zmniejszyć.

– Nie mam nic przeciwko temu, żeby pracować. – Oparła się plecami o toaletkę z różanego drewna. Horwick stał nieco na prawo, spróbowała więc odejść, mijając go z lewej. – Wykonuję to, do czego zostałam zatrudniona.

– Tak, i doskonale wywiązujesz się z obowiązków. Może drobna podwyżka sprawiłaby, że okazałabyś się bardziej... przyjacielska.

Przesunął się, blokując jej drogę, i Ariel zesztywniała.

– Jestem pokojówką, milordzie. Byłoby wysoce niestosowne, gdybym stała się bardziej... przyjacielska dla mężczyzny o pańskiej pozycji. A teraz, jeśli mi pan wybaczy... – Spróbowała go wyminąć, lecz Horwick, choć dosyć tęgi, poruszał się szybko. Rozłożył szeroko ramiona i schwytał ją niczym pająk muchę. Ariel pisnęła gniewnie, gdy chwycił ją za pośladek i mocno uszczypnął.

Roześmiał się, kiedy mu się wyrwała i pobiegła ku drzwiom. Uciekała, jakby diabeł następował jej na pięty. Twarz miała zaczerwienioną i biegnąc, rozcierała bolący pośladek. Do diabła z tym starym bękartem! Następnym razem, kiedy spróbuje się do niej dobierać... Co wtedy? Co mogła zrobić? Potrzebowała tej pracy, przynajmniej jeszcze przez jakiś czas. Musi znaleźć sposób, by trzymać się z dala od Horwicka.

Westchnęła i ruszyła korytarzem, miotając w duchu obelgi pod adresem lorda. Pracowała do późnego wieczora. Następnego dnia przyjechała lady Horwick.

Ariel była więcej niż wdzięczna. Stary rozpustnik będzie musiał dać jej spokój, przynajmniej przez jakiś czas. Niestety, zważywszy na ilość planowanych imprez, miała teraz do wykonania niemal dwa razy tyle pracy.

Nim dom był wreszcie gotowy na pierwszą z nich: niewielkie przyjęcie dla bliskich przyjaciół i znajomych w interesach lorda, była już wykończona. Tymczasem lady Horwick oczekiwała, że po tak wyczerpującym dniu będzie podawać jeszcze napoje i zakąski. Wsunęła pod czepek luźne pasmo włosów i ciężko westchnęła. Z pokoju muzycznego dobiegały dźwięki skrzypiec. Goście nadal przybywali. Nim jeden z krewnych lorda zakończy występ, popisując się grą na fortepianie, stół w sąsiednim pokoju miał być już zastawiony.

Wzięła do rąk ciężką tacę z wyborem zimnych mięs, wyszła z kuchni i ruszyła korytarzem. Dotarła już niemal do drzwi salonu, gdy usłyszała, że kamerdyner wita kolejnego gościa.

– Jeśli pan pozwoli, milordzie, wezmę płaszcz oraz kapelusz i zapowiem pana przybycie.

– Oczywiście. Dziękuję. – Ariel zamarła, odwracając bezwiednie głowę w kierunku, skąd dobiegał znajomy, głęboki głos. Zobaczyła wysoką, imponującą postać odzianą głównie w czerń, i serce zaciążyło jej w piersi. Chciała uciec, ale nie była w stanie poruszyć stopami. Chciała zniknąć, rozwiać się jak dym, by nie zobaczył jej ubranej w zwykłą czarną spódnicę, białą bawełnianą bluzkę i głupi czepeczek, w dodatku, była tego pewna, przekrzywiony.

Z trudem zmusiła się, by biec. Ruszyła z powrotem korytarzem, omal nie wpadła na śpieszącego w przeciwnym kierunku lokaja, wcisnęła mu tacę i pobiegła dalej. Kiedy myślała już, że dotarła bezpiecznie do kuchni, usłyszała za sobą odgłos ciężkich, męskich kroków.

– Ariel! Ariel, to ty?

Nie zatrzymała się. Minęła kuchnię i wyszła przez tylne drzwi na zalane księżycowym światłem podwórko w nadziei, że uda jej się uciec. Usłyszała odgłos zamykanych drzwi, chrzęst żwiru, poczuła zaciskające się wokół ramienia długie palce. Powstrzymał jej szaloną ucieczkę i zmusił, by odwróciła się ku niemu twarzą. A gdy to zrobiła, uniósł czarne brwi, jakby nie mógł uwierzyć własnym oczom.

– A więc to ty – stwierdził ponuro. – Co tu robisz? – Przesunął po niej spojrzeniem, odnotował prosty strój. Zmarszczył brwi. – Do tego ubrana jak służąca?

Kusiło ją, aby roześmiać mu się w twarz. Albo rozpłakać. Zamiast tego uniosła wyżej brodę i zmusiła się, żeby na niego spojrzeć.

– Jestem tutaj, ponieważ tu pracuję. A mam na sobie strój służącej, ponieważ tym właśnie jestem – służącą.

Justin spochmurniał jeszcze bardziej.

– Co z Marlinem? Założyłem…

– Założyłeś… co? – Nie była w stanie zapanować nad gniewem. I nawet nie próbowała. – Błagam, wasza lordowska mość, bardzo bym chciała się dowiedzieć, co takiego założyłeś!

– Dajmy spokój gierkom, dobrze, Ariel? Widziałem cię z Marlinem. Wieczorem, gdy spotkaliście się w stajni. Obserwowałem was z okna na piętrze.

Przez chwilę nie była w stanie zrozumieć, o czym on mówi. Pogrzebała wszelką myśl o nim tak głęboko, że potrzebowała chwili, aby przywołać tamtą scenę. A potem uświadomiła sobie, że Justin uznał, iż poszła cudzołożyć z Phillipem, i coś ścisnęło ją za gardło. W piersi wzbierał jej histeryczny śmiech, zdołała jednak nad nim zapanować. Po chwili czuła już tylko furię, rozpalony do białości gniew.

– Widziałeś nas tamtej nocy? Doprawdy? I co takiego widziałeś? Jak wchodzimy oboje do stajni? Szkoda, że nie mogłeś patrzeć przez ściany, zobaczyć, co działo się w środku. Bo gdybyś mógł, zobaczyłbyś, jak mówię mu, żeby zostawił mnie w spokoju. A także, jak bardzo go to rozwścieczyło. Na tyle, by spróbował zerwać ze mnie ubranie. A nawet... – przełknęła twardą gulę w gardle – ...wziąć mnie siłą. Gdyby nie pan McCullough, twój stajenny, pewnie by mu się udało. A teraz wybacz, muszę wracać do pracy.

Próbowała go wyminąć, ale zagrodził jej drogę.

– Kłamiesz.

Uniosła dumnie brodę. Łzy paliły jej oczy.

– Doprawdy? To ty jesteś kłamcą, Justinie. Wszystko, co zrobiłeś, co mówiłeś, było kłamstwem. Cieszę się, że wyrzuciłeś mnie z domu, bo kto wie, w ile jeszcze twoich kłamstw bym uwierzyła. – Odwróciła się, mrugając gwałtownie. Na wpół oślepiona łzami wbiegła do domu i pomknęła schodami dla służby.

Na półpiętrze zatrzymała się, nasłuchując odgłosu zamykających się drzwi, który powiedziałby jej, że Greville wrócił na przyjęcie. Nie usłyszała niczego takiego i pomyślała, że wyszedł, nie spotkawszy się z lordem Horwickiem. Wolała jednak tego nie sprawdzać.

Nie chciała myśleć o Justinie. Ani teraz, ani w przyszłości.

Nie chciała pamiętać, jak stał oświetlony księżycowym blaskiem, taki wysoki i niewiarygodnie przystojny. Ani tego, jak jego śniada z natury twarz pokryła się bladością, gdy powiedziała mu, co zaszło w stajni.

* * *

Powóz zadudnił w alejce za domem, wzbijając kurz i martwe liście. Justin wyskoczył, nim pojazd gwałtownie się zatrzymał. Choć było późno, skierował się wprost do stajni.

– Gdzie McCullough? – Obudził jednego z młodszych stajennych, Michaela, a kiedy zaskoczony chłopak podnosił się z wąskiej pryczy, postukiwał niecierpliwie stopą, czekając, aż stajenny wyduka odpowiedź.

– Jest... jest... – Mickey przełknął nerwowo. – Chyba u siebie na górze. – Ledwie zdążył się obrócić, kiedy usłyszał za sobą głos Szkota.

– Tu jestem, milordzie. – Krzepki mężczyzna zmierzał ku niemu od strony oświetlonego latarnią boksu, gdzie oliwił najwyraźniej siodło. Wytarł dłonie w szmatę.

– Chciał się pan ze mną widzieć?

Justin rozejrzał się, zobaczył kilka zaciekawionych twarzy, wyglądających z kwater dla chłopców stajennych.

– Chciałbym zamienić słówko... na osobności.

Szkot kiwnął głową w kierunku schodów.

– Możemy pójść do mojego pokoju.

Justin skinął głową.

– Dobrze. – Weszli na piętenko, a ledwie zamknęły się za nimi drzwi, Justin odwrócił się do McCullougha i powiedział: – Chciałbym dowiedzieć się, co zaszło tamtej nocy, gdy panna Summers była tu z Phillipem Marlinem.

Szkot zawahał się.

– Wolałbym, by sama panu opowiedziała.

– Panny Summers już tutaj nie ma, jak pewnie zauważyliście. Dlatego pytam was.

McCullough podrapał się po rudej szczecinie, a potem westchnął, zrezygnowany.

– Było późno. Nie mogłem zasnąć. Usłyszałem jakieś odgłosy. Pomyślałem, że lepiej sprawdzę, co to takiego.

– I co dokładnie zobaczyliście?

– Te dwójkę, jasnowłosego faceta, Phillipa, i dziewczynę, panienkę Summers. Przemawiała do niego całkiem miło, tłumacząc, że bardzo jej przykro, ale nie żywi wobec niego takich uczuć, jak on by oczekiwał. Powiedziała, że najlepiej będzie, jak od razu sobie pójdzie, zanim pan się dowie, że w ogóle tam był.

– Co jeszcze?

– Powiedziała mu... Powiedziała, że pana kocha.

Justinowi zakręciło się w głowie. To było po prostu niemożliwe. Nie miało prawa się wydarzyć. Lecz jedno spojrzenie na twarz Szkota powiedziało mu, że wszystko, co usłyszał, jest prawdą. Serce stanęło mu piersi. Przez chwilę myślał, że zwymiotuje.

– Jesteście pewni, że dobrze usłyszeliście?

– Tak, proszę pana. „Kocham go". To właśnie powiedziała.

Pocił się. W stajni było zimno, mimo to czuł, że spływa potem.

– Co było dalej?

– Zacząłem wchodzić po schodach. To nie była moja sprawa, poza tym nie chciałem podsłuchiwać. Lecz potem usłyszałem, jak facet mówi, że i tak będzie ją miał, czy jej się to podoba, czy nie. – Potrząsnął głową. – Nie należę do mężczyzn, którzy pozwalają, by jakiś łajdak brał to, czego dziewczyna nie chce mu dać.

Justin zamknął oczy. Ból przeszywał mu pierś niczym odłamki szkła.

– Ściągnąłem go z niej – kontynuował Szkot. – Przyłożyłem mu i padł jak ścięty. Odesłałem dziewczynę do domu. – Uśmiechnął się. – A potem znowu mu przyłożyłem.

Gdyby tylko mógł, zapewne też by się uśmiechnął. Był jednak pewny, że nie uśmiechnie się już nigdy.

– Dziękuję, McCullough, za to, że powiedzieliście mi prawdę... i za to, że się nią zaopiekowaliście. – Ruszył ku drzwiom, po chwili zatrzymał się jednak i odwrócił. – Ostatnie pytanie.

– Tak, proszę pana?

– Dlaczego nic nikomu nie powiedzieliście?

– Facet jest synem lorda. Zagroził, że wsadzi mnie do ciupy za to, że go walnąłem. Dziewczyna powiedziała mu jednak, że jeśli piśnie choć słowo, powie panu, co próbował jej zrobić. I że żadne z nas nie będzie więcej o tym mówić. I tak zamierzałem postąpić, póki dziś pan tu nie przyszedł.

Justin skinął jedynie głową. Ariel przyszła na spotkanie, aby powiedzieć Marlinowi, że zakochała się w innym. Znał ją na tyle, by wiedzieć, że czuła, iż jest winna Phillipowi przynajmniej to. Szczerości omal nie przypłaciła gwałtem, on zaś, miast zapytać, dlaczego poszła spotkać się z Marlinem, uznał, że go zdradziła, i wyrzucił ją na ulicę.

Lecz Ariel go nie zdradziła. Ani na początku, ani tamtego wieczoru.

To on, Justin Bedford Ross, był zdrajcą. Odebrał jej dziewictwo, wykorzystał bezwzględnie tamtego ranka w gabinecie i zniszczył jak świeżo rozkwitły kwiat, zgnieciony obcasem ciężkiego buta.

Zatrzymał się w alejce prowadzącej do domu. Czoło pokryte miał kropelkami potu i czuł, że wywraca mu się żołądek. Odwrócił się, zszedł z alejki, pochylił głowę i zwymiotował gwałtownie pomiędzy krzaki róż.

Rozdział 17

Ariel otarła pot z czoła i dalej szorowała podłogę w sypialni. Lady Horwick postanowiła otworzyć kolejne zalatujące kurzem i pleśnią pokoje, z których nie korzystano od lat. Oczywiście, większość związanej z tym pracy spadła na nią. Gdy tylko skończy, trzeba będzie wypolerować mnóstwo sreber, wytrzepać dywany w jadalni, poskładać i schować pranie. A później...

– Przepraszam, że ci przeszkadzam, moja droga, ale jakiś dżentelmen chce się z tobą zobaczyć – powiedziała pani O'Grady z uśmiechem. – To jeden z kolegów lorda Horwicka. Czeka na ciebie w Białym Saloniku. Pośpiesz się, jeśli łaska. Nie chciałabyś chyba, by się zniechęcił.

Ariel zacisnął się żołądek. Dżentelmen? To niemożliwe. Na pewno nie. Lecz poprzedniego wieczoru Greville natknął się na nią w korytarzu, a wydawałoby się, że taki zbieg okoliczności nie jest możliwy. Serce zaczęło mocniej bić jej w piersi, a puls przyśpieszył. Lord by nie przyszedł, przecież ją odesłał. Już jej nie pragnął. Ani trochę mu na niej nie zależało. Ale kto inny mógłby to być? A jeśli to jednak on, po co przyszedł?

Dłonie drżały jej, gdy odkładała ścierkę i szła ku drzwiom, wtykając pod czepek wymykające się pasma włosów. Zeszła niedawno odnowionymi schodami dla służby i ruszyła korytarzem do Białego Saloniku. Jak większość pomieszczeń na parterze, był elegancko urządzony – przeciwnie niż reszta domu, gdzie wyposażenie nosiło ślady zużycia.

Zatrzymała się przed ozdobnymi biało-złotymi drzwiami prowadzącymi do salonu, zaczerpnęła oddechu i weszła. Greville odwrócił się, gdy ją usłyszał i Ariel westchnęła bezwiednie. Zamiast przystojnego, opanowanego i zdystansowanego arystokraty zobaczyła pobladłego mężczyznę o podkrążonych oczach i pustym spojrzeniu.

– Dziękuję, że przyszłaś – powiedział. – Bałem się, że nie zechcesz mnie widzieć.

– Pracuję tutaj. Robię, co mi każą. Jesteś przyjacielem lorda Horwicka, nie miałam zatem wyboru: musiałam przyjść.

Skinął głową i odwrócił wzrok.

– Muszę coś ci powiedzieć. Nie wiem, co sobie pomyślisz ani czy mi uwierzysz.

– Mów zatem. Robota czeka.

– To dla mnie trudne. – Spojrzał w górę, a potem w dół. Wydawał się niepewny i zdenerwowany. Nigdy go takim nie widziała. – Mężczyźnie takiemu jak ja nie przychodzi to łatwo. – Ariel nie odezwała się. W jego spojrzeniu było coś... mieszanka gwałtownych uczuć. Sprawiła, że serce zaczęło jej bić szybciej. – Przepraszam za to, co ci zrobiłem. Żałuję tego bardziej, niż jestem w stanie wyrazić. – Przesunął dłonią po twarzy. – Widzisz, tamtego wieczoru od razu zorientowałem się, że kłamiesz. Chciałem dowiedzieć się dlaczego. Nie poszedłem do klubu, udawałem tylko, że wychodzę.

Nie była zaskoczona. W końcu przekonała się już, jaki potrafi być podstępny.

– Zobaczyłem, że Marlin wchodzi do stajni – kontynuował. – A ty za nim. A kiedy wyszłaś z ubraniem w nieładzie i rozpuszczonymi włosami, uznałem... założyłem najgorsze. – Odwrócił wzrok. – Myliłem się.

Słowa z trudem wydobywały mu się krtani. Ariel zignorowała to, jak się poczuła, słysząc je.

– Chciałem cię zranić – mówił dalej. – Pragnąłem, byś zapłaciła za to, co, jak sądziłem, zrobiłaś.

Po raz pierwszy wszystko zdawało się mieć sens. Do tego momentu wolała się nad tym nie zastanawiać, nie dopuścić, by Justin zagościł znowu w jej myślach, choćby na chwilę. Czuła, że drżą jej kolana. Opadła powoli na najbliższe krzesło, bojąc się, że nogi nie zdołają jej utrzymać.

– Kiedy cię odesłałem, sądziłem, że pójdziesz do Marlina. Wiedziałem, że cię pragnie. Nie przyszło mi do głowy, że nie będziesz miała dokąd pójść i nikt się tobą nie zaopiekuje.

– Dlaczego miałoby cię to obchodzić? – spytała gorzko. – Dostałeś, czego chciałeś. Miałeś mnie dosyć. Powiedziałeś to tamtego ranka. Powiedziałeś… – Głos się jej załamał, w oczach zabłysły niechciane łzy.

Justin znalazł się przy niej w sekundę. Ukląkł i ujął w dłonie zimne jak lód palce Ariel.

Odsunęła się gwałtownie, wstała i podeszła na drżących nogach do okna. Słyszała jego głos, dobiegający zza jej pleców.

– Miałaś wczoraj rację. To ja jestem kłamcą. Okłamałem cię tamtego ranka, ale nie tak, jak myślisz. Nie było innej kobiety. Co gorsza, skłamałem, mówiąc, że już cię nie chcę. Zawsze cię pragnąłem, Ariel, od chwili, gdy po raz pierwszy cię zobaczyłem. Patrzę na ciebie teraz i znowu cię pragnę.

Ariel odwróciła się gwałtownie.

– Nie chcę tego słuchać – wykrztusiła przez zaciśnięte gardło. – Ani słowa więcej. – Ruszyła ku drzwiom, lecz zablokował jej drogę.

– To nie miejsce dla ciebie. Nieważne, co myślisz o mnie, nie powinnaś tu być. Spakuj swoje rzeczy. Zabieram cię stąd.

Znowu ogarnął ją gniew.

– Zwariowałeś. Nigdzie z tobą nie pójdę. Nie ruszyłabym się stąd nawet na krok. Nie z tobą.

– Wiem, że musisz mnie nienawidzić. Masz po temu wszelkie powody, ale...

– Nie pójdę z panem, lordzie Greville. Ani teraz, ani nigdy.

Wyprostował ramiona i wydał się Ariel jeszcze wyższy, bardziej onieśmielający.

– Posłuchaj mnie. I tak nie możesz tu mieszkać. Do tej pory zdążyłaś się już zapewne zorientować, jakim człowiekiem jest Horwick. Mówi się o nim, że zmusza do uległości pracujące dla niego dziewczęta. Na miłość boską, przeklęty rządca wyszukuje je na targu! Wróć ze mną do domu, a ja...

– Ty... co? Pozwolisz, żebym znów ogrzewała ci łóżko? Będziesz się ze mną kochał, póki nie znajdziesz kogoś, kto bardziej ci się spodoba? Wyjaśnijmy sobie coś, milordzie. Nie byłam zainteresowana tym, by zostać kochanką Phillipa. I już nie jestem zainteresowana, żeby być twoją. – Spojrzała wprost w szare oczy przewiercające ją na wylot. – Nauczyłam się czegoś, odkąd przybyłam do Londynu: bycie damą ma niewiele wspólnego z pieniędzmi i modnymi strojami. Chodzi raczej o dumę i szacunek dla samej siebie. Jestem warta więcej jako pokojówka, niż byłam jako twoja dziwka.

Zacisnął mocniej szczęki, a w jego spojrzeniu pojawiło się coś... jakby żal. Odwróciła się, ignorując ból szarpiący serce, i ruszyła ku drzwiom. Tym razem nie próbował jej zatrzymać. Nim doszła do schodów, serce tłukło się jej szaleńczo, a na piersi legł ciężar tak wielki, że z trudem mogła oddychać.

Mimo to szła dalej. Dosyć już wycierpiała za sprawą Justina Rossa. Jakikolwiek los ją czeka, nie chciała więcej go widzieć.

* * *

W ciągu dnia pracowała do absolutnego wyczerpania, a wieczorem padła na wąskie łóżko w pokoiku na trzecim piętrze, jakby ciało miała wypełnione ołowiem. Nie chciała myśleć o Justinie. Pamiętać, jak zdruzgotany się wydawał.

Przez całe popołudnie praca była jej ucieczką, blokując emocje i pomagając utrzymać w ryzach ból. W ciągu dnia świadomie nie dopuszczała myśli o nim, lecz teraz była noc i nie mogła przegnać go ze swoich snów.

Wypełniały je bolesne wizje, obrazy bezlitosnego mężczyzny, jakim był tego ranka, gdy się z nią kochał, a potem wyrzucił na bruk. Lodowaty wyraz jego twarzy, chłód sączący się z porów skóry. Spojrzenie mrożące do szpiku kości.

Wiedziałaś, że prędzej czy później tak się stanie... Wolałbym, żebyś odeszła jeszcze dzisiaj.

– Justin... – wyszeptała w ciemność i dźwięk własnego zachrypniętego głosu odpędził wreszcie od niej sen.

Przez okienko nad łóżkiem do pokoju wsączał się świt. Zadrżała z zimna, przerzuciła przez ramię długi jasny warkocz i znużona wygrzebała się z pościeli. Nie minęło kilka minut, a ubrana w czarną spódnicę i białą bluzkę schodziła po schodach na spotkanie kolejnego, wypełnionego pracą dnia.

Zrezygnowała ze śniadania. Nie byłaby w stanie wmusić w siebie ani kęsa. Z braku snu bolała ją głowa, a mięśnie chwytał co rusz skurcz. Pracowała zaledwie od kilku godzin, mając przed sobą cały długi dzień, gdy odszukała ją pani O'Grady.

– Przyszła do ciebie przesyłka, skarbie. Dostarczono ją powozem kilka minut temu. Leży na stole w holu.

Była to pojedyncza czerwona róża w cudownym, srebrnym wazonie. Na załączonej karcie napisano jedy-

~ 220 ~

nie: *Wybacz mi.* Nie potrzebowała podpisu. Wiedziała aż za dobrze, kto przysłał kwiat.

Nie mogła jednak mu wybaczyć. Nie tego, co sobie o niej pomyślał. Ani jak ją potraktował. A zwłaszcza tego, że złamał jej serce. Tkwiło w piersi Ariel jak zniszczona zabawka.

Następnego dnia dostarczono kolejny prezent: tym razem była to delikatna pozytywka, wygrywająca motyw z koncertu Bacha, którego słuchali tamtego dnia w Tunbridge Wells. Nie było nazwiska ofiarodawcy, podobnie jak przy dwóch kolejnych. Ariel zwróciła wszystkie. A kiedy przyszedł następny, tym razem z listem, wrócił do nadawcy wraz z podarunkiem. Nieotwarty.

Nie miały znaczenia. Żaden prezent, nieważne jak kosztowny, ani list, nieważne jak pięknie napisany, nie mogły przekonać jej, że pozbawiony uczuć, brutalny mężczyzna, jakiego poznała tamtego ranka w gabinecie, nie był prawdziwym Justinem Rossem.

* * *

Justin wszedł do niewielkiego gabinetu w jednej z ulubionych restauracji Claya: Rules przy Maiden Lane w dzielnicy Covent Garden. Nie był ani trochę głodny. Apetyt opuścił go zupełnie, odkąd zobaczył Ariel ubraną w strój pokojówki i wypruwającą sobie żyły dla tego starego rozpustnika Horwicka.

Już przedtem nie lubił lorda, facet miał jednak smykałkę do interesów, więc połączyły ich wspólne przedsięwzięcia. A kiedy dobiegły go plotki o tym, że wykorzystuje od lat młode służące, stracił dla niego resztki szacunku.

Teraz Ariel była jedną z tych biedaczek, zależną od niego pod każdym względem. Doskonale zdawał sobie sprawę, z jakiego powodu ją zatrudniono.

– Wyglądasz okropnie – głos Claya wdarł się w myśli Justina. – Usiądź, zanim upadniesz.

Przywołał jednego z kelnerów i zamówił posiłek dla nich obu.

– Wyglądasz, jakbyś nie jadł od tygodnia.

Justin westchnął, znużony.

– Nie miałem apetytu. – Usiadł na obitym czerwonym aksamitem krześle w bogato zdobionym prywatnym gabinecie i przez następne pół godziny opowiadał, co przydarzyło się Ariel w stajni, jak wykorzystał ją brutalnie następnego ranka, a potem wyrzucił i jak skończyła, pracując dla Horwicka.

Clay zaklął cicho.

– Przyznaję, udało mi się parę razy schrzanić coś w swoim życiu, lecz ani razu tak skutecznie, jak tobie.

– Nie chce mnie widzieć. Nie otwiera listów. Odesłała wszystkie prezenty. Co mam zrobić?

– Może powinieneś powiedzieć jej po prostu, jak bardzo ci na niej zależy. Bo to przecież oczywiste.

Justin potrząsnął głową.

– Nie dla niej. Nie zechce mnie wysłuchać, a nawet gdyby zechciała, nie uwierzy.

– Cóż, jedno jest pewne: nie może pracować dla Horwicka. Prędzej czy później stary bękart położy na niej łapy. Chyba że go ostrzegłeś.

– Nie miałem okazji. Wyjechał w interesach i nie było go przez cały tydzień. Na szczęście w rezydencji przebywa akurat jego żona. Będzie grzeczny, póki ona nie wyjedzie.

– Z tego, co wiem, opuszcza Londyn dziś rano. Wydała urodzinowy bal dla ulubionej bratanicy i nic jej już tu nie trzyma.

– Byłeś na nim?

– Wpadłem na chwilę, wiedziałem bowiem, że pewna śliczna wdowa, którą się interesuję, także tam będzie.

– Nie natknąłeś się przypadkiem na Ariel?

Clay potrząsnął głową.

– Przykro mi. Jak powiedziałem, nie zostałem długo. Zdecydowaliśmy, że mamy do roboty coś znacznie przyjemniejszego niż wysłuchiwanie, jak lady Horwick wychwala pod niebiosa bratanicę o wystających zębach.

Podano jedzenie: grube plastry dziczyzny w sosie, ostrygi, groszek i kruchy pasztet z gołębia.

– Jedz. Będziesz potrzebował dużo siły, jeśli chcesz wydobyć się z bałaganu, którego narobiłeś.

Justin przełknął posłusznie kilka kęsów. Wiedział, że przyjaciel ma rację: nie pomoże Ariel, jeśli się rozchoruje.

Clay upił łyk wina.

– Nie widziałem Ariel u Horwicka, lecz była tam twoja siostra.

Justin skinął głową.

– Słyszałem, że Barbara jest w mieście. Z wizytą u lady Cadbury, o ile się nie mylę.

– Wydawała się bardzo zaprzyjaźniona z naszym przyjacielem Phillipem Marlinem. Myślę, że dobrana z nich para.

Justin spojrzał na przyjaciela.

– Zamierzam go wyzwać.

Clay odstawił ostrożnie kieliszek.

– To kiepski pomysł, choć bękart na to zasłużył. Lecz jeśli go zabijesz, sprowokujesz tylko następne kłopoty. Nazwisko Ariel zostanie unurzane w błocie. On po prostu nie jest wart ryzyka.

– Nie mogę zignorować tego, co jej zrobił.

– Owszem, możesz. Przynajmniej na razie. Musisz myśleć przede wszystkim o Ariel. O tym, co będzie dla niej najlepsze.

Justin się nie odezwał. Clay miał rację. Musiał myśleć przede wszystkim o Ariel. Z Marlinem porachuje się później. Zmusił się, by przełknąć kolejny kęs mięsa, jedzenie smakowało wszakże jak trociny.

– Mogło być gorzej. Przynajmniej dowiedziałeś się, że nie romansowała z Marlinem. I że go nie kocha.

– Rzeczywiście – przytaknął Justin cicho. – Powiedziała mu, że zakochała się we mnie.

Clay zamarł z widelcem w połowie drogi do ust. Odłożył srebrny sztuciec na talerz.

– Chryste…

– Właśnie.

– Co zamierzasz?

– Nie wiem. Zobaczyć się z nią ponownie. Spróbować ją przekonać, by stamtąd odeszła. Muszę znaleźć jakieś lokum, miejsce, gdzie będzie bezpieczna.

– Pomyśli, że chcesz…

– Wiem, co sobie pomyśli, ale nie o to chodzi. Nie zbliżę się do niej. Nie chce mnie widzieć i trudno jej się dziwić.

– Wszyscy popełniamy błędy – powiedział Clay cicho.

– Jesteś dobrym człowiekiem, Justinie, choć w to nie wierzysz. Masz uczucia, jak my wszyscy. Czasami stają ci na drodze. Zaciemniają obraz. Próbujesz je ignorować, na próżno jednak. Udawanie, że ich nie ma, nie sprawi, że znikną.

Justin się nie odezwał.

– Nie zamierzałeś jej skrzywdzić – kontynuował Clay.

– Może z czasem Ariel to zrozumie.

Justin nie odpowiedział. Po tym, jak ją potraktował, było to raczej niemożliwe. Ale i tak musiał jej pomóc. Był jej to winien. Przynajmniej to.

* * *

Ariel ściągnęła pościel z wielkiego łoża z baldachimem. Bal odbył się przed dwoma dniami. Teraz, Bogu dzięki, większość gości wyjechała, ci zaś, którzy pozostali, mieli opuścić rezydencję jeszcze tego dnia.

Przeciągnęła się i potarła bolące plecy, a potem chwyciła koniec czystego białego prześcieradła i rozpostarła je na puchowym materacu. Upychała właśnie pracowicie rogi, gdy usłyszała, że drzwi się otwierają, a potem cicho zamykają. Spodziewała się zobaczyć panią O'Grady lub którąś z pokojówek, tymczasem przed drzwiami stał, uśmiechając się obleśnie, lord Horwick.

– Cóż, moja droga. Wreszcie zostaliśmy sami.

Ariel zesztywniała.

– Chciał pan powiedzieć, że pańska żona wyjechała i został pan sam.

Oblizał grube wargi i chrząknął.

– Chcę powiedzieć, że my zostaliśmy sami, skarbie. Widzę, że nie pogodziłaś się jeszcze z tym, co nieuchronne, lecz zanim wyjdę z tego pokoju, tak właśnie się stanie.

Ariel zacisnęła usta, bardziej rozeźlona niż przestraszona. Miała już dość uwag lorda, przekonanego, że prędzej czy później odwzajemni jego awanse.

– Powiedziałam panu, że jestem pokojówką i nikim więcej. Jeśli nie potrafi pan tego zaakceptować, będę musiała odejść. – Nie była to radosna perspektywa, zważywszy, jak trudno było jej znaleźć pracę. Może, jeśli okaże stanowczość, lord da jej w końcu spokój.

Horwick się uśmiechnął.

– Młodej kobiecie bez referencji trudno znaleźć zatrudnienie. – Podszedł bliżej, zdjął surdut i rzucił na niepościelone łóżko. – Po co zadawać sobie tyle trudu, skoro możesz żyć tu całkiem wygodnie, jeśli tylko okażesz mi od czasu do czasu odrobinę przychylności?

Zdusiła gniewną odpowiedź i zaczęła przekradać się ku drzwiom.

– Nie zamierzam okazywać przychylności. Ani panu, ani nikomu innemu.

Potrząsnął jedynie głową.

– Byłem bardzo cierpliwy. Pora, byś przekonała się, kto tu jest panem, a kto służącą. – Rzucił się ku niej i ledwie zdołała odskoczyć. Podbiegła ku drzwiom i wrzasnęła rozgniewana, gdy przekonała się, że je zamknął. Odwróciła się w tej samej chwili, gdy dopadł ją i przycisnął do drzwi.

– Proszę mnie puścić! – Próbowała się uwolnić, ale mięsista ręka pociągnęła jej głowę w dół i grube wilgotne wargi przylgnęły do jej ust. Gniew zmienił się w furię i Ariel go ugryzła. Horwick wrzasnął, lecz jej nie puścił. Poczuła, że miętosi jej pierś i wściekłość, jaką czuła wobec niego – wobec wszystkich mężczyzn – wezbrała w niej niczym fala.

Kątem oka dostrzegła ciężką chińską wazę. Wykręciła się w uścisku jego ramion, chwyciła wazę, uniosła i trzasnęła nią lorda w głowę.

Wrzasnął rozwścieczony. Przeklinając paskudnie, chwycił się za bolącą czaszkę. Z ranki na czubku głowy płynęła krew. Zachwiał się, osunął i oparł o toaletkę.

Modląc się w duchu, by nie okazało się, że uderzyła go zbyt mocno, zaczęła rozglądać się gorączkowo w poszukiwaniu klucza. Boże, na pewno miał go w kieszeni. Surdut leżał na łóżku. Podbiegła i zaczęła przeszukiwać jak szalona kieszenie. Znalazła klucz, lecz dłonie trzęsły się jej tak bardzo, że ledwie mogła go wydobyć.

– Ty mała dziwko!

Odwróciła się na dźwięk głosu Horwicka. Stał, chwiejąc się na nogach. Krew ciekła mu z rozcięcia na głowie, spływając po tłustym policzku.

– Zapłacisz mi za to! – wrzasnął. – Bóg mi świadkiem, zapłacisz!

Podbiegła ku drzwiom, wsunęła klucz w zamek i przekręciła drżącą dłonią. Otwarła drzwi i wypadła na korytarz, wprost w ramiona dwóch nadbiegających lokajów.

– Zatrzymajcie ją! – krzyknął Horwick. – Ta kobieta chciała mnie zabić!

Ariel zbladła. Próbowała wyminąć lokajów, lecz jeden chwycił ją w talii, a drugi za ramię, które boleśnie wykręcił. Lord Horwick wytoczył się z sypialni.

– Wezwijcie konstabli! – zażądał. – Żądam sprawiedliwości. Niech zapłaci za to, co zrobiła!

Ariel spojrzała, przerażona, na lorda.

– Proszę... nie chciałam pana zranić. Próbowałam tylko się bronić.

Lecz dookoła rozpętał się już chaos. Podkuchenne wybiegły, aby zobaczyć, co się dzieje, podobnie kamerdyner i dwóch chłopców od pochodni. Po kilku minutach do holu wpadła grupa konstabli. Horwick miotał się i wrzeszczał, zmyślając, jak to Ariel usiłowała go zabić, i nakazując, aby zabrano ją do więzienia.

– Lord kłamie! – krzyknęła do mężczyzn, kiedy ciągnęli ją ku drzwiom. – To on mnie zaatakował! Ja tylko próbowałam się bronić.

Lecz nikt jej nie uwierzył, nawet służba. A nawet jeśli, nie zamierzali się wtrącać. Zbyt trudno było o posady.

Kiedy dotarli do drzwi, rozejrzała się gorączkowo, szukając spojrzeniem pani O'Grady, a potem przypomniała sobie, że gospodyni wzięła kilka dni wolnego, żeby odwiedzić krewnych na wsi.

– Boże Święty – wyszeptała, kiedy konstable sprowadzili ją po schodach i wepchnęli do czekającego powozu. Nie miała pojęcia, co robić. Pomyślała przelotnie o Justinie, nie była jednak pewna, czy zechciałby pomóc, nawet gdyby zdołała powiadomić go o swoim położeniu. A choćby nawet się zgodził, wiedziała, czego zażądałby w zamian.

Powstrzymując łzy, oparła się o wysłużone siedzenie powozu, spoglądając w srogie twarze konstabli i zastanawiając się, jak piękne życie, które sobie wymarzyła, mogło zmienić się w coś tak okropnego.

* * *

Justin poprawił po raz kolejny węzeł krawata i pociągnął za mankiety eleganckiej koszuli.

Wybierał się do rezydencji Horwicka, zdecydowany porozmawiać z Ariel, przekonać ją, aby przeniosła się do kamieniczki, którą dla niej wynajął. Przed czterema dniami posłał wiadomość lordowi i umówił się na spotkanie, by ostrzec go, że Ariel znajduje się pod jego opieką i powinien zostawić ją w spokoju. Wyglądało jednak na to, że lord wyjechał z miasta.

Justin był z tego bardzo zadowolony. Przekonany, że Ariel jest bezpieczna, spędził następne trzy dni, zbierając się na odwagę, próbując zdecydować, co jej powie. W końcu postanowił, że jeśli Ariel nie posłucha głosu rozsądku i odmówi opuszczenia domu Horwicka, zabierze ją stamtąd siłą. Z tym postanowieniem zbiegł pospiesznie po schodach i wskoczył do powozu.

Do rezydencji lorda nie było daleko. Zastukał zdecydowanie mosiężną kołatką i drzwi otworzył niewysoki, przysadzisty kamerdyner.

– Dzień dobry, milordzie. Niestety, lord Horwick jest w tej chwili nieobecny.

– Wiem o tym. Przyszedłem zobaczyć się z panną Summers.

– Panną Summers?

– Zgadza się. – Minął kamerdynera i wszedł do holu. – I dosyć mi się śpieszy. Więc jeśli byłbyś tak uprzejmy i powiadomił ją, że przyszedłem…

– Przykro mi, proszę pana, lecz panna Summers… panna Summers nie pracuje już dla lorda Horwicka.

Justin utkwił lodowate spojrzenie szarych oczu w kamerdynerze, którego twarz przybrała dziwnie zielonkawy kolor.

– Chcesz powiedzieć, że jej tu nie ma?

– Tak, milordzie.

Niepokój ścisnął Justina za serce.

– A dokąd się udała?

– Ja… nie jestem pewien, milordzie.

W jego zachowaniu było coś ukradkowego, co nie spodobało się Justinowi. Wyciągnął ręce, chwycił małego człowieczka za gors białej koszuli i podniósł.

– Więc znajdź kogoś, kto jest tego pewien. I lepiej się pospiesz.

Puścił go i przerażony mężczyzna umknął, znikając we wnętrzu domu. Justin uzbroił się w cierpliwość i jął przemierzać hol z żołądkiem ściśniętym z niepokoju. Dokąd udała się Ariel? Jak ją odnajdzie? Czy coś się wydarzyło? Dlaczego nie przyszedł wcześniej?

Kiedy zegar w holu zaczął wybijać godzinę, a kamerdyner nie wrócił, ruszył go poszukać.

Zdążył zrobić zaledwie kilka kroków, kiedy do holu weszła gospodyni – niska, krzepka i siwowłosa. Pośpieszyła ku niemu, mówiąc:

– Lordzie Greville, dzięki Bogu, że się pan zjawił. Jestem O'Grady, gospodyni lorda Horwicka.

Na dźwięk tego nazwiska mocniej ścisnęło go w żołądku.

– Wychodziłam z siebie ze zmartwienia, odkąd usłyszałam, co się wydarzyło – trajkotała. – Widzi pan, nie było mnie tutaj, odwiedzałam ciotkę i wróciłam dopiero dziś rano.

– Gdzie ona jest? Gdzie Ariel?

– Och, milordzie, to po prostu okropne.

Justin chwycił kobietę za ramiona.

– Pani O'Grady, błagam. Proszę powiedzieć mi, co się stało.

Utkwiła w nim zmartwione spojrzenie.

– Przed czterema dniami zaszły tu pewne... wydarzenia. Lord Horwick oskarżył Ariel, że próbowała go zabić. Pojawili się konstable i ją zabrali. Biedactwo, siedzi teraz zamknięta w więzieniu Newgate.

Lecz Justin zdążył już się odwrócić i zmierzał wielkimi krokami ku schodom i powozowi.

– Próbowała tylko się bronić – zawołała pani O'Grady, podążając za nim. – Kilkoro spośród służby zrobiło składkę i zapłaciło strażnikom, żeby... żeby nikt jej nie skrzywdził.

Justin zacisnął zęby, ale się nie odezwał. Szarpnął gwałtownie za drzwiczki pojazdu.

Pani O'Grady, coraz bardziej zmartwiona, chwyciła go za połę surduta.

– Proszę, milordzie, ona nie ma nikogo, kto mógłby jej pomóc.

Odwrócił się, zobaczył niepokój na pulchnej, pooranej zmarszczkami twarzy i uśmiechnął się, by dodać kobiecie otuchy.

– Proszę przestać się martwić, pani O'Grady. Ariel będzie bezpieczna. Zajmę się wszystkim.

Gospodyni się odprężyła. Ramiona opadły jej z ulgi, a po policzku spłynęła łza. Otarła ją wierzchem dłoni.

– Wiedziałam. Dostrzegłam to w pańskim spojrzeniu, gdy przyszedł pan ją odwiedzić. Wiedziałam, że Ariel może na pana liczyć.

Justin skinął jedynie głową. Oczywiście, że mogła na niego liczyć. Tylko po prostu w to nie wierzyła. Do licha, dlaczego nie poszedł do niej wcześniej, nie zmusił, aby wyniosła się z tego przeklętego domu? Gdyby to zrobił, nie trafiłaby do więzienia.

Kolejna porażka.

Jeszcze jedna skaza na jego czarnej duszy.

Kolejny uczynek, którego mu nie wybaczy.

Rozdział 18

Powóz turkotał na londyńskim bruku, wioząc Justina z najwyższą możliwą szybkością ku Newgate, największemu więzieniu kryminalnemu w stolicy. Polecił stangretowi, aby zaczekał, i wmaszerował od razu do biura naczelnika. Po kilku minutach rozmowy pokaźna sakiewka zmieniła właściciela i Justina wprowadzono za bramy więzienia.

– Tędy, milordzie – powiedział jeden ze strażników: wysoki, chudy jak szkielet i z popsutymi zębami, prowadząc go w dół schodami oświetlonymi pełgającym płomykiem świec z knotami z sitowia. Zaduch niemytych ciał, uryny i wymiotów zaatakował nozdrza Justina niczym kwas, zyskując na mocy w miarę, jak zagłębiali się w trzewia budowli.

U stóp drewnianych schodów znajdował się rząd wilgotnych, mrocznych cel. Każda przeznaczona była dla dziesiątki więźniów. Dobiegł go kobiecy płacz. Jedna z więźniarek klęła głośno, podczas gdy inna śmiała się szaleńczo. Dźwięki odbijały się od ścian, potęgując efekt grozy i nierealności. Większość kobiet siedziała po prostu na podłodze, gapiąc się na kraty szklistym, pustym wzrokiem.

Justin uzbroił się wewnętrznie. Ariel przeżyła w tym piekle gnijących ciał i odpadków cztery długie dni. Wiedział, jak strażnicy traktują więźniarki i modlił się w duchu, aby pieniądze, jakie wpłacili przyjaciele pani O'Grady, zapewniły jej bezpieczeństwo.

– To już blisko – powiedział strażnik, wskazując kierunek latarnią.

Justin wydłużył krok, zmuszając strażnika, aby przyśpieszył. Chudzielec zatrzymał się przed zatłoczoną celą i uniósł latarnię. Przez wąskie żelazne kraty widać było, że w celi nie ma prycz, tylko wilgotna, brudna słoma na zimnej, kamiennej podłodze. Kilka kobiet kuliło się pod ścianami, inne leżały, śpiąc. Ariel siedziała, przyciśnięta plecami do ściany, wpatrując się przed siebie niewidzącymi oczyma. Jej prosta czarna spódnica była w kilku miejscach rozdarta, biała bluzka poszarzała z brudu. Spod oberwanego rąbka spódnicy wystawały gołe stopy. Twarz miała brudną, jej długi jasny warkocz zmatowiał i uczepiły się go źdźbła słomy.

Serce zamarło mu w piersi. Zmusił się, aby zaczerpnąć zgniłego, cuchnącego powietrza, i podszedł bliżej.

– Ariel? – powiedział łagodnie przez kraty. – To ja, Justin. Przyszedłem zabrać cię do domu.

Nie poruszyła się i widać było, że myślami przebywa daleko od żałosnego otoczenia. Nie zdawała sobie sprawy z jego obecności.

– Słyszysz mnie, Ariel? – A kiedy nadal się nie poruszyła, spojrzał twardo na strażnika. – Otwieraj.

Chudzielec zrobił, co mu kazano. Przerdzewiały zamek zazgrzytał i żelazne drzwi stanęły otworem. Justin wszedł do celi i jął torować sobie drogę pomiędzy śpiącymi, odsuwając barkami kobiety, które stały mu na drodze.

– Hej, przystojniaku – zawołała jedna z nich. – Przyszedłeś po mnie? – Kilka pozostałych zarechotało, lecz Justin je zignorował. Podszedł do Ariel i przykląkł. W mdłym świetle latarni jej skóra wydawała się biała jak marmur, a spojrzenie tak puste, że aż ścisnęło go w gardle.

– Ariel, kochanie, to ja, Justin. Słyszysz mnie?

Powieki Ariel zatrzepotały. Odwróciła się z wolna i spojrzała na niego.

– Justin...?

– Przyjechałem zabrać cię do domu. – Pochylił się, wsunął dłonie pod kolana Ariel, podniósł ją, przytulił do piersi i ruszył ku drzwiom. Ariel wcisnęła twarz w jego ramię. Poczuł, że drży, a potem zaczęła płakać.

Czując dojmujący ból w ściśniętym gardle, minął ciężkie żelazne drzwi, rząd cel i wszedł po schodach. Nie zatrzymał się, póki nie poczuł na skórze słonecznych promieni, nie odetchnął czystym powietrzem.

Lecz już po chwili szedł dalej, kierując się ku wysokiej bramie, a potem chodnikiem do miejsca, gdzie czekał powóz. Wsiadł szybko, posadził sobie Ariel na kolanach i otoczył ją opiekuńczo ramieniem. Lokaj zamknął drzwiczki i powóz ruszył.

– Już dobrze – powiedział łagodnie, odsuwając jej z twarzy pasma srebrzystych włosów. – Jesteś bezpieczna. Nie masz się czego bać. Wszystko będzie dobrze. – Wydawała się tak słaba, tak krucha. Było oczywiste, że od kilku dni nic nie jadła. Ciemne smugi pod oczami wskazywały, iż także nie spała.

Jęknęła cicho i otoczył ją ciaśniej ramionami. Szeptał uspokajające słowa i tulił ją, póki nie dojechali na miejsce. Gdy powóz się zatrzymał, Justin wziął Ariel na ręce i wniósł szybko do domu.

Knowles pośpieszył ku nim. Jego twarz, zazwyczaj spokojna i nieruchoma, wyrażała zmartwienie.

– Boże w niebiesiech...

– Każ przygotować kąpiel i wnieść wannę do jej pokoju.

– Tak, milordzie.

– Będzie potrzebowała także posiłku.

– Dopilnuję wszystkiego osobiście.

Justin skinął na znak podziękowania głową, zaniósł Ariel do pokoju, który zajmowała poprzednio, i posadził ostrożnie na skraju łóżka.

– Coś cię boli? – zapytał łagodnie.

Zamknęła na chwilę oczy, a potem potrząsnęła głową. Nie odezwała się, ale siedziała po prostu nieruchomo, wpatrując się w złożone na podołku dłonie. Justin zawahał się na moment, lecz potem zaczął odpinać guziki brudnej bawełnianej bluzki.

– Zaraz przyniosą wannę – powiedział. – Musimy wydostać cię z tych brudnych łachów.

Ariel chwyciła go za rękę.

– Czuję się dobrze. Mogę zrobić to sama.

– Na pewno nic ci nie jest? Strażnicy nie… nie skrzywdzili cię?

Przełknęła.

– Nie.

Weszli posługacze, niosąc wannę z parującą wodą. Justin zaczekał, aż ustawią ją pośrodku pokoju, a potem wstał.

– Przyślę Silvie, by ci pomogła.

– Dziękuję.

Wyszedł, wezwał dziewczynę, która była kiedyś pokojówką Ariel, a potem przemierzał nerwowo korytarz pod drzwiami sypialni, póki ciemnowłosa służąca nie otworzyła ich i nie wyszła do holu.

– Co z nią? – zapytał, ledwie zamknęła za sobą drzwi.

– Śpi, milordzie. Była wyczerpana. Zasnęła, zanim zdążyła cokolwiek zjeść.

Justin westchnął znużony.

– Posiedzę przy niej. Nie chcę zostawiać jej samej.

– Tak, milordzie.

Wśliznął się cicho do pokoju, przysunął sobie do łóżka krzesło i usiadł. Ariel spała mocno, lecz najwyraźniej gnębiły ją koszmary. Ilekroć zaczynała się rzucać, Justin brał ją za rękę, a wtedy uspokajała się i pogrążała na powrót we śnie.

Przespała resztę dnia, wieczór i sporą część nocy. Greville postanowił, że wyjdzie, nim dziewczyna się obudzi i uświadomi sobie, że przy niej siedzi, ale przed świtem i on się zdrzemnął. Śnił o Ariel uśmiechającej się do niego jak wtedy, w Tunbridge Wells.

* * *

Poranne słońce przeniknęło przez zasłony i podrażniło oczy Ariel. Zamrugała kilka razy, a potem uniosła na dobre powieki. Jej włosy pachniały bzem. Pod policzkiem miała czystą białą powłoczkę, a na sobie sięgającą poniżej kolan nocną koszulę.

Przez chwilę zdawało jej się, że śni, że nadal jest w Newgate, a gdy się obudzi, będzie wdychała zgniłe powietrze, słuchała lamentów innych więźniarek.

A potem przypomniała sobie o Justinie. Przyszedł po nią i była teraz w jego domu. Zaczęła się podnosić i zobaczyła, że Greville siedzi w niewygodnej pozycji na krześle, pogrążony we śnie, obejmując jej dłoń.

Bolesne emocje ścisnęły jej pierś i przez chwilę nie mogła oddychać. Justin po nią przyszedł. Ocalił przed losem, którego nie potrafiła sobie nawet wyobrazić. Jak było to możliwe?

Cofnęła dłoń i opuściła z wolna nogi, krzywiąc się lekko, ponieważ zesztywniały jej mięśnie. Przez chwilę siedziała, po prostu mu się przyglądając. Chociaż oddychał głęboko i równo, wydawał się nie mniej niż ona znużony. Pod oczami miał sine kręgi, a na czole zmarszczki. Mimo to w jego twarzy było coś chłopięcego, co pojawiało się tam jedynie, gdy spał. Włosy miał zmierzwione, na czoło opadł mu ciemny lok. Gęste rzęsy tworzyły nad szczupłymi policzkami ciemne półksiężyce.

Poruszył się, otworzył z wolna oczy i gwałtownie się wyprostował.

– Ariel… przepraszam, musiałem się zdrzemnąć.

– Tak… najwidoczniej.

Spojrzał jej w oczy i w jego spojrzeniu, zwykle tak trudnym do odczytania, dostrzegła troskę.

– Jak się czujesz?

Pomyślała o dniach i nocach spędzonych w wiezieniu i łzy zakłuły ją pod powiekami.

– Tam było strasznie. Brud i smród. To, jak traktowali kobiety. – Bolało ją gardło. – Nie zapomnę tego, póki żyję.

– To moja wina. Powinienem był cię zmusić, byś odeszła z tego domu. Chciałem. Ja…

– To wina Horwicka. To jego powinno się zamknąć.

– Spojrzała na Justina, dostrzegła, jak jest zmartwiony, i zrobiło jej się lżej na sercu. – Odpoczęłam i czuję się znacznie lepiej – powiedziała łagodnie. – Skąd wiedziałeś, gdzie mnie szukać?

Z twarzy Justina zniknęło napięcie.

– Poszedłem się z tobą zobaczyć. Kamerdyner powiedział, że już tam nie pracujesz. A kiedy próbowałem się dowiedzieć, dokąd poszłaś, zjawiła się pani O'Grady. Powiedziała mi, co się wydarzyło.

Pani O'Grady. Kochana, miła kobieta, jedyna, która miała odwagę przeciwstawić się Horwickowi. Nagle coś sobie uświadomiła.

– Boże, Horwick! Kiedy się dowie, co zrobiłeś, przyjdzie po mnie. Będę musiała wrócić do więzienia. Będę…

– Nie wrócisz tam. Nigdy. Obiecuję. Zajmę się Horwickiem.

– Ale jak udało ci się mnie wydostać? Lord zeznał, że próbowałam go zamordować. Nie zrobiłabym czegoś takiego. Zdzieliłam go w głowę wazą, bo nie chciał mnie puścić. Z pewnością na to zasłużył.

Justin uśmiechnął się mimo woli.

– Jestem tego pewien. Tak czy inaczej, zwolniono cię i oddano pod moją kuratelę. A kiedy porozmawiam z Horwickiem, będzie po wszystkim.

– Jak możesz być tego pewny? Może lord się nie zgodzi. Może…

W szarych oczach Justina pojawił się stalowy błysk, który pamiętała aż za dobrze.

– Zostaw Horwicka mnie – powiedział z przerażającym spokojem, który nie pozostawiał cienia wątpliwości: lord ustąpi albo zapłaci za swój postępek. Ariel zadrżała.

Justin wstał z krzesła i wyprostował się na imponującą wysokość.

– Powiem Silvie, że się obudziłaś i jest ci potrzebna.

– Dziękuję.

Przemierzył pokój, nie obejrzawszy się. Ariel obserwowała go, czując w duszy zamęt. Wróciła do punktu wyjścia – mieszkała w domu Greville'a i była znowu na jego utrzymaniu. Nie miała pieniędzy ani nikogo, do kogo mogłaby się zwrócić. Nawet to, co zarobiła u Horwicka, przepadło – pozostało ukryte pod poduszką w jej pokoiku. Tak być nie powinno. Nie powinno!

Westchnęła i wstała z łóżka, próbując zastanowić się nad przyszłością. Otrzymała kosztowne wykształcenie i co jej to dało? Próbowała zapracować na swoje utrzymanie i poniosła sromotną klęskę. Nie tylko nie stała się samodzielna, ale straciła pieniądze, wylądowała w więzieniu, a potem na powrót w domu lorda, zależna od niego pod każdym względem.

Nie była już jednak naiwnym dziewczęciem. Wiedziała, jaki naprawdę jest Justin. Nie robił nic, z czego nie mógłby wyciągnąć korzyści. Jakiej zapłaty zażąda od niej tym razem?

Stłumiła lodowaty dreszcz, który przeszył nagle jej ciało.

* * *

Justin siedział w swoim gabinecie. Przeczytał artykuł w „London Chronicle" po raz drugi i zaklął pod nosem. Zważywszy, ile osób było świadkami incydentu w domu Horwicka i aresztowania Ariel, powinien był się czegoś takiego spodziewać. Choć posłużono się jedynie inicjałami i nazwisko Ariel nie zostało wymienione, było oczywiste, o których członków arystokracji chodzi.

Wkrótce plotka rozprzestrzeni się wśród towarzystwa jak pożar lasu.

Do licha, sądził, że udało mu się wyciszyć sprawę. Powinien był wiedzieć lepiej. Wyjąwszy interesy, rzadko dopisywało mu szczęście. Potarł zmęczone oczy, żałując, że wszystko tak się potoczyło. Nagle drzwi otwarły się z hukiem i do gabinetu wmaszerował Clay, wymachując gazetą.

– Widziałeś to?

– Owszem. Jeden z służących Horwicka postanowił trochę dorobić.

– Zapewne. Horwick i Greville, dwóch szanowanych londyńskich arystokratów, zamieszanych w skandal z seksem, próbą zabójstwa i piękną, tajemniczą kobietą. Nic dziwnego, że facet nie zdołał się oprzeć.

– Jestem pewien, że nieźle na tym zarobił – stwierdził Justin kwaśno.

Clay postukał w gazetę.

– Napisali, że Ariel była kochanką lorda H. Przyłapał ją, jak próbowała ukraść mu pieniądze, i dlatego go uderzyła. Najwyraźniej sądzą, że natknąłeś się na nią w domu lorda i tak przypadła ci do gustu, że postanowiłeś jej pomóc. – Uderzył gazetą o biurko. – I co zamierzasz?

– Rozmawiałem wczoraj z Horwickiem. Wycofa zarzuty.

Clay uśmiechnął się szeroko.

– Wyłożyłeś mu jasno, co się stanie, jeśli tego nie zrobi?

Justin uśmiechnął się kącikami ust.

– Bardzo jasno.

– Co z Ariel? Jeśli przedtem jej reputacja była zaledwie nadszarpnięta, to teraz legła w gruzach. Co zamierzasz z tym zrobić?

– Zabrać ją stąd. Silvie pakuje właśnie jej rzeczy. Za godzinę będziemy w drodze do Greville Hall.

Drzwi otwarły się gwałtownie po raz kolejny i do gabinetu wparowała Ariel. Po dwóch dniach od opuszczenia

Newgate, wypoczęta i najedzona, wróciła w pełni do formy. Jej skóra odzyskała blask, a włosy połysk. Trudno było uwierzyć, że to ta sama brudna i obdarta istota, którą przywiózł z więzienia.

Dzisiaj w jej oczach płonął ogień. Wpatrywała się gniewnie w Justina, wsparłszy na biodrach smukłe dłonie.

– Domagam się, abyś powiedział mi, co się dzieje. Silvie powiada, że kazałeś jej spakować moje rzeczy. I że wywozisz mnie z Londynu. Zdaję sobie sprawę, że jestem twoją dłużniczką, ponieważ pomogłeś mi w moich… moich kłopotach z lordem Horwickiem, ale nie daje ci to prawa do decydowania o moim życiu. Jeśli chcesz wyjechać, droga wolna, ale ja nigdzie z tobą nie jadę. Poradziłam sobie przedtem, poradzę i teraz. Prawdę mówiąc, wolę sama o sobie decydować.

Justin nie wypomniał jej, czym skończyła się ta próba samodzielności. Sięgnął po prostu po gazetę, którą Clay położył na biurku, i podał jej.

– Czwarta kolumna, na dole – powiedział.

Ariel spojrzała na niego podejrzliwie, otworzyła jednak gazetę i zaczęła czytać. Przejrzała szybko artykuł, a potem przeczytała go raz jeszcze, powoli. W miarę jak czytała, jej twarz bladła coraz bardziej.

– Nie ma w tym słowa prawdy – powiedziała oburzona.

Justin wyjął gazetę z jej drżących dłoni.

– Chcę wywieźć cię daleko od plotek. W Greville Hall będziesz bezpieczna przed złośliwymi językami. Jest tam spokojnie. Zyskasz czas, by zastanowić się nad przyszłością.

– Lecz w rezydencji przebywa twoja siostra. Będzie wściekła, kiedy się pojawimy.

– Powiadomiłem ją, że przyjeżdżamy. Poza tym dom należy do mnie, nie do niej. Barbara mieszka tam, ponieważ jej na to pozwalam. Jeśli zechcę zostać w rezydencji przez tydzień – albo przez rok – nic jej do tego.

– Ja też jestem na twojej łasce. Jakiego rodzaju zapłaty oczekujesz?

Justin odwrócił wzrok, czując się niepewnie pod oskarżycielskim spojrzeniem niebieskich oczu. Pragnął jedynie ciepła jej uśmiechu. Chciał słuchać, jak się śmieje i wypowiada czule jego imię. Nie spodziewał się jednak, że to dostanie.

– Pojedziesz tam jako mój gość. Chcę tylko mieć pewność, że będziesz bezpieczna.

– Dlaczego? Dlaczego to robisz?

– Ponieważ zależy mi na tobie! Do licha, tak trudno to zrozumieć?

Ariel umilkła, zaskoczona. Justin wpatrywał się w nią z mieszaniną gniewu i czegoś jeszcze, czegoś bardziej skomplikowanego. Nie była w stanie nazwać tego ani odczytać.

Clay zamamrotał i głośno chrząknął.

– Nie będę was zatrzymywał. Do Greville jest z Londynu spory kawałek. – Do Ariel zaś powiedział łagodnie: – Bywa tak, że nie dostrzegamy tego, co oczywiste. Jedź z nim, skarbie. Z czasem wszystko się ułoży.

Ariel nie odzywała się przez chwilę, a potem skinęła lekko głową.

Justin odetchnął z ulgą.

– Muszę skończyć jeszcze coś przed wyjazdem – powiedział. – Spotkamy się w holu za pół godziny.

Ariel odwróciła się i wyszła bez słowa z gabinetu, zamykając za sobą cicho drzwi.

– Będę miał tutaj na wszystko oko – zaproponował Clay. – Gdybyś czegoś potrzebował, daj mi tylko znać.

Justin uśmiechnął się z wdzięcznością.

– Dziękuję, Clay. – Dopisało mu szczęście, że miał takiego przyjaciela. Popatrzył, jak Clay wychodzi, a potem utkwił wzrok znowu w papierach. Jednak choć bardzo się starał, trudno mu było się skupić, a szeregi cyfr zlewały się w zamazaną plamę. Zrezygnował i wysunął dolną szufladę biurka. Z tyłu leżało na boku pudełeczko, rzucone niedbale, jakby nie było warte więcej niż zmięty kawałek papieru. Wyjął je i otworzył. Idealnie oszlifowane szafiry jarzyły się, ułożone na wyściółce z białej satyny. Otaczające je lodowato białe diamenty błysnęły oskarżycielsko. Od chwili, kiedy przeczytał pierwszy list Ariel, chciał tylko jej pomóc. Tymczasem naraził ją na cierpienie. Odebrał jej dziewictwo, wykorzystał ją i zdradził. Zmarszczył ponuro brwi, wpatrując się w połyskujący klejnot. Poślubienie jej byłoby zdradą największą z możliwych.

Wyjął pierścionek, położył sobie na dłoni i jął przyglądać się każdemu cudownie oszlifowanemu kamieniowi z osobna, żałując, iż nie może zapewnić Ariel doskonałego, cudownego życia, jakie symbolizował klejnot.

Lecz nie był w stanie tego zrobić. Nie było w nim jasności, jedynie mrok. To Ariel była światłem, blaskiem, ogniem. Jakoś udało mu się przytłumić ten blask.

Zacisnął palce i nie puszczał, póki ostre krawędzie kamieni nie wbiły mu się w dłoń. Nie wypuścił jednak pierścionka, nie próbował złagodzić bólu.

Odłożył go dopiero, gdy poczuł lepką wilgoć, a spod palców zaczęła sączyć się krew.

Rozdział 19

Clay dogonił Ariel, nim doszła do schodów.

– Panno Summers? Ariel…?

Zatrzymała się i spojrzała na niego zmartwiona. Nie mógł nie zauważyć, że żal i niepewność przyćmiły błękit jej oczu.

– Muszę się przygotować. Nie mam zbyt wiele czasu.

– Wiem. Ja tylko… zdaję sobie sprawę, że musisz być zdenerwowana. Wiem, że to było dla ciebie straszne doświadczenie, ale i dla Justina także.

– Doprawdy? – spytała z ironią w głosie. – W jakim sensie? Z pewnością nie będzie pan próbował wmówić mi, że czuł się samotny? Wyobrażam sobie, ileż to kobiet chętnie dotrzymywało mu towarzystwa, kiedy odeszłam. Wątpię, czy któryś z was miał kiedykolwiek problem ze znalezieniem chętnej dziewczyny.

– Rzeczywiście, to się nigdy nie zdarzyło. – Odwróciła się i zaczęła iść, ale Clay chwycił ją za ramię. – Chodzi o to, że Justin nie interesuje się innymi kobietami od dnia, kiedy cię poznał. Nie rozumiesz? To na tobie mu zależy.

Spuściła wzrok i trwała tak przez chwilę, jakby studiowała wzór na marmurowej posadzce.

– To bez znaczenia. Nie jestem zainteresowana mężczyzną, który mi nie ufa i sądzi, że mogłabym nie być mu wierna.

– Może gdybyś znała go lepiej, tobyś zrozumiała. Wspominał ci kiedyś o Margaret?

– Margaret? To imię jego matki?

– Margaret była młodą kobietą, w której Justin miał pecha się zakochać. Oczywiście, to było dawno temu, gdy obaj jeszcze studiowaliśmy. Margaret była piękna i samowolna i powiedziała Justinowi, że go kocha. Po raz pierwszy od lat odważył się uzewnętrznić swoje uczucia. Sądził, że kiedyś się pobiorą. Zamiast tego przyłapał ją w łóżku z Phillipem Marlinem.

Ariel otwarła szeroko oczy zaszokowana.

– Toteż kiedy zobaczył, że idziesz tamtego wieczoru do Phillipa, jak zrobiła to Margaret, mało nie oszalał.

Wargi Ariel drżały, mimo to uniosła wyżej brodę.

– Powinien był mnie zapytać, pozwolić mi wyjaśnić. Powinien pokładać we mnie wiarę. Zamiast tego uwierzył, że jestem taka… taka jak ona. A to nieprawda.

– Justin się pomylił. Popełnił błąd. Kiedyś okrutnie go zraniono i teraz jest bardziej czujny, mniej ufny. Lecz nie jest głupcem. Potrafi uczyć się na błędach. Nie popełni tego samego drugi raz.

Ariel nie odezwała się, ale w jej oczach dostrzegł ocean bólu.

– Pomyśl o tym – powiedział łagodnie, po czym odszedł, odprowadzony niespokojnym spojrzeniem.

* * *

Barbara Ross Townsend, odziana w suknię z jedwabiu barwy ametystu ukazującą spory fragment mlecznobiałych piersi, wpłynęła przez wysokie, złocone drzwi do eleganckiego Różowego Salonu Greville Hall. Słońce przedarło się przez adamaszkowe kotary i zabłysło na kryształowych żyrandolach.

Uśmiechnęła się do jasnowłosego mężczyzny, który tu na nią czekał. Wstał, gdy tylko pojawiła się w drzwiach.

– Lady Haywood... Barbaro. Przyjechałem najszybciej, jak tylko było to możliwe.

– Phillipie, kochany, cudownie znowu cię widzieć.

– Ujęła wyciągnięte ku sobie dłonie, a Phillip ucałował jej policzki.

– Jak zawsze, wyglądasz cudownie. – Uśmiechnął się.

– Nie mieliśmy dla siebie dość czasu w Londynie. Myślałem o tobie bez przerwy, odkąd wyjechałaś.

Znała Marlina od lat, lecz nie zwracała na niego uwagi aż do swojej ostatniej wizyty w stolicy. Gościła wtedy u lady Cadbury i pojawiła się na jej dorocznym wieczorku. Phillip też był tam gościem i zatańczyli ze sobą kilka razy. Był troskliwy i nadskakujący i szybko zorientowała się, że jej zainteresowanie jest odwzajemnione.

W przeszłości dawał jej do zrozumienia, iż uważa ją za atrakcyjną, a tę atrakcyjność zwiększała zapewne nienawiść, jaką czuł wobec jej przyrodniego brata. Aż do tamtego wieczoru ignorowała jego zaloty. Teraz była zadowolona, że się nie pośpieszyła.

Wiedziała, że podoba się mężczyznom. Obdarzona przez naturę czarnymi włosami, jasną cerą i bladoszarymi oczami wytwarzała wokół siebie aurę egzotyki, której nie potrafili się oprzeć, a jedyne, nieprzyjemne doświadczenie z macierzyństwem nie zdołało zepsuć jej figury. Zwieńczone różowymi sutkami piersi nadal dumnie sterczały, a talia pozostała smukła. Posiadała wszystkie atrybuty, które mężczyzna pokroju Phillipa mógł uznać za atrakcyjne, a to, że była siostrą przyrodnią Justina, jeszcze tę atrakcyjność zwiększało.

Po spotkaniu u lady Cadbury Phillip zaprosił ją na kolację. Podczas trzeciego wspólnie spędzanego wieczoru nawiązali namiętny romans.

Barbara uśmiechnęła się, kiedy utkwił wzrok w jej piersiach i jął nieśpiesznie się im przyglądać.

– Napisałaś, że musisz zobaczyć się ze mną w pilnej sprawie.

– Rzeczywiście. Lecz skoro już tu jesteś, będziemy mieli mnóstwo czasu na rozmowę. – Pogładziła Phillipa delikatnie po policzku, a potem ujęła jego twarz w dłonie i pociągnęła ku sobie. Pocałował ją i serce zaczęło mu szybciej bić. Wyczuła, jak jest podniecony, i uśmiechnęła się w duchu. – Co ty na to, byśmy weszli na chwilę na górę? Może później... będziemy bardziej w nastroju do poważnej rozmowy.

Phillip wygiął w uśmiechu zmysłowe wargi.

– Doskonały pomysł. – Pocałował Barbarę znowu, tym razem bardziej namiętnie, wsuwając jej język w usta.

– Tak, doskonały.

Rozmowę, dla której go wezwała, odbyli dopiero po dwóch godzinach. Barbara z zadowoleniem przekonała się, że Phillip podszedł do propozycji, jaką mu złożyła, z większym entuzjazmem, niż śmiała oczekiwać.

Wyszli z sypialni i wrócili na dół, trzymając się za ręce. Miała nadzieję na spędzenie leniwego popołudnia, jednak wiadomość dostarczona przez posłańca zniweczyła te plany.

– Nie mogę uwierzyć! Co za bezczelność! – Wręczyła liścik Phillipowi. – Przyjeżdża dzisiaj, jakby miał do tego pełne prawo. – To, że tak właśnie było, nie miało dla Barbary znaczenia. – Obawiam się, że będziesz musiał wyjechać, kochanie. Przykro mi, że przebyłeś taki kawał drogi na próżno.

– Nie tak zupełnie na próżno – odparł Phillip, uśmiechając się z zadowoleniem. Przesunął po niej spojrzeniem, rozpalonym wspomnieniami tego, co zaszło niedawno w sypialni. – Jak znam Greville'a, nie zostanie długo. Nie, kiedy ma tyle pilnych spraw w Londynie.

Barbara uniosła długie ciemne rzęsy i uśmiechnęła się uwodzicielsko.

– Wrócisz, kiedy wyjedzie?

– Oczywiście, moja droga. – Stanął za Barbarą, otoczył jej talię ramionami i przyciągnął do siebie. – Musimy dopracować szczegóły, poza tym mam inny, jeszcze bardziej zachęcający powód, by tu przyjechać.

Barbara uśmiechnęła się, odwróciła i przesunęła palcami po wyłogach jego surduta.

– Zawiadomię cię, gdy tylko wyjedzie. Tymczasem mógłbyś się zastanowić, jak wprowadzić w życie nasz plan.

– Rzeczywiście, mógłbym. – Długi, namiętny pocałunek i już go nie było.

Barbara uśmiechnęła się na myśl o tym, jak łatwo było oczarować Phillipa, przekonać go do swego planu i zachęcić, by zaczął go realizować. A potem pomyślała o mężczyźnie, który miał przyjechać wkrótce do rezydencji, i pełen samozadowolenia uśmiech znikł z jej twarzy.

Justin Bedford Ross był jej nemezis, kolcem w boku od dnia, kiedy odkryła, że istnieje, intruzem, który wykradł jej synowi należne mu prawa. Boże, jak ona go nienawidziła!

Prawie tak bardzo, jak człowieka, który adoptował go, uczynił dziedzicem i zniszczył jej życie.

* * *

Podróż do Greville przebiegła na ogół w milczeniu. Justin był w ponurym nastroju, zaś Ariel przez całą drogę biła się z myślami.

Ponieważ zależy mi na tobie! Czy to tak trudno zrozumieć? Słowa Justina rozbrzmiewały nieustająco w jej głowie. Tydzień temu powiedziałaby: *Tak, nie jestem w stanie w to uwierzyć*, przekonana, że lord Greville dba tylko o własne dobro. Że jest okrutny i podły, a wykorzystanie jej, a potem odprawienie sprawiło mu przyjemność.

Ale to było, zanim wrócił do domu Horwicka, by błagać ją o wybaczenie. Zanim została wtrącona do więzienia, a on przybył na ratunek i zabrał ją z tego okropnego miejsca. Wspomniała smutek w jego spojrzeniu, to, że ewidentnie obwiniał się za wszystko, co się jej przydarzyło, i poczuła ból w sercu.

A potem obudziła się i zobaczyła, że zasnął, trzymając ją za rękę.

Kiedy patrzyła na niego teraz, jak siedzi na przeciwległej ławce ze wzrokiem utkwionym w dal i niemożliwym do odczytania wyrazem twarzy, przypomniała sobie, co Clay powiedział o dziewczynie, którą Justin kochał i która tak okrutnie go zdradziła. Ojciec się go wyparł, matka porzuciła. Czy ktoś w ogóle go kochał?

Chyba tylko ona.

Spazm bólu przeszył jej serce. Kiedyś go kochała. Ta miłość spoczywała teraz zagrzebana tak głęboko, że nie byłaby w stanie jej odnaleźć. I wcale tego nie chciała.

Ale czy na pewno?

Przyglądała się spod opuszczonych rzęs stanowczemu zarysowi jego brody i przypomniała sobie, jak rysy Justina złagodniały podczas snu, sprawiając, że wyglądał niemal jak chłopiec. A także opiekuńczy błysk w jego oku, kiedy zapewniał, że nie będzie musiała wrócić do więzienia. Czułość, z jaką spoglądał na nią, gdy sądził, że tego nie widzi.

Potrząsnęła głową. Fantazjuje, wyobraża sobie różne rzeczy, udając, że Justin jest kimś innym niż w rzeczywistości. Nawet jeśli mu na niej zależało, to jej nie kochał. Nie był zdolny do miłości. Nie miał w sobie po prostu tego rodzaju emocji.

Gonitwa myśli trwała i po jakimś czasie Ariel zaczęła boleć głowa. Zamknęła oczy i wsparła ją o aksamitne poduszki, wsłuchując się w poskrzypywanie uprzęży i turkot kół powozu na gruntowej drodze, zdecydowana zmusić umysł, by zajął się czymś innym.

Próbowała skupić się na myśleniu o przyszłości. Kiedyś skandal ucichnie i będzie mogła sama o sobie stanowić. Wiedziała, że Justin pomoże jej zacząć wszystko od początku. Przynajmniej w tej sprawie był z nią całkowicie szczery. Nad pozostałymi kwestiami wolała się nie zastanawiać.

Jedno było pewne: nie może opuścić gardy ani na chwilę. Jeśli to zrobi, te spojrzenia, przenikliwe i gorące zarazem, sprawią, że powrócą wspomnienia, których wolałaby nie przywoływać. Wspomnienia tego, jak się czuła, gdy ją całował, dotykał, kochał się z nią. Jak krew śpiewała jej w żyłach, kiedy w nią wchodził. Jeśli będzie o tym myślała, zacznie go pożądać, a potem znowu pokocha. A tego nie ośmieli się zaryzykować. Przetrwała zniweczenie marzeń raz. Następnym mogłoby się nie udać.

Nie przeżyłaby, gdyby znów złamał jej serce i podeptał uczucia.

* * *

Greville Hall było jeszcze wspanialsze, niż je zapamiętała. Przez lata zapomniała, jak ogromny dom wtapia się w zieloną dolinę. Tkwił pomiędzy opadającymi łagodnie stokami niczym drogocenna perła, bladożółty kamień, połyskujący łagodnie w słońcu. Wysoki na trzy kondygnacje, z majestatycznym dachem o wielu szczytach, morzem kominów i śliczną pozłacaną kopułą, wznoszącą się w błękitne październikowe niebo, połyskiwał jak klejnot, którym przecież był.

Powóz zatrzymał się przed ocienionym białymi kolumnami gankiem, gdzie witano zazwyczaj gości i lokaj otworzył drzwiczki. Z podjazdu szerokie białe stopnie wiodły ku masywnym, podwójnym drzwiom, przytrzymywanym teraz przez kamerdynera. Justin objął Ariel w talii i poprowadził.

– Witamy w Greville Hall, milordzie.

– Dziękuję. Perkins, czy tak?

Starszy kamerdyner uśmiechnął się zachwycony, iż lord, który rzadko bywał w posiadłości, zapamiętał jego nazwisko.

– Tak, milordzie. Harold Perkins. – Kiedy Justin oma-
wiał z kamerdynerem sprawy dotyczące domu, Ariel
wpatrywała się z podziwem w majestatyczne wejście.
Wysoko ponad ich głowami światło wpadało przez witra-
że umieszczone w pozłacanej, olbrzymiej kopule. Głębokie czerwienie, szmaragdowa zieleń i szafirowy błękit
rzucały barwne błyski na starożytne rzymskie posągi
i obrazy w złoconych ramach zdobiące ściany.

– To niewiarygodne – wyszeptała, gdy Justin zakończył rozmowę i podał jej ramię. – Piękniejsze, niż sobie
wyobrażałam.

Spojrzenie szarych oczu Justina złagodniało.

– Skoro tak ci się tu podoba, możemy zwiedzić dom.
Ostrzegam jednak, że nie mam pojęcia, gdzie wyląduje-
my. Sam nie obejrzałem jeszcze wszystkiego.

Jakie to dziwne, pomyślała Ariel, mieć taki skarb i nawet
go nie obejrzeć. Gdyby to ona była tu panią, znałaby każdy
kąt i zakamarek, każdy obraz na ścianie i kwiat w ogrodzie.

A potem dobiegł ją ostry, przepełniony gniewem głos
siostry Justina. Barbara Townsend wparowała do holu
i Ariel wiedziała już, dlaczego Justin unika przebywania
w posiadłości.

– Widzę, że się zjawiłeś dokładnie tak, jak zapowie-
działeś. Zawsze tak punktualny, tak całkowicie przewi-
dywalny i tak porażająco nudny.

Twarz Justina pozostała obojętna.

– Skoro tak uważasz, postaramy się oszczędzić ci naszej obecności.

Barbara uniosła brew. Choć rozciągnęła w parodii
uśmiechu wargi, w tym grymasie nie było nic przyjaciel-
skiego.

– Cóż, i tak nie będzie ci brakowało towarzystwa, prawda? Nie, kiedy będziesz miał przy sobie tę małą dziwkę.
Dlaczego miałbyś przejmować się konwenansami? To, że
w domu przebywa twój niewinny siostrzeniec, nie stanowi
wystarczającego powodu, byś nie ciągnął za sobą kochanki.

Rysy Justina stężały. Twarz przybrała lodowaty wyraz. Zacisnął szczęki, a szare oczy pociemniały tak bardzo, że wydawały się niemal czarne. Zacisnął dłoń w pięść, a na policzku zadrgał mu mięsień.

– Pomyliłaś się, moja droga – powiedział, przewiercając siostrę spojrzeniem. – Ariel nie jest moją kochanką. – Zerknął przelotnie na Ariel, a potem zacisnął usta w ostrzegawczym grymasie. – Wkrótce zostanie moją żoną.

Ariel wypuściła powietrze z płuc, choć nie zdawała sobie sprawy, że wstrzymuje oddech. Justin spojrzał znów na nią i nie odwrócił wzroku. Odczytała przekazywane jej błaganie równie jasno, jak gdyby wyraził je słowami. *Nie odmawiaj. Pozwól, bym zrobił to dla ciebie.* Nawet jeśli wchodząc do domu, nie zamierzał jej poślubić, teraz był na to absolutnie zdecydowany. Ożeni się z Ariel, aby ochronić ją przed okrutnymi, podłymi ludźmi, takimi jak jego siostra. Nie kocha jej, ale podaruje jej swoje nazwisko, zapewni przyszłość.

Nie spuszczał z niej wzroku i w głębi jego oczu dostrzegła coś, czego nie spodziewała się zobaczyć, coś tak intensywnego, że aż ugięły się pod nią kolana.

W spojrzeniu Justina ujrzała bowiem przemożną tęsknotę, potrzebę, jakiej nie widziała tam nigdy wcześniej. Nie mogła zignorować milczącego błagania. Zaskoczyło ją z siłą lodowatego wichru i nagle uświadomiła sobie, że jej miłość nigdy nie wygasła. Wypełniała, jak zawsze, jej serce i nie było od tego ucieczki.

Kochała Justina i kiedy patrzyła teraz na jego twarz, widziała kryjącą się za fasadą chłodu potworną tęsknotę, czuła, że nie ma wyboru: musi go poślubić. Podejmie ryzyko, choćby było nie wiem jak wielkie, w nadziei, że pewnego dnia on też ją pokocha.

Łzy zakłuły Ariel pod powiekami. Nie była w stanie znaleźć słów, a nawet gdyby je znalazła, i tak nie dałaby rady nic powiedzieć. Zamiast tego podeszła i z czułością ujęła dłoń Justina. Zacisnął wokół niej palce tak mocno, że niemal bolało. Przyciągnął Ariel bliżej i otoczył w talii opiekuńczo ramieniem.

– Ariel zostanie wkrótce kolejną hrabiną Greville – powiedział, spoglądając siostrze wprost w oczy.

Barbara rozciągnęła wargi w bezlitosnym, sztywnym uśmiechu. Jej twarz przybrała dziki wyraz.

– A kiedyż to będzie miała miejsce ta szczęśliwa okoliczność?

– Gdy tylko dostanę zezwolenie. – Spojrzał na Ariel i po raz drugi w ciągu kilku minut w jego spojrzeniu pojawiło się coś, czego nie widziała tam nigdy wcześniej. W nagłym olśnieniu uświadomiła sobie, że była to nadzieja, tak nieoczekiwana i tak chwytająca ze serce, że aż ścisnęło ją w gardle.

– Tymczasem – powiedział, zwracając się znowu do siostry – zakładam, że przygotowałaś dla nas pokoje.

Barbara zerknęła w kierunku schodów.

– Kazałam przygotować sypialnię, przylegającą do twojej. Nie wiedziałam, że zechcesz utrzymywać pozory.

Zacisnął szczęki, ale się nie odezwał. Zamiast tego powiedział do stojącego w pobliżu drzwi lokaja:

– Dopilnuj, proszę, by przyniesiono bagaże. Dama jest bez wątpienia zmęczona i potrzebuje wypoczynku. Co do mnie, chciałbym zobaczyć się z siostrzeńcem, a potem chyba zdrzemnę się przed kolacją.

– Tak, milordzie. – Młody, jasnowłosy lokaj pośpieszył wypełnić polecenia.

Ariel ruszyła za kamerdynerem schodami. Drzwi pokoju stały otworem, a pokojówka kończyła go właśnie przygotowywać. Jasny i piękny jak reszta, wychodził na ogród z tyłu domu. Królowała w nim satyna w odcieniach kremowym i różowym, miał też piękne zasłony z jedwabnego adamaszku. Pod ścianą zaś stało bogato zdobione łoże z różanego drewna. Ariel czekała na swoje bagaże – rzeczy, które zostawiła w domu Justina, kiedy odeszła. Wraz z kufrem pojawiła się Silvie. Podróżowała drugim powozem z lokajami i bagażami. Pomogła Ariel zdjąć zakurzoną, nieświeżą suknię podróżną i założyć pikowany błękitny szlafrok. Kiedy zabrała się do rozpakowywania, wyczerpana emocjonalnie Ariel usiadła w fotelu przed kominkiem.

Boże, co ja zrobiłam? Chociaż w pokoju było ciepło, przeszył ją dreszcz. Wszystko działo się tak szybko. Justin powiedział siostrze, że się pobiorą. A ona zgodziła się bez słowa i bez zastanowienia. Musiała chyba zwariować, stracić zupełnie rozum!

Wspomniała twarz Justina, lecz teraz nie było w niej śladu tęsknoty. A jeśli tylko ją sobie wyobraziła? Jeśli się pobiorą, a ona odkryje, że Justin jest naprawdę tak zimny i nieczuły, jaki się wydawał?

Musi z nim porozmawiać, dowiedzieć się, co myśli. Upewnić się, że podjęła właściwą decyzję.

Podeszła do antycznego francuskiego sekretarzyka i napisała liścik, w którym prosiła Justina, by spotkał się z nią o siódmej wieczorem w ogrodzie. Podała liścik Silvie i poleciła zanieść lordowi. Silvie dygnęła szybko i wybiegła poszukać Justina. Ariel, znużona, wdrapała się na łóżko. Miała nadzieję, że jeśli odpocznie, przejaśni jej się w głowie.

Jednak dwie godziny później nadal nie spała, a w głowie miała taki sam mętlik.

* * *

Barbara przemierzała podłogę przed marmurowym kominkiem w jednym z pokojów eleganckiego apartamentu. Apartamentu pana domu. Lorda. Zawłaszczyła dla siebie te pokoje, gdy wprowadziła się do rezydencji po śmierci męża. Utrzymane w barwach srebra i królewskiego błękitu pomieszczenia były najelegantsze w całym domu. Dlaczego nie miałaby z nich korzystać? Justin rzadko przyjeżdżał do Greville, a jeśli już coś takiego się zdarzyło, wystarczał mu niewielki apartament, który zajął także dziś.

Podeszła do okna i zawróciła. Czerwona aksamitna spódnica zawirowała wokół jej nóg. Ramiona miała sztywne z napięcia. Te pokoje powinny należeć do Thomasa. Ponieważ to jej syn, nie gruboskórny bękart ojca, powinien był odziedziczyć tytuł.

Wspomniała diabła w ludzkim wcieleniu, swego brata o czarnym sercu, i poczuła nowy przypływ furii. Jak śmiał pojawić się w jej domu i oznajmić jak gdyby nigdy nic, że zamierza poślubić swoją najnowszą dziwkę? Jak śmiał! Przez lata przysięgał, że nigdy się nie ożeni. Twierdził, że nic mu po żonie i dzieciach i że się do tego nie nadaje.

A ona, głupia, uwierzyła. Także w to, że kiedyś jej syn wszystko odziedziczy. Błędnie założyła, że ma mnóstwo czasu, aby ten moment przyśpieszyć. Teraz, widząc, że Justin spogląda na dziewczynę, jakby była najwspanialszym daniem podczas bankietu, nie miała wątpliwości, że będzie spółkował z nią, póki dziewka nie zajdzie w ciążę. A zważywszy, jak był żywotny, dzieckiem, które pocznie, będzie zapewne syn.

Chłopiec, który odziedziczy tytuł i majątek należne Thomasowi.

Podeszła do kominka i uderzyła pięścią w obmurowanie. Musi zobaczyć się znowu z Phillipem, poinformować go, co zaszło i postanowić, jak winni na to zareagować. Pośle wiadomość i umówi się z nim w gospodzie w wiosce.

Uśmiechnęła się po raz pierwszy od chwili, kiedy jej brat pojawił się tego dnia w rezydencji.

Może to, że Justin i jego dziwka przybyli do Greville Hall, obróci się jeszcze na korzyść. Będzie znała jego plany i miejsce pobytu, przynajmniej dopóki tu zostanie. A na wsi wszystko może się wydarzyć. Przypadkowy postrzał, upadek z konia, nieświeża żywność. Możliwości są wprost nieograniczone.

Uspokoiwszy się nieco, zasiadła przy biurku i napisała liścik. Dopilnuje, aby wysłano go jeszcze tego dnia. W liście prosiła Phillipa, by zaczął wprowadzać w życie ich plan. Po raz pierwszy przyszło jej do głowy, iż kochanica Justina może być w ciąży i dlatego postanowił się z nią ożenić. Jeśli tak właśnie jest, szybko się o tym dowie.

Justin zniknie z tego świata, a jeśli mała dziwka spodziewa się bękarta, pozbędą się jej równie łatwo.

* * *

Justin spacerował po ogrodzie. Musiał przyznać, że jest tam pięknie, nawet w połowie listopada. Wijące się, żwirowane alejki oświetlone pełgającymi płomykami pochodni. Idealnie przycięte żywopłoty tworzące na trawniku pełne wdzięku desenie. W oddali wznosił się staromodny labirynt. Wejścia do niego strzegły wymodelowane w kształt ptaków ozdobne krzewy.

Podszedł do znajdującej się pośrodku, czynnej fontanny i usiadł na jednej z otaczających ją marmurowych ławek. Przyszedł za wcześnie, teraz więc, czekając na Ariel, podciągnął mankiety i poprawił krawat.

Miał nadzieję, że wykorzysta czas do spotkania, by zastanowić się, co jej powie, lecz jakoś nic nie przychodziło mu do głowy. Nie był pewny, w jakim celu chciała się z nim spotkać. A już na pewno, dlaczego zgodziła się za niego wyjść. Może jedynie po to, aby powstrzymać choć na chwilę złośliwy język Barbary.

Siedząc samotnie w zapadających ciemnościach, wspominał jeden z jej listów.

W szkole panuje dziś wielkie podniecenie. Cynthia Widmark, jedna z moich koleżanek, wychodzi za mąż! Choć znała młodzieńca od lat, do niedawna jej rodzice sądzili, że jest za młoda na zamążpójście. Najwidoczniej ustąpili i zgodzili się ogłosić zarę-

czyny. Cynthia jest nieziemsko szczęśliwa. Mogę sobie jedynie wyobrażać, jakie to musi być cudowne: zakochać się, wyjść za mąż, mieć rodzinę. Zastanawiam się, czy i mnie dopisze kiedyś szczęście.

Myślał o liście i zastanawiał się, czy Ariel uważa się za szczęśliwą, ponieważ ma go poślubić. Wyznała kiedyś, że go kocha. Ciekawe, czy nadal tak jest. A może powiedziała tak jedynie po to, by zniechęcić Phillipa Marlina? Próbował przypomnieć sobie, czy jakaś kobieta kiedykolwiek go kochała. Na pewno nie Margaret. Ani nie jego matka, przynajmniej nie na tyle, żeby go nie porzucić. Może babcia, lecz było to tak dawno, że już nic nie pamiętał.

Spojrzał w kierunku domu, sprawdzając, czy nie nadchodzi Ariel. Ogród stał jednak pusty i cichy, jeśli nie liczyć potrzaskiwania płonących pochodni i szmeru fontanny. Wieczór był chłodny, powietrze rześkie i przejrzyste, na niebie połyskiwały niczym klejnoty liczne gwiazdy. Miał nadzieję, że Ariel pamiętała, aby otulić się szalem.

Na odgłos kroków zerwał się z ławki, niepewny nagle i zdenerwowany. Na Boga, co ma jej powiedzieć?

– Justin…?

– Tu jestem, przy fontannie. – Odwróciła się i podeszła, równie niepewna i zagubiona. Przez chwilę żadne z nich się nie odezwało. Potem przemówili oboje naraz i umilkli speszeni.

– Nie wiem, od czego zacząć – powiedziała w końcu Ariel, spoglądając na Justina. – Mówiłeś poważnie, gdy oznajmiłeś siostrze, że zamierzasz mnie poślubić?

– Wiesz, że tak.

– Dlaczego? Dlaczego miałbyś chcieć mnie za żonę?

Nie był pewny, co odpowiedzieć, ani nawet tego, czy zna odpowiedź.

– Dawno już powinienem był się ożenić. – Powód równie dobry, jak każdy inny. – Potrzebuję żony, a ty męża albo przynajmniej kogoś, kto by się tobą zaopiekował. Małżeństwo rozwiąże zatem problemy nas obojga.

– Twierdziłeś, że nie nadajesz się do małżeństwa.

– Ponieważ tak właśnie myślałem… wtedy. Lecz życie nie stoi w miejscu, ludzie się zmieniają. Spytałaś mnie kiedyś, czy zamierzam mieć dzieci. Nie sądziłem, bym tego chciał, ale być może zbytnio się pośpieszyłem. Teraz myślę, że bardzo chciałbym je mieć.

Pod warunkiem, że z tobą, dodał w myśli.

– Rozumiem.

Nie wydawała się jednak szczególnie usatysfakcjonowana. Może nie wyłożył wszystkiego należycie.

– Widziałem cię z Thomasem. Wiem, że lubisz dzieci i będziesz cudowną matką. W zamian mogę dać ci to, czego zawsze pragnęłaś. Zostaniesz hrabiną, Ariel. Lady Greville. Będziesz miała pieniądze i pozycję. Nikt już cię więcej nie skrzywdzi.

Ariel odwróciła się, podeszła do fontanny i przesunęła palcem po powierzchni cienistej, chłodnej wody.

– Jeśli mamy mieć dzieci, będziesz musiał ze mną sypiać. A skoro tak…

– Pragnę cię, Ariel. Zawsze cię pragnąłem. Nie chcę małżeństwa, które jest nim jedynie z nazwy.

Sekundy dłużyły się w nieskończoność. Wreszcie Ariel powiedziała:

– Nie będę cię okłamywać, Justinie. Już raz ci zaufałam. Boję się uczynić to ponownie.

Wyrzuty sumienia i żal spowiły go niczym wilgotna, zimowa mgła. Podszedł, ujął Ariel pod brodę i uniósł ku sobie jej twarz.

– Nie mogę zmienić przeszłości. Mogę jedynie obiecać, że to się więcej się nie powtórzy.

Jej oczy, tak bardzo niebieskie w świetle pochodni, badały każdy rys jego twarzy.

– Czy ty mnie kochasz, Justinie? Choćby odrobinę?

Poczuł się tak, jakby wokół piersi zaciśnięto mu ciasną obręcz. Chciał powiedzieć jej to, co pragnęła usłyszeć, sprawić, by jej dziewczęce marzenia się spełniły, lecz nie miał pojęcia, jak to jest kochać kogoś, a nie zamierzał więcej jej okłamywać.

– Zależy mi na tobie, Ariel. Bardziej, niż mógłbym sądzić, że to w ogóle możliwe. Lecz miłość? Nic o niej nie wiem. I chyba nie jestem zdolny kochać. Mogę cię tylko zapewnić, że będę o ciebie dbał, troszczył się o nasze dzieci. I zrobię, co w mojej mocy, żebyś była szczęśliwa.

Zagryzła dolną wargę.

– Ja... sama nie wiem.

Jej słowa raniły mu serce. Obręcz wokół klatki piersiowej zacisnęła się tak, że ledwie był w stanie oddychać.

– Pozwól, bym się tobą zaopiekował, troszczył o ciebie tak, jak na to zasługujesz. Proszę, Ariel. Potrzebuję cię. Powiedz, że zostaniesz moją żoną.

Wpatrywała się w jego twarz i Justin zastanawiał się, co w niej dostrzega, jakie tajemnice odkrywa. Łzy zabłysły na chwilę w jej oczach.

– Wyjdę za ciebie, Justinie.

Nie zamierzał jej całować. Lecz spojrzał w te piękne, załzawione oczy i nie potrafił się powstrzymać. Ujął jej twarz w dłonie, przycisnął wargi do drżących ust i całował ją, zaspokajając tęsknotę, która dręczyła go od czasu, gdy ją odprawił. Wyrzuty sumienia w połączeniu ze świadomością, że wkrótce będzie należała do niego zbudziły w nim namiętność. Wybuchła w żyłach niczym płomień.

Poddawał się jej przez chwilę, całując Ariel, tuląc i czując, jak wbija mu palce w ramiona. Był już twardy, podniecony i rozpaczliwie pragnął, potrzebował znaleźć się w niej. Całował ją jeszcze przez chwilę, a potem odsunął się gwałtownie, przerywając czarowną chwilę, zanim posunie się za daleko i zrobi coś, czego będzie potem żałował.

Zadrżał, próbując odzyskać nad sobą kontrolę. Oddychał ciężko, jakby ukończył przed chwilą długi bieg.

– Myślę, że powinnaś wrócić do domu – powiedział cicho. – Jeśli tego nie zrobisz, mogę nie dotrzymać obietnicy, jaką ci złożyłem, kiedy się tu wybieraliśmy.

Ariel spojrzała na niego. Twarz miała zarumienioną, wargi wilgotne od pocałunków. Dostrzegł w jej oczach niepewność i znienawidził się za to. Uniósł rękę i pogładził delikatnie jej policzek.

Posłała mu ostatni, przepojony zmartwieniem uśmiech, odwróciła się i pośpieszyła ku domowi.

Justin patrzył, jak odchodzi, walcząc z płonącym w żyłach pożądaniem. Przez kilka ostatnich dni udawało mu się nad nim panować. Teraz, gdy Ariel zgodziła się za niego wyjść, żądze szarpały mu ciało niczym pazury głodnej bestii.

Pożądanie było uczuciem dobrze znanym. To czułość, jaka przepełniała mu serce, gdy patrzył, jak Ariel znika w domu, tak go zadziwiła. Przez chwilę trudno mu było zrozumieć, co to takiego.

Opadł z wolna na ławkę, pocierając kark i próbując poukładać wszystko w głowie. Wcześniej posłał wiadomość swemu prawnikowi, prosząc, by uzyskał dla niego specjalne pozwolenie na ślub. Za kilka dni będzie żonaty.

Popatrzył na swoją rękę, rozciągnął palce, poczuł, jak napinają się mięśnie przedramienia. Zawsze starał się utrzymać w formie – zarówno fizycznej, jak umysłowej. Nauczył się panować nad lękiem, a potem wykorzystał tę cenną umiejętność, by zdobyć fortunę i żyć tak, jak chciał.

Teraz, kiedy spoglądał w przyszłość, w której było małżeństwo, a z czasem zapewne i dzieci, odkrył, że boi się jak nigdy przedtem. Prawdę mówiąc, nie był dotąd równie przerażony, jak w chwili, gdy siedział samotnie w cienistym ogrodzie, rozmyślając o wyrokach losu, które doprowadziły go do tego nieoczekiwanego momentu w życiu.

Rozdział 20

Rozpętała się burza. Wysokie cyprysy w ogrodzie chyliły się ku ziemi, smagane lodowatym północnym wiatrem szalejącym w dolinie. Deszcz znaczył ziemię i uderzał tysiącami kropel o szyby. Niebo przecinały błyskawice, rozświetlając ponury krajobraz. Ponad wzgórzami przetoczył się grzmot.

Prawie zapadł już zmierzch. Pastor mógł przybyć dopiero późnym popołudniem, lecz Justin nie chciał czekać do następnego dnia. Ceremonia miała zostać przeprowadzona w eleganckim saloniku utrzymanym w tonacji jasnego błękitu i złota.

Gości było niewielu: Barbara i Thomas, Clayton Harcourt, który przybył tego ranka na prośbę Justina z Londynu, pokojówka Ariel, Silvie, gospodyni, pani Wilson i kamerdyner, Harold Perkins – ostatnia trójka, jako że byli służącymi, trzymała się nieco z boku. Pastor, Richard Woods, czekał już w gotowości, podczas gdy jego pulchna żona, Emily, ocierała ukradkiem łzy, stojąc obok Claya.

Ceremonia rozpoczęła się o ustalonej godzinie. Jeszcze kilka minut i Ariel Summers, urodzona jako chłopka, córka zubożałego i niepiśmiennego dzierżawcy, zostanie Ariel Ross, piątą hrabiną Greville.

Stała obok Justina, ubrana w suknię z bladoniebieskiego aksamitu z wysoką talią, ozdobioną kremową koronką. Drżała nieco. Policzki miała zimne i jakby odrętwiałe. Kiedy pastor rozpoczynał ceremonię, Justin utkwił wzrok w przestrzeń, nie zdradzając, co czuje.

Ariel starała się zebrać rozproszone myśli i skupić na słowach pastora.

– Chrystus powiedział „jak ojciec kochał mnie, tak ja pokochałem was. Takie jest moje przykazanie – byście od teraz nawzajem się kochali".

...*byście nawzajem się kochali*. Było to boskie przykazanie i Ariel wiedziała, że będzie go przestrzegać. Kochała Justina Rossa. Chciała, aby i on ją pokochał. Dostrzegła kątem oka, że Clay Harcourt się uśmiecha. Wyglądało to tak, jakby czytał jej w myślach. Rzucił Ariel swego czasu wyzwanie, podsuwając myśl, że mogłaby nauczyć Justina, czym jest miłość. Gdyby nie tamta rozmowa, być może nie stałaby dzisiaj w tym miejscu.

– Połączcie prawe dłonie – polecił pastor. Poczuła uścisk dłoni Justina, mocny i pewny. Jej własna dłoń drżała. – Czy ty, Justinie Ross, lordzie Greville, bierzesz sobie tę kobietę, Ariel Summers, za małżonkę i przysięgasz opiekować się nią w zdrowiu i chorobie, w biedzie i dostatku, póki was śmierć nie rozłączy?

– Tak – odparł Justin stanowczo.

Pastor zwrócił się teraz do Ariel. Powtórzyła słowa przysięgi.

– Poproszę o pierścionek.

Justin wyjął klejnot z kieszonki srebrnej kamizelki z brokatu i podał duchownemu. Eleganckie szafiry płonęły błękitnym ogniem w blasku świec, diamenty iskrzyły się jak czysty lód. Ariel wpatrywała się w pierścionek zaskoczona. Uznała, że nie widziała dotąd nic równie cudownego.

– Ten pierścionek będzie przypominał wam o zawartej dzisiaj umowie i złożonej przysiędze. Czy przyrzeka pan jej dotrzymać?

– Przyrzekam – powtórzył Justin.

– Może pan włożyć pierścionek na palec panny młodej. – Pastor podał klejnot Justinowi, który wsunął go na palec lewej dłoni Ariel. Był przyjemnie chłodny i dosyć ciężki, a przy tym tak piękny i prosty, że o mało się nie rozpłakała.

Skąd się wziął? Justin nie miał czasu go kupić. Widocznie zlecił to Clayowi. Zadziwiające, że ten był w stanie wybrać klejnot, który tak doskonale do niej pasował.

– Jako że ty, Justinie Ross, i ty, Ariel Summers – przemówił pastor – zawarliście ślub i złożyliście przysięgę w obliczu Boga i tu zebranych, w imię Ojca, Syna i Ducha Świętego ogłaszam was mężem i żoną. Co Bóg złączył, człowiek niech się nie waży rozłączać. – Uśmiechnął się. – Może pan pocałować pannę młodą, milordzie.

Lecz Justin już się pochylał, przyciskając usta do jej warg. Pocałunek był delikatnie erotyczny i zadziwiająco czuły, ale był w nim też żar, który sprawił, że dreszcz przebiegł Ariel po skórze. Tygodniami wypierała z pamięci wspomnienie jego zmysłowych pocałunków, smukłego, muskularnego ciała, pełnych wdzięku dłoni o długich palcach, którymi pieścił jej wrażliwe ciało. Teraz wspomnienia wróciły z siłą burzy szalejącej za oknami rezydencji.

Lecz pojawiły się też inne odczucia: niepewność, obawa o przyszłość i to, co z sobą przyniesie. Odsunęła je wszakże i spojrzała na zegar na kominku, wspominając rozkosz, jakiej zaznawała kiedyś w ramionach Justina. Wiedziała, że godziny będą ciągnęły się w nieskończoność, zanim nadejdzie wieczór i będą mogli kochać się znowu.

– Gratulacje – Clayton Harcourt pochylił się i pocałował pannę młodą w policzek. – Życzę wam obojgu szczęścia.

– Dziękuję.

Poklepał Justina po plecach.

– Miałeś więc dość rozumu, by ją poślubić. Zacząłem już się zastanawiać.

– Chyba należałoby raczej powiedzieć, że to dama okazała się na tyle niemądra, by za mnie wyjść – odparł Justin.

Clay roześmiał się cicho. Było oczywiste, iż cieszy się szczęściem przyjaciela i pochwala jego wybór. Świadomość tego sprawiła Ariel przyjemność.

Mały Thomas podbiegł do nich uśmiechnięty od ucha do ucha, prezentując szparę po kolejnym mlecznym zębie.

– Jesteś teraz żonaty, wujku Justinie?

Justin uśmiechnął się, podniósł siostrzeńca i przycisnął do piersi.

– Na to wygląda. Ariel i ja się pobraliśmy, co oznacza, że ona jest teraz lady Greville. I twoją ciocią.

– Moją ciocią?

– Zgadza się. Od teraz musisz zwracać się do niej: ciociu Ariel.

Dziecko zerknęło na nią nieśmiało spod gęstych czarnych rzęs, takich samych, jak u Justina.

– Ciociu Ariel?

Uśmiechnęła się, oczarowana jak zwykle wdziękiem malca.

– Nie miałam dotąd siostrzeńca. Myślę, że bardzo spodoba mi się bycie ciocią.

Thomas zaśmiał się radośnie, obejmując Justina za szyję.

– Mnie też się to podoba, ciociu Ariel.

Zadowolona ze swojej nowej roli przyglądała się, jak Justin stawia chłopczyka na podłodze.

– Może pobiegłbyś do sąsiedniego pokoju i poszukał sobie czegoś pysznego do jedzenia? – powiedział. – Widziałem tam chyba szarlotkę, która wygląda niezwykle apetycznie. – Za drzwiami sąsiadującego pokoju stół uginał się pod ciężarem srebrnych tac wyładowanych jedzeniem: eskalopkami z soczystej gęsiny, jagnięcym udźcem, curry z homara, pasztetem z bażanta. Nie brakło też gotowanych na parze warzyw i wymyślnych deserów: pysznego kremu czekoladowego, delikatnego migdałowego puddingu, słodkich sosów, kompotów i, oczywiście, szarlotki.

Wysokie woskowe świece płonęły w pięknym srebrnym świeczniku, oświetlając białą porcelanową zastawę ze srebrnym szlaczkiem.

Chłopczyk pobiegł, a Ariel zauważyła kątem oka, że ktoś się zbliża. Ciepły uśmiech zamarł jej na wargach, a w gardle zaschło, gdy zobaczyła nadciągającą Barbarę. Z lampką szampana w dłoni i szelestem wytwornej jedwabnej sukni sunęła ku nim niczym statek pod pełnymi żaglami.

Uśmiechnęła się na swój koci sposób.

– Przypuszczam, że powinnam pogratulować szczęśliwej parze. Muszę przyznać, że nie spodziewałam się dożyć tego dnia. Ciekawe, co by powiedział ojciec, gdyby zobaczył, że jego syn ożenił się z...

– Na twoim miejscu zważyłbym na to, co mówię – ostrzegł siostrę Justin. Ewidentnie miał już dość jej okrutnych gierek. Ariel przysunęła się bezwiednie do męża, a on otoczył ją opiekuńczo ramieniem.

– Zastanawiałam się jedynie, co powiedziałby ojciec, gdyby wiedział, że córka dzierżawcy została hrabiną Greville. – Ariel nie była pewna, skąd Barbara dowiedziała się o jej pochodzeniu, szwagierka jednak potrafiła nieodmiennie ją zaskoczyć.

– Zważywszy, jak bardzo zależało mu, by jego ród nie wygasł, sądzę, że czekałby raczej niecierpliwie, aż spłodzę dziedzica, niż martwił się, że poślubiłem kobietę, która nie dorasta do towarzyskich standardów jego córki.

Barbara upiła łyk szampana, spoglądając z ponurą miną na Justina.

– Zapewne masz rację. Ojciec zwykł przedkładać młodość i urodę nad pochodzenie.

Ariel zbladła. Justin zignorował uwagę, widziała jednak, że zaciska z gniewu szczęki. Podszedł służący, niosąc tacę z kieliszkami, i Barbara odpłynęła w poszukiwaniu bardziej interesującej ofiary.

– Napijesz się szampana? – zapytał Justin. – Obojgu nam przyda się trochę alkoholu, by uspokoić nerwy.

Ariel skinęła po prostu głową. Rzeczywiście, przyda jej się coś, co pomoże złagodzić napięcie.

– Dziękuję. – Przyjęła kieliszek i upiła łyk.

– Widzę, że jesteś zdenerwowana – powiedział. – Jeśli niepokoisz się o dzisiejszą noc, to niepotrzebnie.

– Noc? – powtórzyła, czując, jak zaciska się jej żołądek.

– Zdaję sobie sprawę, że w ciągu ostatnich tygodni twoje uczucia wobec mnie uległy radykalnej zmianie. Jesteśmy małżeństwem. A jako twój mąż będę miał pewne... wymagania. Nie zamierzam jednak do niczego cię zmuszać, póki nie będziesz gotowa.

Kieliszek zadrżał jej w dłoni.

– Myślałam jednak... – Serce niemal przestało jej bić. – Sądziłam, że mnie pragniesz.

W szarych jak niebo nad nimi oczach Justina pojawił się nowy wyraz. Głód, widoczny w jego spojrzeniu palił jej skórę.

– Pragnę cię, Ariel. Ilekroć zamykam oczy, przypominam sobie, jak pięknie wyglądałaś, leżąc naga obok mnie, jak cudownie było całować twoje śliczne piersi, jak gorąca i ciasna byłaś, gdy w ciebie wchodziłem. Pragnę cię tak, jak umierający pragnie życia. Nie będę jednak prosił o coś, czego nie jesteś gotowa mi dać.

Ariel stała nieruchomo, czując w żyłach płomień wzniecony jego słowami. Powietrze pomiędzy nimi było tak gęste i gorące, że niemal dało się go dotknąć.

– Jesteś moim mężem – powiedziała. – Dzisiaj jest nasza noc poślubna. Jestem gotowa wypełnić małżeński obowiązek.

Żar w jego spojrzeniu przygasł, zastąpiony smutkiem.

– Może z czasem będziesz gotowa zrobić coś więcej, niż tylko wypełnić obowiązek. Może przypomnisz sobie, jak to było pomiędzy nami w przeszłości. Może nadejdzie czas, że znów mnie zapragniesz.

Odwrócił się i odszedł, a ona poczuła się nagle pusta. Okłamała go – a raczej, nie powiedziała wszystkiego. Cały czas pamiętała i go pragnęła. Cokolwiek do niej czuł, jakiejkolwiek problemy przyjdzie im pokonać, nie przestanie go pożądać. Samo patrzenie na niego, kiedy rozmawiał z Clayem Harcourtem, sprawiało, że serce zaczynało mocniej bić jej w piersi, a w dole brzucha wzbierał żar.

Odziany w gołębioszare, obcisłe bryczesy, uwydatniające kształt muskularnych nóg, i ciemnoniebieski surdut, wydawał się nieskończenie męski, silny i nieodparcie atrakcyjny. Smukły, umięśniony i żywotny. Był jej mężem, i choć jej nie kochał, to przynajmniej pożądał.

A ona jego.

Dziś była jej noc poślubna. Jako dziecko marzyła o niej. Jako kobieta wiedziała, że jeśli mężczyzna jest tym właściwym, przyjemność może być niewyobrażalna. Poślubiła Justina, zdecydowała się zaryzykować i znów go pokochać. Teraz tęskniła za tym, by do niej przyszedł, kochał się z nią. Rozum podpowiadał, by miała się na baczności, lecz ciało pragnęło go jak zawsze.

Stłumiła wątpliwości. Justin był jej mężem. Odłoży na bok dumę i powie prawdę. Przyglądała mu się jeszcze przez chwilę, zastanawiając się i przekonując samą siebie. Zrób to natychmiast, podpowiadał głos w jej głowie, nim stracisz odwagę.

Diament w krawacie Justina zdawał się mrugać do niej, przyzywając. Upiła kolejny łyk szampana, by dodać sobie odwagi, odstawiła kieliszek na pobliski stolik i podeszła do Justina. Odwrócił się i na chwilę w jego oczach zapłonął znów tamten żar. Opanował się jednak i przybrał obojętny wyraz twarzy.

– Wybaczcie – powiedział Clay, uśmiechając się domyślnie. – Chyba nabrałem nagle apetytu. – Mrugnął do niej i odszedł, zostawiając ich samych.

Ariel zaczerpnęła oddechu i spojrzała mężowi w oczy.

– Chciałabym coś ci powiedzieć. Coś, o czym wstydziłam się wspomnieć wcześniej. Chcę zrobić to teraz, nim stracę odwagę.

Justin ściągnął proste ciemne brwi. Odstawił kieliszek, a jego twarz przybrała czujny wyraz.

– Skoro tak, miejmy to już za sobą.

Zwilżyła wargi. Wyznanie okazało się trudniejsze, niż sądziła.

– Wcześniej... kiedy rozmawialiśmy o nocy poślubnej... wspomniałam o obowiązku. Byłam zażenowana, bałam się powiedzieć prawdę. Powinnam była mówić o pragnieniu, nie o obowiązku. Nie zapomniałam wspólnie spędzonych nocy. Nigdy ich nie zapomnę. Tęskniłam za tobą okropnie, Justinie, i chcę, żebyś znowu się ze mną kochał. Dziś będę miała prawdziwą noc poślubną, o ile, oczywiście, ty też tego chcesz.

Coś zapłonęło w oczach Justina, coś równie białego jak błyskawica za oknem. Ariel zaczerpnęła gwałtownie powietrza, kiedy zacisnął zęby, pochylił się i wziął ją na ręce.

– Co... co robisz?

– Zabieram żonę do łóżka. – Długimi, zdecydowanymi krokami poniósł ją ku drzwiom. Służący pryskali na boki niczym stadko myszy. – Przyznała, że chce się tam znaleźć, a Bóg mi świadkiem, że ja również. – Ariel objęła go za szyję i zerknęła za siebie. Zarumieniła się mocno, gdy zobaczyła, jak dwóch młodych lokajów wymienia porozumiewawcze uśmiechy. Z jadalni dobiegł ich rubaszny śmiech Harcourta. Twarz Barbary nieładnie poczerwieniała.

Justin po prostu ich zignorował.

– A co z pastorem i jego żoną? – spytała Ariel, oszołomiona, gdy maszerował z nią w ramionach w kierunku schodów w holu. – I twoim przyjacielem Harcourtem?

– Zważywszy, ile naładowali sobie na talerze pastor i jego żona, pewnie nawet nie zauważą, że nas nie ma. A Clay na pewno zrozumie. – Przeskakując po dwa stopnie, pokonał schody i ruszył oświetlonym kinkietami korytarzem w stronę swojego apartamentu. Przekręcił srebrną gałkę, otworzył ramieniem drzwi i wniósł ją do saloniku. Zamknął drzwi stanowczym kopnięciem. – Poza tym – zakończył, mijając bogato zdobione stoły o marmurowych blatach i wchodząc do sypialni – ani trochę nie obchodzi mnie, co sobie pomyślą. Chcę się z tobą kochać. A ponieważ ty też tego chcesz, to właśnie zamierzam robić.

Jego słowa sprawiły, że Ariel zalała fala gorąca. Za nią nadpłynął jednak niepokój, obawa, że popełnia kolejny błąd. Zignorowała go. Zamknęła oczy na lęk i objęła Justina mocniej za szyję.

Burza rozszalała się na dobre. Wiatr wył, łomocząc okiennicami i sprawiając, że płomień świec migotał. Justin puścił ją i ześliznęła się z wolna wzdłuż jego ciała. Powietrze w pokoju zdawało się naelektryzowane, jakby stali na skraju odwiecznej przepaści, wystawieni na działanie żywiołów.

Ariel wpatrywała się w Justina, niezdolna oderwać wzrok od jego twarzy. Była jego żoną i go pragnęła. Potrzebowała. Strach przed przyszłością nadal majaczył gdzieś w zakamarkach jej umysłu. Lecz z każdym delikatnym dotknięciem, wyszeptanym słowem należała do niego coraz bardziej i bardziej go kochała. Znała niebezpieczeństwo, wiedziała, na co się naraża. Oddając mu się tak całkowicie, ryzykowała utratę duszy.

Justin dotknął leciutko jej policzka, przesunął palcem wzdłuż linii szczęki.

– Ariel – wyszeptał i zabrzmiało to niczym pieszczota. Spoglądając jej w oczy, pochylił głowę i pocałował ją. Przywarł wargami do jej ust, początkowo delikatnie, a potem bardziej zdecydowanie. Był to przemożny, penetrujący pocałunek, który rozpalił w jej trzewiach ogień. Ariel otwarła się na niego i język Justina wśliznął się do jej ust, jedwabiście gładki i gorący jak ogień. Pocałunek, jakim odpowiedziała, był jeszcze gorętszy, śmielszy, bardziej eksplorujący. Odganiał precz smutek i lęk, blokował im dostęp. Dziś Justin był jej mężem. Kochankiem. Należał do niej, a ona do niego. Jutro lęk powróci, ale nie dziś, nie teraz.

Wsunęła dłonie pod błękitny surdut i zdjęła mu go. Chwilę zajęło jej wyjęcie z krawata diamentowej szpilki, a potem rozplątanie węzła, lecz w końcu długa wstęga jedwabnej materii zsunęła się gładko z jego szyi. Rozpięła guziki koszuli i wyciągnęła ją ze spodni, obnażając napięte mięśnie i śniadą skórę pokrytą czarnymi, kręconymi włoskami.

Justin pocałował ją znowu, czule, głęboko, wyciągając przy tym szpilki z jej włosów. Jasne, złote fale opadły Ariel na ramiona. Odwrócił ją, odsunął ciężkie pukle i jął całować bok jej szyi, rozpinając jednocześnie suknię. Po chwili stała już przed nim naga. Zaczął znów ją całować.

Przesunął dłońmi po jej ramionach, musnął piersi. Wyciskał drobne pocałunki w kącikach ust, a potem pogłębił znów pocałunek. Sądziła, że będzie się śpieszył, że namiętność skłoni go, by wziął ją szybko. Zamiast tego otoczył jej talię dłońmi, podniósł ją i posadził na skraju łóżka. Jeszcze jeden głęboki pocałunek i ułożył Ariel na plecach, a sam usadowił się pomiędzy jej rozłożonymi udami.

Sądziła, iż wiedziony żądzą, rozepnie bryczesy, uwolni członek i ją posiądzie. Rozpaczliwie pragnęła, by tak się stało. Lecz kiedy wyciągnęła ku niemu ramiona, potrząsnął głową.

– Nie będę się śpieszył. Nie w noc poślubną. Jesteś teraz moja i zamierzam się tym nacieszyć, jak powinienem był zrobić dawno temu.

Było to tak piękne, że kiedy pocałował ją znowu, czule, a zarazem namiętnie, nie zastanawiała się, co mogło oznaczać owo cieszenie się. Przynajmniej póki nie zaczął zdobywać powoli jej ciała, całując puls u nasady szyi, przesuwając wargi na ramiona, posługując się językiem, aby okrążać sutki, aż stwardniały. Wtedy wziął jedną do ust i jął delikatnie ssać, sprawiając, że aż zabolało ją w różnych wrażliwych miejscach.

Wygięła plecy w łuk, kiedy przesunął usta niżej, ku klatce piersiowej, okrążając pępek językiem, smakując płaski brzuch. A potem zsunął się jeszcze niżej i wtulił wargi w miękkie, jasne kędziorki u nasady ud.

Westchnęła, kiedy odnalazł gorące, wilgotne miejsce.

– Justinie! – wykrzyknęła. Wbiła zęby w dolną wargę, wyciągnęła drżące ramiona i wsunęła mu palce we włosy. – Boże Święty! – Pomyślała o tym, że powinna kazać mu przestać, gdyż był to z pewnością grzech, jednak przyjemność była tak słodka, ogień tak gorący, że nie mogła zmusić się, by wypowiedzieć właściwe słowa.

Zacisnęła dłoń na jego ramieniu. Wyczuła miękki materiał koszuli, przypomniała sobie, że Justin pozostał w ubraniu, podczas gdy ona leży przed nim naga i wyeksponowana. Obraz, jaki się jej nasunął, był tak zmysłowy, tak niesłychanie erotyczny, że wywołało to kolejną falę podniecenia. Justin musiał to wyczuć, wsunął bowiem dłonie pod pośladki Ariel, by ją unieruchomić, a potem dalej wyczyniał z jej ciałem cudownie grzeszne rzeczy, posługując się językiem. Wstrząsnął nią dreszcz i uświadomiła sobie, że jęczy. Rozsunął jej uda jeszcze bardziej i kontynuował długie, celowe pociągnięcia językiem.

Wiedział ewidentnie, co robi, ponieważ przyjemność stała się nie do zniesienia. Języki ognia wślizgnęły się jej do brzucha, lizały skórę. Jej ciało płonęło. Oddech wydobywający się z płuc, zdawał się parzyć wnętrze ust. Wierciła się na łóżku, błagając o rozkosz, którą najwidoczniej zamierzał jej dać.

Nadeszła z zadziwiającą siłą fala przyjemności tak słodkiej, tak całkowicie pochłaniającej, że Ariel wykrzyczała, szlochając, jego imię. Łzy popłynęły jej po policzkach, kiedy pochylił się i ucałował delikatnie jej usta. Opuścił ją na chwilę, by się rozebrać, a potem wrócił. Przez kilka długich minut po prostu ją tulił, przyciskając do piersi. Wiedziała, ile musi kosztować go utrzymanie żądzy pod kontrolą.

Jego ciepło wsączało się w nią przez skórę. Dotyk twardego, męskiego ciała sprawił, że znowu go zapragnęła. Objęła dłonią policzek Justina, pochyliła się i pocałowała go. Wsunęła mu język do ust, a mięśnie na jego klatce piersiowej stwardniały i się napięły. Jęknął głucho i przejął kontrolę nad pocałunkiem, gorącym teraz i przesyconym żądzą.

Błyskawica przecięła niebo, oświetlając pokój i ujawniając głód w jego spojrzeniu. Zagrzmiało tak, że aż zatrzęsły się szyby w oknach. A potem była już pod nim. Rozsunął jej uda kolanem i wszedł w nią jednym gładkim ruchem, wypełniając ją całkowicie, sprawiając, że ogień wymknął się spod kontroli.

Pomyślała po raz kolejny, że będzie się śpieszył, że namiętność okaże się zbyt silna, by zwlekał. Zamiast tego ustanowił powolny, celowy rytm, którym doprowadził ją ponownie na skraj rozkoszy. Objęła nogami jego biodra, otwierając się na mocne pchnięcia. Żar i potrzeba zlały się w jedno, wzrastając w postępującym *crescendo*. Krzyknęła, kiedy zalała ją rozkosz, a Justin dołączył do niej po kilku sekundach. Jego ciało napięło się, a potem zadrżało, pulsując w rozpalonym, wilgotnym wnętrzu jej ciała.

Gdy było po wszystkim, leżeli wtuleni w siebie, mokrzy od potu, z bijącym mocno sercem. Kocham cię, pomyślała, lecz nie wypowiedziała tego na głos. Lęk wrócił szybciej, niż się spodziewała, i ją powstrzymał. Leżała zatem obok Justina w milczeniu, wsłuchując się w odgłosy burzy i rozmyślając o przyszłości.

Już kiedyś czuła się podobnie, wierzyła mu tak, jak chciałaby wierzyć teraz. Skończyła wyrzucona na ulicę, bez pieniędzy i schronienia, z sercem połamanym na tysiąc kawałków. Jak łatwo przyszło mu sprawić, by o tym zapomniała! Jak bardzo pragnęłaby udawać, że to się nigdy nie wydarzyło! Zamiast tego leżała w ciemnym pokoju, wspominając ból i gorycz zdrady. Zastanawiając się, jak bardzo okaże się głupia, oddając mu znów serce.

Poczuła, że się porusza, unosi na łokciu. Przesunął po niej spojrzeniem oczu ciemnych teraz jak noc. Wiedziała, że odgadł jej lęk. Wyczuwał go nawet wtedy, gdy się kochali. Dostrzegła to w wyrazie jego twarzy, usłyszała w długim, bolesnym westchnieniu.

– Powinniśmy byli zaczekać – powiedział, odsuwając się nieco. – Pragnęłaś mnie, lecz boisz się znów mi zaufać. Widzę to w twojej twarzy.

Ariel zwilżyła wargi i potrząsnęła głową, próbując odpędzić łzy.

– Przykro mi. Z czasem…

Poruszył się nagle, unosząc jednym zwinnym ruchem z łóżka. Podszedł do okna i zapatrzył się w noc. Kolejna błyskawica oświetliła jego nagie ciało, sprężyste mięśnie długich, smukłych nóg, płaskiego brzucha.

– Czas… tak. Jesteśmy teraz małżeństwem. Będziemy mieli tyle czasu, ile nam trzeba.

Stał tak przez kilka chwil, które wydały się Ariel godzinami, a potem wrócił bezszelestnie do łóżka. Przytulił ją i pocałował delikatnie, lecz nie próbował pieścić ani znów się z nią kochać.

Rozdział 21

Pogoda nie chciała się poprawić. Błotniste drogi nie zachęcały do podróży, mimo to pastor i jego żona wrócili do swej parafii.

Justin zszedł na dół, zmęczony i zaniepokojony tym, co zaszło podczas nocy poślubnej. W salonie Orientalnym natknął się na Claya, zdecydowanie bardziej wypoczętego.

– Cóż, widzę, że udało ci się przetrwać noc – powiedział Clay z uśmiechem. Spoczywał rozciągnięty wygodnie w fotelu przed kominkiem, rozłożywszy niedbale na podłokietniku gazetę. – I jak to jest być żonatym?

Justin zerknął na niego ponuro.

– Prawdę mówiąc, nie jestem pewien.

Clay uniósł brązowe brwi.

– Kłopoty w raju? Tak szybko?

– Nie powinienem był się z nią kochać. Po tym, co się wydarzyło, potrzebowała więcej czasu.

Clay wstał i ruszył do przyjaciela. Zatrzymał się obok rzeźbionej cynobrowej wazy.

– Może masz rację i wszystko dzieje się zbyt szybko. Ariel ma prawo być nieco skołowana. To bystra dziewczyna. Szybko ułoży sobie, co należy, w głowie. – Podniósł wazę i przyjrzał się zdobieniom. – A tak przy okazji – powiedział zwyczajnie, choć Justin spostrzegł, że mięśnie jego ramion się napięły – rankiem przybyła z wizytą przyjaciółka twojej żony, Kassandra Wentworth. Najwidoczniej wróciła już z Kontynentu. Myślę, że znasz jej ojca.

– Lady Kassandra tu jest?

Clay przytaknął.

– Zjawiła się dosłownie przed chwilą.

– Znam lorda Stocktona. Robiliśmy razem interesy.

Rzeczywiście, znał wicehrabiego, ojca Kasandry. Pewnego razu uskarżał się przy nim na krnąbrny charakter córki, wychwalając równocześnie jej urodę. Wspomniał też, iż wkrótce będzie w wieku odpowiednim do zamążpójścia.

Justin nie był wtedy pewien, czy wicehrabia chciałby uzyskać od niego radę, czy zainteresować go ewentualnym ożenkiem.

– Nie poznałem dziewczyny – powiedział – lecz Ariel często o niej mówi. Skąd wiedziała, że tu jesteśmy?

– Sądząc z tego, co powiedziała twojej siostrze, przeczytała w gazecie zawiadomienie o ślubie. Domyślam się, że rozmawiały wcześniej z Ariel o układzie. Panna Wentworth dodała dwa do dwóch, najechała twój dom przy Brook Street, zmusiła kamerdynera, żeby powiedział, dokąd się udaliście, i przyjechała w ślad za wami.

Zaintrygowało to Justina. Knowlesa trudno było zastraszyć czy onieśmielić. A lady Kassandra była przecież tylko dziewczęciem.

– Gdzie jest teraz?

– Na górze, w pokoju, w którym twoja siostra zgodziła się, acz niechętnie, ją umieścić. Barbara nie była zachwycona pojawieniem się kolejnego gościa, ale Kassandra nie zostawiła jej wyboru. – Uśmiechnął się leciutko, z rozbawieniem. – To zdeterminowana osóbka.

Justin też niemal się uśmiechnął.

– Skoro tak, powiadomię lepiej żonę. Ariel uwielbia tę dziewczynę. Na pewno ucieszy ją wiadomość, że przyjechała. – Nie zawsze były jednak przyjaciółkami, pomyślał, wspominając, co Ariel napisała w jednym z listów.

Dzisiaj w szkole zjawiła się nowa uczennica. Kassandra Wentworth. Jest najmłodszą córką wicehrabiego, bogatą i okropnie rozpieszczoną. Chodzi z nosem zadartym tak wysoko, że aż dziw, iż nie wpadają do niego muchy. Nie przepadam za nią ani ona za mną.

Relacja pomiędzy dziewczętami zmieniła się z upływem lat. Ariel wyznała mu kiedyś, że Kitt to jedyna przyjaciółka, jaką ma na świecie, i jedyna osoba, której może całkowicie zaufać.

Na myśl o tym znowu ogarnął go niepokój. Ariel mogła być jego żoną, straciła jednak tę niewielką ilość wiary, jaką w nim pokładała, i już mu nie ufa. Nie był też wcale pewien, czy uda mu się to naprawić.

– Przypuszczam, że już jadłeś – powiedział. Wiedział, że powinien wrzucić też coś na ruszt, choć nie miał za grosz apetytu.

– Owszem, lecz było to przed kilkoma godzinami.

Justin uznał, że filiżanka mocnej czarnej kawy dobrze mu zrobi. Podszedł do drzwi, lecz nim je otworzył, do saloniku wpadła niczym huragan rudowłosa panienka. Kitt Wentworth okazała się niewysoka i bardzo ładna, z zielonymi oczami, jasną cerą i dosyć zmysłową figurą. Utkwiła na chwilę wzrok w Clayu, a potem zaczęła rozglądać się po pokoju, ewidentnie szukając Ariel. Rozczarowana tym, że jej nie znalazła, zwróciła się do Justina.

– Lord Greville, jak mniemam.

– Zgadza się. Pani zaś jest zapewne lady Kassandrą Wentworth.

– W rzeczy samej. – Wbiła w niego gniewny wzrok. – Gdzie ona jest? Co pan z nią zrobił?

Kusiło go, by odpowiedzieć, że robił z Ariel najbardziej intymne rzeczy, jakie tylko można sobie wyobrazić, i ma ochotę robić je znowu. Powstrzymał się jednak, choć z trudem, i odparł chłodno:

– Żona jest jeszcze w łóżku. – Nie zdołał się jednak powstrzymać, żeby nie dodać: – W końcu ma za sobą noc poślubną.

Policzki Kitt poróżowiały, nie odwróciła jednak wzroku.

– Muszę się z nią zobaczyć. Sprawdzić, czy nic jej nie jest.

– Zapewniam, iż moja żona cieszy się doskonałym zdrowiem – powiedział z lekka zirytowany. – A teraz, jeśli zdoła panienka powściągnąć nieco swój temperament, sprawdzę, czy już się obudziła. Jeśli tak, będzie panienka mogła osobiście upewnić się co do tego, iż Ariel ma się doskonale.

Przyglądała mu się przez chwilę, a potem skinęła lekko głową. Justin wyszedł do holu i polecił kamerdynerowi, by wezwał Silvie i poinformował jego żonę, iż lady Kassandra Wentworth przybyła właśnie z wizytą i czeka w salonie.

Gdy wszedł, powitało go milczenie. Clay stał sztywno wyprostowany, a gniewnie wysunięty podbródek Kitt celował niemal w sufit.

– Zaniedbuję obowiązki gospodarza – powiedział jak gdyby nigdy nic, odnotowując atmosferę wrogości pomiędzy tymi dwojgiem i zastanawiając się w duchu, co może być jej przyczyną. – Powinienem był was sobie przedstawić. Lady Kassandro, powoli pani, że przedstawię mojego bliskiego przyjaciela…

– Nie ma potrzeby – przerwała mu chłodno. – Poznałam już pana Harcourta.

Justin uniósł brew.

– Doprawdy? – Ciekawe, że Clay o tym nie wspomniał.

Kassandra zerknęła z dezaprobatą na jego przyjaciela.

– Pan Harcourt został zaproszony na kolację do naszej rezydencji w zeszły wtorek. – Zaszczyciła go łaskawym uśmiechem. – Później odkryłam, że mojemu ojcu przemknęło przez myśl, iż mógłby nas wyswatać. Oczywiście, natychmiast wybiłam mu z głowy ten śmieszny pomysł.

– Doprawdy? – zapytał Clay z niebezpiecznym błyskiem w oku, przeciągając głoski. – Nie odniosłem takiego wrażenia. Zwłaszcza, kiedy mój wiecznie błądzący ojciec, Jego Miłość książę Rathmore, wspomniał przy kilku okazjach, jak wiele bym zyskał, gdybym wybawił z kłopotu ojca pani i pojął panią za żonę.

Kassandra odwróciła się gwałtownie.

– Co takiego?

– Książę i wicehrabia uważają najwidoczniej, że wpłynęłoby to korzystnie na wspólnie prowadzone interesy.

– Kłamie pan.

– Poza tym, osiągnęliby też dodatkowe korzyści: teraz, kiedy ojciec pani ponownie się ożenił, chętnie pozbyłby się rozpieszczonej, krnąbrnej córki, podczas gdy mój postrzega ten mariaż jako okazję sprowadzenia na dobrą drogę swego nic niewartego syna.

W pokoju zapadła cisza, którą zakłócał jedynie przyśpieszony oddech Kassandry. Nic niewart syn, tak określił siebie Clay. Nie była to prawda, choć bardzo starał się sprawiać takie wrażenie, zwłaszcza wobec ojca, który, podobnie jak ojciec Justina, odmówił uznania najstarszego potomka. Z pomocą Justina Clay wykorzystał otrzymywaną od księcia pensję i znacznie pomnożył zaoszczędzone pieniądze. Udało mu się zebrać sporą fortunkę, o czym, poza Justinem, mało kto nie wiedział.

Justin utkwił wzrok w dziewczynie. Była zła. Zacisnęła usta w wąską kreskę, spostrzegł jednak, że prawda zawarta w słowach Claya sprawiła jej ból.

Żadne z nich się nie odezwało. Clay zacisnął szczęki, a Kitt zmarszczyła brwi.

Wtem drzwi otwarły się i do środka wpadła Ariel. Uśmiechnęła się na widok przyjaciółki, która zakrzyknęła radośnie i ruszyła jej na spotkanie.

Wymieniły uściski, śmiejąc się i ocierając łzy.

– Tak się cieszę, że cię widzę – powiedziała Ariel.

– Ale jak mnie znalazłaś?

Kassandra powtórzyła to, co Justin usłyszał wcześniej od Claya. Najwyraźniej udało jej się onieśmielić nie tylko Knowlesa, ale i Barbarę.

– Domyślam się, że poznałaś już mojego męża – powiedziała Ariel, unikając wzroku Justina.

Kassandra skinęła cokolwiek sztywno głową.

– Tak.

– A pana Harcourta?

Mroczne spojrzenie powróciło.

– Znaliśmy się już wcześniej.

Ariel podchwyciła ostre spojrzenie Claya i Justin zauważył, że w głowie żony zaczynają się obracać trybiki. Zignorowała wszakże ponurą minę Claya i pogardę Kitt, ujęła dłoń przyjaciółki i powiedziała:

– Panowie będą musieli nam wybaczyć, ale nie widziałyśmy się od dłuższego czasu i mamy sporo do nadrobienia.

Obaj dżentelmeni skłonili lekko głowy, choć Justin zauważył, że Clay nie przestał zaciskać szczęk.

Ariel uśmiechnęła się niepewnie do Justina, a potem, śmielej, do Kassandry.

– Umieram z ciekawości. Musisz opowiedzieć mi o Włoszech – rzekła, prowadząc dziewczynę ku drzwiom.

Kitt obrzuciła Justina ostatnim, szacującym spojrzeniem.

– Wyobrażam sobie, że ty też masz mi mnóstwo do opowiedzenia.

Z pewnością, pomyślał Justin. Zastanawiał się, co też pomyśli Kassandra o mężczyźnie, który posłał jej najlepszą przyjaciółkę do więzienia.

Ariel usiadła naprzeciw Kassandry w zalanym słońcem saloniku, którego okna wychodziły na ogród. Perkins zdążył już jej powiedzieć, że był to ulubiony pokój poprzedniej lady Greville. Mary Ross zamykała się w uroczym salonie, traktując go zapewne jako schronienie przed mężem i jego romansami.

Wystrój pomieszczenia, utrzymany w tonacji bladej żółci i złamanej bieli, był skromniejszy niż w pozostałych pomieszczeniach. Reszta rodziny rzadko tu zaglądała, jednakże jego przytulność oraz niewymuszona elegancja sprawiły, iż szybko stał się też ulubionym schronieniem Ariel.

– Cóż, jest z pewnością przystojny – zauważyła Kitt, rozsiadając się na sofie przed kominkiem. – Z tego, co słyszałam, wyobrażałam go sobie jako rodzaj ogiera.

Dłoń Ariel, trzymająca porcelanowy czajnik, zadrżała, gdy dziewczyna przypomniała sobie Justina z dnia, gdy ją wyrzucił. Czy był opiekuńczy oraz troskliwy, jak się na ogół wydawał, czy bezwzględny i nieczuły, jak wtedy, kiedy wyrzucił ją bez wahania na ulicę?

Ścisnęła mocniej rączkę czajniczka i skończyła nalewać herbatę.

– Życie go nie rozpieszczało. Musiał nauczyć się, jak być twardym, inaczej by nie przetrwał. Poznałam jednak łagodniejszą stronę jego natury. – Odstawiła czajniczek. – Niełatwo go zrozumieć. Nawet ja nie jestem do końca pewna, jakim naprawdę jest człowiekiem.

– Zatem dlaczego, u licha, za niego wyszłaś?

Ariel potrząsnęła głową, zastanawiając się, jak wyjaśnić coś, czego sama do końca nie rozumiała. Usiadła obok Kitt i zaczęła opowiadać o wszystkim, co się wydarzyło. Z każdym wypowiadanym słowem oczy przyjaciółki otwierały się coraz szerzej.

– Wiem, co ryzykuję. Lecz kocham go, Kitt, a zarazem nie wiem, czy będę mogła pokochać kiedykolwiek człowieka, jakim czasami się wydaje.

Kontynuowała opowieść, nie tając niczego. Mówiła o przejściach z Horwickiem, okropnych dniach w Newgate i o tym, jak Justin pośpieszył jej z odsieczą.

– Przyszedł po mnie, Kitt. Nie wiem, co by się ze mną stało, gdyby tego nie zrobił.

– Żałuję, że mnie tu nie było. Mogłabyś schronić się u nas i nic by się nie wydarzyło.

– Możliwe. Z drugiej strony, może takie było przeznaczenie. Jestem żoną Justina i nie mogę powiedzieć, bym tego żałowała. – Jeszcze nie. Na razie była jedynie przerażona.

– Twierdzisz, że go kochasz. A on ciebie?

Ariel utkwiła wzrok w filiżance.

– Nie. – Nie zdawała sobie sprawy, że filiżanka i spodek przechylają się pod niebezpiecznym kątem, póki Kitt delikatnie ich nie wyprostowała. Wyjęła filiżankę i spodek z rąk Ariel i odstawiła je na stolik.

– Może się mylisz – powiedziała łagodnie. – Jeśli Greville cię nie kocha, dlaczego się z tobą ożenił? Nie masz majątku ani tytułu. Nic nie zyskał na tym ożenku.

Ariel podniosła wzrok. Phillip powiedział, że Justin nie robi nic, z czego nie mógłby wyciągnąć dla siebie korzyści.

– Potrzebuje dziedzica. Może o to chodzi.

– Jest niewiarygodnie przystojny i bogaty jak Krezus. Tak przynajmniej twierdzi mój tata. Mnóstwo kobiet chętnie by go poślubiło i dało mu dziedzica.

Ariel westchnęła.

– Podobam mu się. Może taki jest powód.

– Podobasz mu się? Chcesz powiedzieć, że lubi z tobą sypiać – stwierdziła Kitt ponuro.

Ariel zarumieniła się. Justin jej pragnął. Przynajmniej ostatniej nocy. Wyczuł jednak jej wahanie, niepewność i nie kochał się z nią po raz drugi.

– Jest moim mężem. Ja także go pragnę. Och, Kitt, nie potrafię opisać, jak się czuję, kiedy jesteśmy razem.

Kassandra się nie odezwała, lecz wydawała się jakby nieobecna i Ariel znowu zaczęła się zastanawiać, czy przeszłość Kitt nie kryje bolesnych sekretów.

Kassandra pochyliła się i ujęła dłoń przyjaciółki.

– Z czasem wszystko się ułoży. Musisz w to wierzyć, Ariel.

– Chcę. Lecz teraz wszystko jest takie niejasne. – Ciekawe, jak miałoby się ułożyć, pomyślała. Kochała mężczyznę, który nie odwzajemniał jej uczuć. Jak zauważyła Kitt, Justin był niewiarygodnie przystojny. Clay przyznał, że podoba się kobietom. Jeśli nie połączy ich miłość, wcześniej czy później się nią znudzi. Czy weźmie sobie wówczas, jak większość mężczyzn, kochankę?

Na samą myśl o Justinie kochającym się z inną robiło się jej niedobrze.

Trapiły ją wątpliwości i lęk o przyszłość. A tego rodzaju obawami nie mogła podzielić się nawet z najbliższą przyjaciółką.

Uśmiechnęła się słabo i spróbowała zmienić temat.

– Opowiedz mi lepiej o tobie i Clayu Harcourcie. Sądząc po tym, jak gromiłaś go wzrokiem, chyba za nim nie przepadasz. – Miała nadzieję, że Kitt zaprzeczy. Nie podobało jej się, że dwoje ich najbliższych przyjaciół jest z sobą na wojennej ścieżce.

– Wiem, że to bliski przyjaciel lorda Greville, lecz także jeden z najbardziej osławionych rozpustników w Londynie. Spał z połową kobiet z towarzystwa, a pozostałe aż się palą, by wskoczyć mu do łóżka. Jest arogancki, skory do gniewu, źle wychowany, protekcjonalny i…

– …bardzo, bardzo przystojny. Niemal tak wysoki jak Justin, doskonale zbudowany i na ogół czarujący. Naprawdę nie wydaje ci się ani trochę atrakcyjny?

– Atrakcyjny? Nie mogę na niego patrzeć. Ani wyobrazić sobie, jak ojciec mógł choćby rozważać pomysł, by nas wyswatać.

Opowiedziała, jak ojciec, wicehrabia, próbował doprowadzić do zaręczyn, i powtórzyła, co Clay powiedział w salonie Orientalnym.

– Był okrutny i pełen nienawiści. – Podniosła wzrok i w jej oczach zabłysły łzy. – Najgorsze jest zaś to, iż mówił prawdę.

– Och, Kitt. – Ariel objęła przyjaciółkę. – Ojciec z pewnością cię kocha. Może sądzi, że Clay byłby dla ciebie dobrym mężem.

– Po prostu chce się mnie pozbyć, właśnie tak, jak powiedział Harcourt.

– Clay nie bywa świadomie okrutny. To do niego niepodobne. Sądząc z tego, co powiedziałaś, przedstawiłaś pomysł, że mógłby cię poślubić jako śmiechu wart. Chyba uraziłaś jego uczucia.

Kitt otarła łzy z policzków.

– Ten człowiek nie ma uczuć. Jest samolubny i... kiedy na mnie patrzy, dostrzegam w jego spojrzeniu wilczy błysk.

Ariel się roześmiała.

– Na mnie nigdy tak nie spoglądał. Chyba powinno ci to pochlebiać.

– Cóż, nie pochlebia. I z pewnością nie chcę go poślubić. Prawdę mówiąc, wolałabym w ogóle nie wychodzić za mąż.

Ariel tego nie skomentowała. Wiedziała, że prędzej czy później rodzina zmusi przyjaciółkę do zamążpójścia. Tak to już było wśród arystokracji, zresztą nie tylko. Sama stanowiła doskonały przykład tego, co może się stać, kiedy kobieta próbuje żyć na własny rachunek w świecie rządzonym przez mężczyzn.

Ta myśl ją otrzeźwiła. Była mężatką, zależną od mężczyzny, którego nie rozumiała. Co z nią będzie? Spojrzała na przyjaciółkę, która także ucichła.

Jaką przyszłość gotuje im los?

* * *

Kassandra wróciła do Londynu dwa dni później, a Clay opuścił Greville kilka godzin po niej. Ariel przyglądała się, jak odjeżdżają, miotana sprzecznymi uczuciami. Chciała spędzać czas z mężczyzną, który był teraz jej mężem, wiedziała jednak, że skoro Kitt wyjechała, nie będzie miała komu się zwierzyć. Wspomniała zatroskaną twarz przyjaciółki i jęła się zastanawiać, czy lord Stockton będzie nadal próbował wydać córkę za mąż i czy Clay Harcourt okaże się choć trochę zainteresowany poślubieniem jej. Wątpiła w to. Para nie mogła zostać sama w pokoju, by nie sprowokować kłótni.

Westchnęła. Clay poznał Kitt, ale niewiele o niej wiedział. Wydawała się rozpieszczona i krnąbrna, bez wątpienia była też zbyt samowolna. Na ogół robiła, co jej się podobało, i nikt, nawet ojciec, nie potrafił jej powstrzymać. Kilka razy o mało nie zniszczyła sobie reputacji. Nic dziwnego, że ojciec chciał wydać ją za mąż.

W głębi duszy Kassandra Wentworth była po prostu samotna i spragniona miłości. Ariel modliła się, by przyjaciółka znalazła mężczyznę, który da jej tę miłość.

Dla siebie modliła się o to samo.

Siedziała, wpatrując się w ogród za oknem przytulnego żółtego saloniku, gdy usłyszała, że ktoś nadchodzi. Odwróciła się i zobaczyła Justina.

– Tak właśnie myślałem, że cię tu znajdę. – Uśmiechał się łagodnie, lecz z jego spojrzenia nie dało się nic wyczytać.

Ariel zmusiła się, by też się uśmiechnąć.

– Zamierzałam trochę poczytać. Kitt pożyczyła mi książkę, jedną z gotyckich powieści pani Radcliffe. Chciałeś ze mną porozmawiać?

– Mam wieści. Dostałem list od babki. Knowles przekazał go Jonathanowi, a ten wsunął go pomiędzy dokumenty biznesowe, które muszę przejrzeć.

– Od twojej babki? Cudownie.

– Ma zwyczaj pisywać do mnie o tej porze roku. W Boże Narodzenie przygotowuje zwykle uroczystą kolację. Powiada, iż ma nadzieję, że będę mógł przyjechać. Nie wie jeszcze, że się ożeniłem. Napiszę do niej i podziękuję za zaproszenie.

Ariel zerwała się z sofy.

– Och, Justinie, musimy tam pojechać. Masz tak nieliczną rodzinę, a ja żadnej. Bardzo bym chciała poznać twoją babkę.

Justin spojrzał na list.

– Wybieram się do niej od kilku lat, lecz zawsze w ostatniej chwili coś mi wypada. Chyba nie czuje się przesadnie rozczarowana. Mam kilku dalszych kuzynów, którzy z pewnością ją odwiedzą. Zawsze lubiła żyć po swojemu, tylko ona i kilkoro służących, usługujących jej w sypiącym się, starym, kamiennym domiszczu.

– Kiedy ostatni raz ją widziałeś?

– Byłem jeszcze chłopcem. Posyłam jej, oczywiście, pieniądze i wymieniamy rok w rok kilka listów. Wyobrażam sobie, że musiała mocno się zestarzeć.

– Proszę, powiedz, że pojedziemy. Rodzina jest bardzo ważna, a babcia z pewnością za tobą tęskni.

Wahał się tak długo, iż uznała, że niechybnie odmówi.

– No dobrze – ustąpił jednak. – Jeśli tak ci na tym zależy, pojedziemy.

Uśmiechnęła się, uszczęśliwiona tym, że chciał ją zadowolić. Spostrzegł to i w jego pociemniałych nagle oczach pojawił się dziwny wyraz.

– Uwielbiam twój uśmiech – powiedział. – Ogrzewa mnie niczym ogień w zimie.

Ariel spojrzała na męża zaskoczona tym, że powiedział coś takiego, i urzeczona jego posępną urodą. Chciała podejść, skłonić go, aby ją pocałował, dotknął. Wiedziała jednak, że byłby to błąd.

Musiał odczytać widocznie jej myśli, gdyż jego twarz się zamknęła. Maska opadła, skrywając uczucia. Pukanie do drzwi przerwało kłopotliwą ciszę.

– Przepraszam, że przeszkadzam, milordzie – powiedział kamerdyner. – Lecz przybył pański prawnik, pan Whipple.

Justin skinął tylko głową.

– Zaprowadź go do gabinetu i powiedz, by chwilę na mnie zaczekał.

– Tak, milordzie. – Perkins wycofał się i poszedł spełnić polecenie, a Justin spojrzał na Ariel. Jego twarz nie wyrażała znów żadnych uczuć.

– Zobaczymy się przy kolacji – powiedział, kłaniając się oficjalnie. Ariel patrzyła, jak odchodzi, i czuła w żołądku przyjemne ciepło. Znów obudziła się w niej nadzieja i to ją przerażało. Im bardziej mu ufała, tym większe ponosiła ryzyko.

Zaklinała Boga na wszystko, co jej drogie, by nie okazało się, że popełnia okropny błąd.

* * *

Phillip Marlin przemierzał niecierpliwie wnętrze izdebki nad stajnią na tyłach gospody Pianie Koguta, położonej dogodnie za wsią Ewhurst, niedaleko Greville i przy drodze z Londynu. Barbara wybrała ją również uwagi na to, iż właściciel, Harley Reed, słynął z dyskrecji.

Przyjechał dwie godziny za wcześnie i był już mocno zniecierpliwiony. Podróżował z maksymalną szybkością, nakłoniony do tego treścią listu. Najchętniej od razu przystąpiłby do omawiania planów, które dopiero zaczynały się krystalizować.

Ale, co dziwne, chciał też zobaczyć Barbarę.

Lekkie kroki na schodach powiedziały mu, że nadchodzi. Podszedł do drzwi i szeroko je otworzył. Barbara wśliznęła się do pokoju, zsuwając obszyty futrem kaptur.

Przesunęła spojrzeniem zadziwiająco szarych oczu po jego twarzy. Odczuł to jak uderzenie. A gdy się uśmiechnęła, przypomniał sobie miękkość jej czerwonych ust, smak mlecznej skóry i aż zrobiło mu się gorąco.

– Barbaro… – Słowo zawisło w powietrzu, kiedy pociągnęła za troczki peleryny, zdjęła ją i przerzuciła przez oparcie krzesła. A potem była już w jego ramionach, przyciskając pełne wargi do jego zgłodniałych ust. Nie czuł się tak przy żadnej kobiecie. – Tęskniłem za tobą – powiedział, odwzajemniając namiętnie pocałunek.

– Phillip, kochanie. – Przycisnęła znów wargi do jego ust. Chciał zerwać z niej ubranie, wcisnąć ją pod siebie na wąskim łóżku w kącie i posiąść. Chciał poczuć, jak wbija mu w barki paznokcie, zatapia zęby w ramieniu, dostarczając rozkoszy zmieszanej z bólem.

– Musimy porozmawiać – wyszeptała, przesuwając językiem wzdłuż skraju jego ucha, a potem całując go znowu. – Chcę wiedzieć, jak postępują przygotowania.

Lecz Phillip nie był już w stanie słuchać. Zamiast tego popychał Barbarę przed sobą, póki nie dotknęła udami skraju łóżka. Opadła na nie, a wtedy wtoczył się na nią, zadarł spódnicę aksamitnej, rubinowej sukni i objął dłonią wzgórek. Usłyszał, jak wzdycha, ale nim zdążył wepchnąć w nią palce, powstrzymała jego dłoń.

– Jeszcze nie, skarbie – wymruczała. – Dam ci to, czego pragniesz, lecz będziesz musiał zaczekać. Wiesz, że tak będzie lepiej, prawda?

Fala gorąca zalała krocze Phillipa. Dotąd to on sprawował zawsze kontrolę, brał to, czego pragnął. Jeśli było trzeba, nawet siłą. Barbara by na to nie pozwoliła. Zamiast bezwolnie poddawać się jego woli, brała. Była piękna, egzotyczna i niemal tak bezlitosna jak on.

A także bardziej podniecająca niż którakolwiek przed nią. Gotów był zrobić wszystko, aby ją zadowolić.

– Poczyniłeś przygotowania? – spytała, schodząc z łóżka.

– Przeprowadziłem rozpoznanie i wprawiłem machinę w ruch. Gdy będzie po wszystkim, dostaniemy to, czego oboje pragniemy, i spędzimy razem resztę życia.

– Tak... – Wsunęła palce w gęste, jasne włosy Phillipa, przyciągnęła go ku sobie i zaczęła całować. – Pomóż mi się rozebrać – wyszeptała.

Posłuchał natychmiast. Przykląkł, by zdjąć pantofelki z miękkiej koźlęcej skórki. Jej stopy o wysokim podbiciu zabłysły blado w sączącym się z okna świetle księżyca. Pogładził wnętrze każdej ze stóp, a potem przesunął dłoń w górę łydki, ponad delikatną jedwabną pończochę, kończącą się tuż pod kolanem.

– Teraz podwiązki i pończochy.

Poczuł ucisk w lędźwiach. Zsunął posłusznie kremowy jedwab i niemal rozpłaszczył się na podłodze, kiedy całował palce u jej stóp. Barbara rozbierała się powoli, torturując go widokiem białego ciała.

– Może ty też się rozbierzesz? – powiedziała, gdy była już naga. Zrobił to, zrzucając pośpiesznie koszulę, bryczesy i bieliznę. Przez cały czas czuł na sobie szacujące spojrzenie twardych szarych oczu utkwionych w jego męskości. Wreszcie przeszła przez pokój i zbliżyła się do łóżka.

– Chodź do mnie. – Uśmiechnęła się, rozsunęła uda i Phillip zadrżał z oczekiwania. Rozpaczliwie pragnął znaleźć się we wnętrzu jej ciała.

– Jesteś pewien, że potrafisz to zaaranżować? – wyszeptała, pociągając go na siebie.

– Zaufaj mi. Na pewno cię nie zawiodę. – Przycisnął usta do jej obojczyka. – Nie zawiodę żadnego z nas.

Poczuł, że wsuwa mu palce we włosy.

– Wiem, kochanie. – Popchnęła delikatnie jego głowę w dół, domagając się bez słów, aby ją zadowolił. Phillip posłuchał. Czerpał przyjemność z zaspokajania jej, modląc się jednak w duchu, by nie torturowała go zbyt długo.

Wspomniał jej słowa, plan zgładzenia Greville'a i jeszcze bardziej się podniecił.

Pragnął jego śmierci bardziej nawet, niźli rozkoszy, jakiej miał zaznać wkrótce z Barbarą.

Rozdział 22

Listopad zbliżał się ku końcowi. Barbara zadziwiająco spokojnie przyjęła wiadomość, że pozostaną w Greville na święta.

– Jeśli wrócimy teraz do miasta, ludzie znów zaczną gadać – powiedział. – Nie pozwolę, by moja żona stała się obiektem złośliwych komentarzy. Za miesiąc czy dwa Clay przypomni wszystkim, jakim człowiekiem jest Horwick, Kassandra napomknie tu i tam o małżeństwie z miłości i skandal wreszcie ucichnie.

Ariel wiedziała, że przyjaciele zrobią, co tylko będą w stanie, by umożliwić jej powrót do towarzystwa. Byli oddani i lojalni. Miała nadzieję, że pewnego dnia docenią też siebie nawzajem.

Tymczasem w jej życie z Justinem zaczęło wkradać się napięcie. Nie mogła ignorować pożądania, którego nie próbował już nawet ukryć. Ujawniało się, rozpalone do białości, ilekroć na nią spoglądał. Mimo to nadal sypiali osobno.

Było to przekleństwo.

A zarazem ulga.

Trzeba wytrzymać jeszcze trochę, powtarzała sobie. Musi lepiej go zrozumieć, upewnić się, iż może mu zaufać. Będzie chroniła siebie tak długo, jak zdoła.

Tymczasem zbliżały się święta. Uznała, że już najwyższy czas przygotować prezent dla babki Justina. Gdy wrócił wieczorem z przejażdżki konnej do wsi, czekała na niego w bibliotece, wyposażona w papier i nożyczki.

– Przepraszam, że się spóźniłem – powiedział znużony, zdejmując żakiet do konnej jazdy i rzucając go na krzesło. – Mam nadzieję, że nie czekałaś z kolacją.

– Prawdę mówiąc, pomyślałam, że moglibyśmy zjeść tutaj... gdy już skończymy.

Uniósł czarne brwi.

– Skończymy... co?

Uśmiechnęła się zachęcająco.

– Profil. Obiecałeś, że pozwolisz mi się sportretować. Pomyślałam, że byłby to doskonały prezent dla twojej babki.

Twarz Justina przybrała dziwny wyraz. Ariel mogłaby przysiąc, że było to zakłopotanie.

– No, dalej – droczyła się z nim, widząc, że się waha.

– Obiecuję, że nie będzie bolało. Zgodziłeś się, bym wykonała twój miniaturowy portret i trzymam cię za słowo.

Spojrzał na świecę, którą przygotowała, na sztalugi i papier. Westchnął, zrezygnowany.

– I pewnie będę musiał zaczekać z posiłkiem, aż wygaśnie twój artystyczny zapał.

Roześmiała się.

– Chyba możemy zjeść najpierw, skoro jesteś tak zgłodniały.

Oczy Justina pociemniały.

– Z trudem żyję, tak jestem zgłodniały, Ariel – powiedział cicho. – Ale nie chodzi mi o kolację.

Ariel nie odpowiedziała, ale zrobiło jej się ciepło na sercu. Udawała, że przygotowuje przybory, by po chwili zapytać pozornie lekkim tonem:

– To jak, kolacja czy portret, milordzie?

Ani jedno, ani drugie, mówiło jego spojrzenie, mimo to podszedł z rezygnacją do krzesła, które postawiła obok świecy i usiadł z tak zbolałym wyrazem twarzy, że o mało się nie roześmiała.

– Załatwmy to – burknął. – Widzę, że zdecydowałaś się postawić w tej sprawie na swoim.

– Dokładnie tak, milordzie.

Zapaliła świecę i wzięła się do roboty, odwzorowując na papierze cień, jaki rzucał jego profil. Jutro go wytnie, tworząc szablon, który przeniesie następnie na gips, a potem pomaluje. Pewien rzemieślnik z wioski potrafił pięknie oprawiać obrazy.

Zabrała się do pracy, ignorując szelest materiału, gdy Justin wiercił się na krześle, i starając się myśleć jedynie o tym, co robi. Kiedy skończyła, przyjrzała się portretowi, podziwiając silny, męski profil. Przesuwała wzdłuż linii czubkami palców i żałowała, że nie ma odwagi zrobić tego samego z żywym obiektem.

Potrząsnęła głową, odpychając niechciane obrazy, i wróciła do pracy pewna, że babce Justina prezent się spodoba. Miała nadzieję, że starsza pani ucieszy się z odnowienia więzów z wnukiem, w duchu zaś modliła się, by dama pochwaliła wybór, jakiego dokonał, biorąc Ariel za żonę.

✳ ✳ ✳

Listopad miał się ku końcowi. Justin był żonaty od dziesięciu zaledwie dni, gdy przekazano mu list od Claya. Przyjaciel pisał, że wynikły problemy natury finansowej, związane z kopalnią, którą wspólnie kupili. Przepraszał także, iż zakłóca Justinowi spokój tak szybko po ślubie, lecz jego obecność w Londynie była nieodzowna, jeśli przedsięwzięcie miało się powieść.

Justin zaklął. Nie chciał wyjeżdżać, jeszcze nie teraz. Choć noce bez Ariel były piekłem i nawet w ciągu dnia nie opuszczało go napięcie, wierzył, iż wszystko idzie ku dobremu. Zdarzało się, że spoglądała na niego bez tego czujnego, podszytego niepewnością wyrazu, jaki gościł tak często na jej twarzy.

Zamierzał sprawić, by działo się tak coraz częściej. Zdobyć na powrót jej zaufanie, nieważne, jakim kosztem. Jednak sprawa z kopalnią była ważna. Teraz, kiedy byli z Clayem jej właścicielami, odpowiadali nie tylko za zysk, lecz i za pracujących tam ludzi. Nim sfinalizowali transakcję, Justin obejrzał wszystko dokładnie i wrócił z listą niezbędnych ulepszeń, które miały poprawić bezpieczeństwo. Roboty już się rozpoczęły i chciał, by zakończono je jak najszybciej.

Bezpieczniejsza kopalnia oznaczała mniejsze prawdopodobieństwo zawalenia się szybu i związanych z jego naprawą kosztów. Na dłuższą metę opłacało się inwestować w zabezpieczenia. Wcale nie chodziło mu o to, iż życie setek mężczyzn zależało od tego, w jakim stanie utrzymywane jest ich miejsce pracy. Wmawiał sobie, że chodzi mu jedynie o zysk, jak w każdej decyzji, którą podejmował.

Ponieważ list wydawał się naglący, polecił lokajowi, by osiodłano wierzchowca, a potem ruszył na poszukiwanie Ariel. Znalazł ją w cieplarni. Pracowała nad miniaturą, pokrywając gips warstewką połyskującego złota. Zatrzymał się przy drzwiach, by na nią spojrzeć, porozkoszować się widokiem skupienia na twarzy widocznego w ściągniętych, jaskółczych brwiach i wysuniętym leciutko języku. Wargi miała rozchylone, wilgotne i różowe jak język.

Zacisnął szczęki, powstrzymując niechciane podniecenie.

Ariel podniosła wzrok i obdarowała go czarującym uśmiechem.

– Nie słyszałam, że nadchodzisz.

Odsunął się od drzwi, uśmiechając się mimo woli.

– Pracowałaś. Wygląda na to, że dzieło gotowe.

– Prawie. Trzeba je oprawić.

Skinął głową, myśląc o podróży, którą będzie musiał odbyć, i żałując, iż nie można jej odłożyć.

– Coś wynikło i muszę pojechać na kilka dni do Londynu.

– Interesy? – Odłożyła pędzel i wytarła dłonie o fartuch zawiązany na szarej wełnianej sukni.

– Chodzi o kopalnię, którą z Clayem kupiliśmy. Musimy zdobyć kredyt na remont.

– Jak długo cię nie będzie?

– Kilka dni. Wyjeżdżam, gdy tylko się spakuję.

Na twarzy Ariel odmalowała się niepewność.

– Żałuję, że musisz jechać.

Przesunął palcem wzdłuż linii jej szczęki.

– Ja również.

Lecz musiał jechać, a im szybciej wyjedzie, tym szybciej wróci.

– Nie mogłabym pojechać z tobą?

Zastanawiał się, czy jej nie zabrać, ale gdy była przy nim, niezaspokojone pożądanie bardzo dawało mu się we znaki, poza tym drogi były błotniste, niebo zachmurzone i ponure.

– Będę podróżował szybciej, jeśli pojadę sam. Poza tym pogoda może się pogorszyć. Wolałbym, żebyś została.

Ariel odwróciła wzrok.

– Może masz rację. Nadchodzą święta. Muszę skończyć przygotowywanie prezentów.

– Odprowadzisz mnie?

Skinęła głową i przyjęła jego ramię. Odprowadziła go do wejścia, a potem zaczekała, aż wejdzie na górę i weźmie sakwojaż. Po chwili wrócił z peleryną przewieszoną przez ramię. Pomogła mu ją założyć i zawiązała pod brodą.

Objął ją dłońmi w talii i przyciągnął do siebie.

– Będę za tobą tęsknił.

– Naprawdę?

Pochylił głowę i musnął wargi Ariel ustami.

– Wrócę najszybciej, jak tylko będzie to możliwe. – Odwrócił się, wyszedł i dosiadł konia, zastanawiając się po raz pierwszy w życiu, czy aby na pewno postępuje słusznie, przedkładając interesy ponad wszystko inne. Czy chce tak właśnie żyć.

* * *

Ariel siedziała w gabinecie pochylona nad papierami. Po przyjeździe Justin zapowiedział, że gabinet ma pozostać wyłącznie do jego dyspozycji. Nie miało to znaczenia, ponieważ Barbara nie przepadała za ciemnym, wyłożonym boazerią pomieszczeniem o typowo męskim wystroju. A już najmniej interesowało ją to, co się tam działo.

Z Ariel sprawa miała się inaczej. Po kilku dniach nieobecności Justina zaczęła odczuwać dziwny niepokój. Liczne sprawozdania, propozycje inwestycyjne i księgi wymagające przejrzenia spoczywały na blacie, ułożone w wysoki stos. Pracowała z Justinem wystarczająco długo, by wiedzieć, co należy robić, a ponieważ czuła się samotna, powędrowała do gabinetu i wzięła się do pracy.

Jak zwykle, szybko pogrążyła się w niej całkowicie, traktując kolumny cyfr jak wyzwanie i dokonując w kilka minut obliczeń, które jej mężowi zajęłyby godziny.

Jej mężowi. Zaczynała dopiero myśleć o nim w ten sposób. I bardzo jej się to podobało. Od chwili ślubu Justin był silny i stanowił oparcie – jednym słowem mąż, o jakim marzyły wszystkie kobiety.

Jeśli sprawy nadal będą zmierzały w tym kierunku, być może, jak powiedziała Kitt, z czasem wszystko się ułoży.

Zabrała się do podliczania następnej kolumny cyfr, usłyszała szelest jedwabiu i spojrzała na drzwi. Barbara Townsend sunęła ku niej z wdziękiem i pełnym samozadowolenia uśmiechem.

– Cóż, odkrył widać, jaki może być z ciebie pożytek.

Ariel odłożyła pióro na srebrną podstawkę i wstała.

– A cóż to miało znaczyć?

Barbara uśmiechnęła się szerzej.

– Cóż, droga szwagierko, pobraliście się niecałe dwa tygodnie temu, a oblubieniec zwiał już do Londynu. Najwidoczniej twoje talenty nie obejmują tych niezbędnych w sypialni.

Ariel zarumieniła się po same uszy.

– Mojego męża wezwano do Londynu w interesach. Wróci za kilka dni.

– Doprawdy? – Barbara uniosła czarne brwi. Wzruszyła ramionami. – Zapewne. Dzień lub dwa spędzone z Claytonem pozwolą mu zaspokoić potrzebę odmiany przynajmniej na kilka tygodni.

Ariel zbladła gwałtownie.

– Nie wierzę ci. Chcesz tylko mu zaszkodzić. Dlaczego aż tak go nienawidzisz? Co ci zrobił?

– Co zrobił? Urodził się, to wystarczy. Jest bękartem, synem jednej z licznych dziwek mojego ojca. Już samo jego istnienie stanowi obrazę dla mnie i mojej matki. Na dodatek wykradł mojemu synowi tytuł i majątek. Nie on, lecz Thomas powinien był zostać następnym lordem Grevillem.

– I może kiedyś zostanie.

– Chcesz powiedzieć, że nie nosisz dziecka mojego brata?

– Jeszcze nie, choć mam nadzieję, że to się wkrótce zmieni.

Barbara nadal uśmiechała się złośliwie.

– Zapewne… jeśli nie będzie marnował cennego nasienia, rozsiewając go po całym Londynie.

– Pojechał tam w interesach.

Barbara się roześmiała.

– Z pewnością nie jesteś aż tak naiwna. Justin nie zadowoli się jedną kobietą. Zawsze zmieniał kochanki jak rękawiczki. Och, nie jest taki jak Clayton. Harcourtowi potrzeba tuzina różnych kobiet, by zaspokoić wybujały apetyt. Justinowi wystarczy jedna naraz. Oczywiście teraz, gdy jest żonaty, postara się być bardziej dyskretny.

– To nieprawda.

– Lepiej do tego przywyknij, moja droga. Wszyscy mężczyźni są tacy sami. Po prostu tak to już jest.

Ariel nie odpowiedziała. Dłonie jej drżały, twarz miała odrętwiałą. Barbara kłamała. Chciała jedynie ich poróżnić. Lecz kiedy spojrzała w szare oczy lady Townsend przekonała się, że szwagierka wierzy w każde wypowiedziane słowo. Była przekonana, że Justin zdradza żonę, a skoro tak mocno w to wierzyła, może naprawdę tak było.

Ogarnęła ją fala mdłości. Opadła z powrotem na krzesło.

– Wyglądasz, jakby przydała ci się filiżanka herbaty – zauważyła słodko Barbara. – Powiem Perkinsowi, by przyniósł ci naprawdę mocną. – Co powiedziawszy, ruszyła ku drzwiom, kołysząc biodrami.

Ariel spoglądała w ślad za nią, czując, jak przewraca się jej żołądek. Chciała wierzyć Justinowi, jak wierzyła kiedyś, ale, na Boga, było to takie trudne! Odkąd się pobrali, przyszedł do niej tylko raz. Wydawało się, że jej pragnie, a jednak zostawił ją i pojechał do Londynu. Nie zapomniała jeszcze okrutnych słów, jakie padły tamtego ranka w gabinecie.

Wczoraj wieczorem Clayton i ja… cóż, spędziliśmy go w doprawdy czarującym towarzystwie.

Masz na myśli… kobiety?

Przykro mi, moja droga, ale wiedziałaś, że prędzej czy później tak się stanie. Byłaś dość dobra, naprawdę, ale… mężczyzna potrzebuje odmiany.

Ariel zadrżała. *Mężczyzna potrzebuje odmiany.* Wiedziała, że tak naprawdę jest. Zmarły lord był tego najlepszym dowodem.

A kiedy po dwóch dniach Justin nadal nie wracał, uznała, że Barbara musiała mieć rację.

Nie mogła spać. Ani pracować. Opuścił ją apetyt – podobnie jak nadzieja i marzenia.

Kiedy Justin wrócił następnego wieczoru do Greville, przemoczony do suchej nitki, nie czekała na niego w holu, jak zamierzała, lecz pozostała w swojej sypialni. Nie chciała go widzieć. Bała się tego, co może wyczytać z jego twarzy.

Podobnie jak tego, iż okazała się jeszcze głupsza niż poprzednio, bo jeśli tak istotnie było, tym razem jej serca nie da się już posklejać.

* * *

Justin zdjął pelerynę i podał Perkinsowi. Kamerdyner odebrał ją, unosząc brwi, i odmaszerował z ociekającą częścią garderoby. Justin rozejrzał się po holu, mając nadzieję, że Ariel tam na niego czeka, lecz zamiast żony zobaczył biegnącego siostrzeńca.

– Wujek Justin!

Dziecko podskoczyło, a Justin je złapał, podniósł i przytrzymał w powietrzu.

– Boże, ale zrobiłeś się ciężki, gdy mnie nie było!

Thomas roześmiał się radośnie, a Justin postawił go ostrożnie na podłodze.

– Przywiozłeś mi prezent?

Justin uniósł brwi.

– A byłeś grzeczny?

Chłopczyk natychmiast spoważniał.

– Mam powiedziała, że nie. Posłała mnie do łóżka bez kolacji. – Uśmiechnął się, pokazując puste miejsce po mlecznym zębie. – Ciocia Ariel przemyciła mi pasztecik i szarlotkę, lecz nie mów mamie.

Justin ścisnął delikatnie ramiona chłopca.

– Twój sekret jest u mnie bezpieczny. – Sięgnął do kieszeni i wyjął niewielki model statku, zrobiony z tekowego drewna, z miniaturowymi żaglami z płótna i czarnym sznurkiem imitującym takielunek.

– Piękny – powiedział Thomas, dotykając z podziwem stateczku.

– Nazywa się „Mirabelle". Widzisz? Ma na burcie złoty napis.

– „Mirabelle". – Chłopczyk przesunął palcem po napisie. – Piękna nazwa. – Przycisnął statek do piersi i uśmiechnął się. – Dziękuję, wujku Justinie.

– Proszę bardzo. – Mężczyzna rozejrzał się, szukając Ariel. – Gdzie twoja ciocia? Widziałeś ją?

– Na górze w swoim pokoju. Chyba nie czuje się dobrze.

Justin spochmurniał. Zmierzwił ciemne włosy chłopca, odwrócił się ku schodom i wbiegł pośpiesznie na piętro. Zapukał krótko do drzwi pokoju Ariel i wszedł.

Siedziała przy kominku, zajęta szyciem. Odwróciła się, gdy usłyszała, że wchodzi.

– Ariel... kochanie, nic ci nie jest? Thomas powiedział, że źle się czujesz. – Podszedł i byłby wziął ją w ramiona, lecz coś w jej spojrzeniu ostrzegło go, by tego nie robił.

Ariel odłożyła ostrożnie robótkę. Spostrzegł, że jest blada.

– Ze mną wszystko w porządku. Ja tylko... nie słyszałam, że przyjechałeś.

Dlaczego zastanawiał się, czy to prawda? A jeśli nie, dlaczego Ariel kłamała?

– Pędziłem na złamanie karku. Miałem nadzieję dotrzeć wcześniej, ale wynikł następny problem i musiałem odbyć kolejne spotkanie. Na domiar złego bank nie przygotował na czas dokumentów. Mógłbym wrócić do Londynu później, ale nie chciałem znowu wyjeżdżać.

Wstała i uśmiechnęła się do niego. Nie był to wszakże uśmiech radosny, lecz pełen niepewności. W jej oczach dostrzegł cień.

– Na pewno nic ci nie jest?

– Jestem tylko odrobinę zmęczona. I chyba boli mnie głowa. Położę się wcześniej... jeśli nie masz nic przeciwko temu.

Miał. Żywił nieuzasadnioną nadzieję, że za nim tęskniła i że kiedy wróci, Ariel rzuci mu się w ramiona – bez wahania i z przekonaniem, że czyni słusznie. Na nic takiego się jednak nie zanosiło, a jeśli naprawdę była chora, powinna odpocząć i zadbać o siebie.

Zmusił się, by się uśmiechnąć.

– Odpocznij. Rano poczujesz się lepiej.

Lecz rano Ariel nadal nie była sobą i zaczął poważnie się martwić. Unikała go przez większą część dnia, a przy kolacji była tak daleka i zamknięta w sobie, że zostawił ją i poszedł do gabinetu.

Nie mógł przestać się zastanawiać, co też wydarzyło się podczas jego nieobecności. Dlaczego Ariel odsunęła się jeszcze bardziej?

Daj jej więcej czasu, nakazał sobie. Lecz w głębi duszy zaczynał nabierać przekonania, że cokolwiek do niego czuła, zbladło w końcu i się rozwiało.

* * *

Grudzień przyniósł lodowate wichry i zacinający deszcz. Chociaż pogoda nie zachęcała do wychodzenia z domu, Ariel prawie nie widywała męża. Unikała go od wyprawy do stolicy, a jemu, niestety, zdawało się to nie przeszkadzać. Z przerażeniem myślała, że Barbara miała rację i Justin pojechał do Londynu, by spotkać się z inną kobietą. Zaufanie, które zaczęło już się w niej budzić, zniknęło.

Jednakże okazji do spotkań nie dało się uniknąć. Pewnego wieczoru Barbara oznajmiła, że wydaje przyjęcie – bożonarodzeniowy wieczorek – by uczcić oficjalne rozpoczęcie sezonu. Nic ekstrawaganckiego, zapewniła, jedynie kilkoro przyjaciół.

Justin zaprotestował, jednak Barbara nalegała.

– Zaproszenia zostały rozesłane już przed kilkoma tygodniami. Nie przyszło mi do głowy, iż możesz mieć coś przeciwko temu. Urządzamy to przyjęcie co roku. To praktycznie tradycja rodzinna. – Uśmiechnęła się złośliwie. – Ale nie mogłeś przecież o tym wiedzieć, prawda? Justin zacisnął wargi, ale się nie odezwał.

– Może to i lepiej – powiedział do Ariel, kiedy Barbara wyszła. – Prędzej czy później będziemy musieli zacząć się pokazywać. Może niewielkie przyjęcie na własnym gruncie to dobry sposób, by zacząć.

Zważywszy, jak stały sprawy pomiędzy nimi, ostatnią rzeczą, na jaką miałaby ochotę, było przyjmowanie gości, lecz Justin się nie mylił. Czas było wyjść z ukrycia.

– Zapewne masz rację. Tak czy inaczej, to już za kilka dni, a skoro zaproszenia zostały rozesłane, nie mamy za bardzo wyboru.

– Dodam jednak do listy gości kilka osób, na które mogę liczyć, gdyż wiem, że są po naszej stronie.

Wyglądało więc na to, że wieczorek się odbędzie, lecz Ariel niewiele to obchodziło. Justin nadal omijał jej sypialnię. Gdyby nie sypiał z inną, z pewnością by do niej przyszedł.

W wieczór przyjęcia napięcie pomiędzy nimi było już niemal wyczuwalne.

Ariel starannie wybrała strój: suknię z wysoko umieszczoną talią, uszytą ze złotego brokatu. Była to wspaniała kreacja, a obszyty połyskującymi brylancikami, głęboki dekolt odkrywał szczyty jej piersi. Uwodzicielska toaleta, która miała dodać jej pewności siebie.

Gdy zeszła na parter, mocno zdenerwowana, przyjęcie już się rozpoczęło. Zaskoczona przekonała się, że mąż czeka u stóp schodów. Gdy ją zobaczył, przesunął spojrzeniem po sukni i upiętych wysoko, jasnych włosach, na jego twarzy pojawił się rzadko tam goszczący, czarujący uśmiech i Ariel nieco się odprężyła.

– Wyglądasz cudownie – powiedział, całując grzbiet jej dłoni. – Wszyscy mężczyźni będą mi zazdrościć.

Zaróżowiła się, choć była przekonana, że to raczej jej wszyscy będą zazdrościć. Justin, wysoki i niezwykle elegancki w szarym surducie, z wpiętą w krawatkę diamentową szpilką, wydawał się posępny i onieśmielający, a zarazem niewiarygodnie przystojny.

Uśmiechnął się i podał jej ramię, a potem ruszyli razem przez hol ku otwartym szeroko drzwiom salonu.

Chociaż Barbara zapewniała, że zaprosiła niewielu gości, nie była to prawda. Przybyły ich tłumy, w galerii przygrywała orkiestra, meble odsunięto, by stworzyć przestrzeń do tańca, zaś w pokoju obok salonu ustawiono stoliki do gry i obficie zaopatrzony bufet. Dom udekorowano barwami srebra i śmietanki, z obramowania kominków zwieszały się zielone girlandy, zaś umieszczone w srebrnych wazach kwitnące ciemierniki przesycały powietrze aromatem.

Muzyka dobiegająca z galerii mieszała się z odgłosami rozmów i napięcie wróciło. Zważywszy na skandal z Horwickiem i pośpieszne małżeństwo, Ariel nietrudno było się domyślić, że stanie się obiektem plotek i niewybrednych komentarzy. Kiedy wchodzili do salonu, jej dłoń, wsparta na ramieniu męża, drżała. Dziewczyna słyszała, jak goście szepczą, widziała, jak oceniają ją spojrzeniem.

Justin minę miał nieodgadnioną, zaciskał jednak szczęki tak mocno, że drżał mu mięsień w policzku. Ariel rozejrzała się, szukając rozpaczliwie życzliwej twarzy, żałując, że Kassandra nie mogła przyjechać. Zabronił jej tego ojciec, który obawiał się kłopotów, jakich mogłaby przysporzyć krnąbrna córka. I tym razem Kitt posłuchała.

Tymczasem podszedł do nich Clayton. Uśmiechnął się i pochylił nad dłonią Ariel.

– Wyglądasz cudownie, *milady* – powiedział z czarującym uśmiechem.

– Dziękuję, Clay. Tak się cieszę, że mogłeś przyjechać.

– Naprawdę tak myślała. Dobrze było mieć choć jednego przyjaciela w pokoju pełnym wrogów.

Clay musiał wyczuć, o czym Ariel myśli, ponieważ przysunął się bliżej i szepnął:

– Twój mąż napomknął, że przyda ci się wsparcie, przyprowadziłem więc przyjaciela. – Odwrócił się ku przystojnemu siwowłosemu mężczyźnie. Był równie wysoki jak Clay i miał takie same ciepłe, złotobrązowe oczy. – Wasza Miłość pozwoli, że przedstawię: lady Greville. *Milady*, książę Rathmore.

Dygnęła z bijącym mocno sercem. Ojciec Claya. Nie przyszłoby jej do głowy, iż książę Rathmore zechce ich wesprzeć.

– Jestem zaszczycona, Wasza Miłość.

Obdarzył ją uśmiechem wyrażającym oczywistą aprobatę.

– Cała przyjemność po mojej stronie, zapewniam. Znam dobrze męża pani i cieszę się, że ten hulaka zmądrzał wreszcie na tyle, by się ożenić – na dodatek z kobietą rzadkiej urody.

Ariel zarumieniła się lekko.

– Dziękuję.

– Spodziewam się, że zarezerwowałaś dla mnie taniec, młoda damo. Nie trząsłem się taki kawał po błotnistych drogach po to, aby dowiedzieć się, że twój karnecik jest już zapełniony.

Roześmiała się, gdyż żartobliwy ton księcia sprawił, że poczuła się swobodniej.

– Nie zrobiłabym czegoś takiego. Będę zaszczycona, mogąc z panem zatańczyć, Wasza Miłość – kiedy tylko pan zechce.

Uśmiechnął się i w jego policzku pojawił się dołek. Przypomniała sobie, że Clay ma go w podobnym miejscu. Gawędzili jeszcze przez chwilę, póki nie pojawił się znajomy księcia i go nie odciągnął.

Machinacje Claya się powiodły. Oczywista, jasno wyrażona aprobata księcia sprawiła, że atmosfera w salonie zelżała. Kilkoro innych gości – lord Foxmoor, którego Ariel poznała w Tunbridge Wells, lord i lady Oxnard i pół tuzina innych podeszli, by złożyć wyrazy uszanowania. Wyglądało na to, iż nawet lady Foxmoor wybaczyła Ariel wcześniejsze pogwałcenie zasad. Z pewnością miało to coś wspólnego z faktem, iż lorda łączyły z Justinem interesy przynoszące znaczny dochód.

Wieczór ciągnął się w nieskończoność, lecz jak na razie wszystko szło w miarę dobrze. Goście tańczyli, a kiedy orkiestra zaczęła grać walca, Justin poprowadził Ariel na zaimprowizowany parkiet.

Kiedy objął ją w talii i wykonał pełen wdzięku obrót, westchnęła zachwycona.

– Marzyłem, żeby zatańczyć z tobą walca – powiedział cicho, a Ariel miała wrażenie, że unosi się nad podłogą, tak płynne były jego ruchy.

– Naprawdę? – Poczuła muśnięcie jego uda, dotyk silnej dłoni w talii i zalała ją fala ciepła.

– I to nieraz. – Przesunął spojrzeniem po twarzy Ariel. – Wiesz, o czym zwykle marzę?

Nie potrafiła oderwać wzroku od tych zdecydowanych, wyrazistych rysów.

– O czym?

– O naszej nocy poślubnej. O tym, jak słodko smakowałaś, jak twoje ciało reagowało na pieszczoty i jak to było, znaleźć się w tobie. Marzę, by to się znów stało.

Ariel zacisnął się żołądek. Zwalczyła nagły przypływ tęsknoty. Na chwilę zgubiła jednak krok i Justin przyciągnął ją bliżej, pomagając odnaleźć rytm. Przejrzyste szare oczy wpatrywały się w nią nieubłaganie. Nie umknęło jego uwagi, że to, co powiedział, wywarło pożądany efekt.

Jak mogłoby być inaczej? Pamiętała tamtą noc równie wyraźnie, jak on.

Muzyka umilkła – za wcześnie. Justin skłonił się lekko i odsunął, a jego twarz nie wyrażała znów żadnych uczuć.

Po chwili na galerii pojawił się książę i porwał Ariel na parkiet. Odeszła, odprowadzana bacznym spojrzeniem Justina. Przez cały wieczór troskliwie się nią zajmował, trzymając z dala od Barbary, jej paskudnych aluzji i fałszywych, protekcjonalnych uśmiechów jej przyjaciół.

Może się myliłam, pomyślała Ariel. Może Barbara też się myliła.

A potem przybyli spóźnieni goście. Jedna z kobiet wyróżniała się urodą. Wysoka, o oliwkowej cerze, z wystającymi kośćmi policzkowymi i wysokimi, pełnymi piersiami przyćmiewała niskiego, siwowłosego mężczyznę, który jej towarzyszył. Była piękna i egzotyczna, a kiedy zwróciła spojrzenie obrzeżonych gęstymi rzęsami, czarnych oczu na Justina, natychmiast stało się jasne, że była kiedyś jego kochanką.

Ariel poczuła, że ściska ją w piersi. Ledwie była w stanie oddychać. Potknęła się i byłaby upadła, gdyby książę jej nie podtrzymał.

– Dobrze się pani czuje, młoda damo?

– Tak… wszystko w porządku. Jestem tylko trochę zmęczona.

Podążył spojrzeniem tam, gdzie patrzyła Ariel i zmarszczył brwi.

– Lady Eastgate. To bliska przyjaciółka szwagierki pani, lecz jestem zaskoczony, że się zjawiła.

Nie pytaj, nakazała sobie, ale i tak to zrobiła:

– Ponieważ ona i mój mąż byli kiedyś… związani?

Książę zwrócił szacujące spojrzenie na Ariel.

– Twój mąż jest mężczyzną, moja droga, nieświętym. Lady Eastgate to piękna kobieta, i wdowa. A ich… związek zakończył się na długo, zanim cię poznał.

Uśmiechnęła się sztucznie, modląc się w duchu, by była to prawda. Lecz potem dama ruszyła zdecydowanie ku

Justinowi i Ariel pomyślała, czując przeraźliwy ból w piersi, iż książę mógł się równie dobrze mylić.

Czy to z lady Eastgate Justin pojechał spotkać się w Londynie? Była elegancka, wyrafinowana i należała do kobiet, które nie przejmują się tym, że mężczyzna, którego sobie upatrzyły, właśnie się ożenił. Kiedy muzyka umilkła, Ariel przeprosiła i wyszła dyskretnie na taras. Teraz mogła okrążyć dom i wśliznąć się niepostrzeżenie – schodami dla służby – na piętro, do swej sypialni.

Idąc, rozmyślała o Justinie i pięknej, egzotycznej kobiecie. Zanim dotarła do drzwi swego pokoju, ledwie była w stanie powstrzymać się od łez.

Rozdział 23

– Lady Eastgate. – Justin pochylił się sztywno nad smukłą dłonią w długiej, białej rękawiczce. Roselyn Beresford, owdowiała markiza Eastgate, córka hiszpańskiego hrabiego oraz Angielki, była piękna, godna pożądania i przez krótki czas dzieliła z nim łoże. Lecz odkrył szybko, iż jej serce jest równie puste jak jego, i pożądanie zanikło.

– Miło cię widzieć, Justinie. – Uśmiechnęła się, poruszając ręcznie malowanym wachlarzem. – Tęskniłam za tobą przez kilka ostatnich miesięcy.

– Doprawdy? – Cóż, on z pewnością za nią nie tęsknił i było oczywiste, że utrata zaangażowania – o ile można to było nazwać zaangażowaniem – nie poszła jej w smak.

Nikt nie traktuje markizy Eastgate jak śmiecia, którego można się pozbyć! – wrzeszczała tej nocy, kiedy zakończył romans. Zagroziła zemstą i pewnie tylko dlatego przyjechała.

– Gratulacje – powiedziała, obdarzając go wymuszonym, nieszczerym uśmiechem. – Twoja siostra powiadomiła mnie, że się ożeniłeś. Chciałam złożyć wam życzenia osobiście.

– Jak miło z twojej strony – zauważył chłodno.

Uniosła brwi i rozejrzała się po salonie.

– I gdzie spłoniona oblubienica?

Justin też się rozejrzał, lecz Ariel nigdzie nie było widać. Kiedy weszła Rosalyn, tańczyła akurat z księciem. Dokąd poszła?

– Może wyszła nieco się odświeżyć. A skoro jej nie ma, z chęcią przekażę jej twoje życzenia.

– Och, ależ ja bardzo chciałabym poznać ten wzór cnót wszelakich. O ile pamiętam, twierdziłeś, że nie zamierzasz się żenić. I byłeś w tym względzie bardzo stanowczy.

Justin uśmiechnął się zimno.

– Nie znałem jeszcze wtedy Ariel.

Rosalyn uśmiechnęła się fałszywie.

– Rozumiem.

– Mam nadzieję, że rozumiesz. – Przysunął się tak, że tylko ona mogła go usłyszeć. – Żona bardzo wiele dla mnie znaczy, Rosalyn. Ostrzegam cię: jeśli zrobisz coś, co w jakikolwiek sposób wytrąci ją z równowagi, potraktuję to bardzo osobiście. A skoro wiem aż tyle o przedsięwzięciach biznesowych twojego zmarłego męża – lub raczej o jego niepowodzeniach w tym względzie – z przyjemnością szepnę słówko tam, gdzie może ci to zaszkodzić. Zrozumiałaś... *milady*?

Rosalyn zesztywniała. Jej oczy zmieniły się w kulki czystego, czarnego lodu.

– Zrozumiałam dokładnie.

– Doskonale. A teraz, jeśli mi wybaczysz... – Uśmiechnął się skąpo. – Baw się dobrze.

Rosalyn nie odpowiedziała, lecz zacisnęła pełne wargi w wąską kreskę. Justin zaś ruszył na poszukiwanie Ariel, ignorując wściekłe spojrzenie, jakim go odprowadzała, i przeklinając w duchu siostrę. Barbara zaprosiła Rosalyn, by spowodować kłopoty, i miał przeczucie, że jej się udało.

Sprawdził galerię, pokój gier i salon, lecz Ariel tam nie było. Zauważył Claya rozmawiającego z lordem i lady Oxnard i podszedł, aby zapytać, czy któreś z nich widziało jego żonę.

– Tańczyła dopiero co z moim... z Rathmore'em – powiedział Clay, spoglądając na Justina.

– Chyba widziałam kątem oka, jak wychodzi zaczerpnąć świeżego powietrza. – Lady Oxnard przyłożyła do oczu lornetkę i wyjrzała przez oszklone drzwi tarasu. – Okropnie tam zimno. Jestem pewna, że musiała już wrócić do wnętrza.

Zapewne tak właśnie było, choć chłód nie byłby w stanie jej odstraszyć, a wieczór okazał się bardzo stresujący. Justin wyszedł na taras, wprost w drobny, siąpiący deszczyk. Kamienne płytki były śliskie od wilgoci, a chłód przeniknął szybko przez ubranie. Nie dostrzegł Ariel i odwracał się właśnie, by wejść, gdy jakiś ruch w ogrodzie przyciągnął jego spojrzenie. Ruszył w tę stronę żwirowaną alejką prowadzącą do altany. Krzaki zaszeleściły i wypadł z nich bury kot gospodyni. Zwierzak wskoczył na niską kamienną ławkę, a Justin zaklął pod nosem i wszedł do domu, coraz bardziej zmartwiony.

Ani śladu Ariel. Z pewnością coś musi być nie tak, powtarzał sobie, wchodząc na piętro i zmierzając do pokoju sąsiadującego z jego sypialnią. Zapukał i wszedł, zaciskając stanowczo zęby. Nie przypuszczał, by Ariel udała się na spoczynek, skoro w domu byli goście. I rzeczywiście, stała przy oknie, dobrze widoczna w smudze księżycowego światła.

– Szukałem cię – powiedział cicho, podchodząc. – Nie sądziłem, że się tu schroniłaś. Nic ci nie jest, prawda?

– Nie, ja... – Spojrzała w dół i zauważył, że nadal ściska w dłoni karnet. I że ta dłoń drży. W mroku jej twarz wydawała się bardzo blada, a śliczne niebieskie oczy zasnute mgłą bolesnych emocji.

Ujął ją pod brodę i zmusił, aby na niego spojrzała.

– Powiedz, co się stało.

Potrząsnęła głową i spróbowała się uśmiechnąć, na próżno jednak.

– Nic się nie stało – odparła, ale jej oczy wypełniły się łzami.

Pragnął przyciągnąć ją do siebie, przytulić, jednak ubranie miał mokre od mgły i deszczu. Zmusił się, aby pozostać tam, gdzie był.

– Jesteśmy teraz małżeństwem. Jestem twoim mężem. Powiedz mi, o co chodzi.

Odwróciła się, podeszła do okna i zapatrzyła na zimowy krajobraz.

– Zobaczyłam cię z tą kobietą. Była twoją kochanką, prawda?

Zaklął w duchu.

– To było na wiele miesięcy przed tym, jak cię poznałem.

Odwróciła się ku niemu. Oczy miała pełne łez.

– Obiecałam sobie, że będę milczała... że nie zapytam. Ale nie mogę dłużej udawać. Muszę znać prawdę.

Zesztywniał, przygotowując się na najgorsze, na coś, co zrobił, nawet nie zdając sobie z tego sprawy.

– Mów.

– Gdy pojechałeś do Londynu... w interesach... czy nie był to jedynie pretekst? Nie pojechałeś, by spotkać się z inną?

Serce Justina przestało na chwilę bić.

– To cię niepokoi? Uważasz, że cię zdradziłem?

– Ja... nie wiem. Twoja siostra powiedziała, że nie zadowolisz się jedną kobietą i że wyjechałeś, bo potrzebujesz odmiany. A dziś wieczorem... gdy zobaczyłam cię z lady Eastgate... od razu wiedziałam, że była twoją kochanką. I pomyślałam, że to z nią pojechałeś się spotkać.

Pokonał dzielącą ich odległość dwoma długimi krokami i wziął Ariel w ramiona. Nie dbał już o to, że przemoczy jej suknię. Pragnął, by znała prawdę, by znowu mu uwierzyła. Musiał do tego doprowadzić, jakoś ją przekonać.

– Moja siostra to podła mała kłamczucha – powiedział z ustami wtulonymi w jej włosy. – Wiesz o tym równie dobrze, jak ja. Nie było innej kobiety. Nie chcę innej, i to od chwili, gdy cię poznałem. – Poczuł, że Ariel zadrżała, zaklął w duchu i się odsunął. – Musisz mi uwierzyć, Ariel. Jeśli nasze małżeństwo ma przetrwać, musisz dać mu szansę i mi wierzyć.

– Chciałabym – szepnęła. – Pragnę tego najbardziej na świecie.

Nie spuszczał wzroku z jej twarzy.

– Okłamałem cię raz i więcej tego nie zrobię. Nigdy. Pojechałem do miasta w interesach. Nie zabrałem cię, bo chciałem, żebyś została tutaj, gdzie jest ciepło i bezpiecznie. – Objął drżącą dłonią jej policzek. – Powiedz, że mi wierzysz.

Minęło kilka długich chwil. Wreszcie Ariel zamknęła oczy i wsunęła mu się na powrót w ramiona.

– Wierzę ci.

Wzmocnił uścisk i wsparł brodę na czubku jej głowy.

– Zaufaj mi, Ariel – wyszeptał. – Nie zawiodę cię znowu. – Boże, jak cudownie było trzymać ją w ramionach, wdychać unoszący się z jej włosów zapach bzu. – Drżysz – powiedział. – Przemoczyłem ci ubranie.

– Nieważne. – Otoczyła ramionami jego szyję. – Nic nie jest ważne, dopóki pragniesz mnie i nikogo innego.

Justin przycisnął ją do siebie.

– Pragnę cię – wyszeptał ochryple. – Zawsze pragnąłem. – Odchylił jej głowę w tył i przywarł do ust w namiętnym, zaborczym pocałunku. A kiedy rozchyliła dla niego wargi, poczuł, że ciemność wypełniająca jego duszę blednie i z wolna zanika.

– Justinie… – wyszeptała Ariel, przywierając do niego, jakby nigdy nie zamierzała go wypuścić. Pocałował ją znowu, czule, głęboko, pragnąc jej i wiedząc, że ona także go pragnie. Dłonie mu drżały, kiedy rozpinał piękną złotą suknię. Zawładnie nią, wypędzi z niej chłód ciepłem swego ciała. Zsunął suknię z ramion. Opadła na podłogę, a on wziął Ariel na ręce i zaniósł na łóżko.

– Boże, jak ja za tobą tęskniłem – wyszeptał. Po czym wycisnął na jej wargach kolejny namiętny pocałunek, na który Ariel ochoczo odpowiedziała.

Kochali się pośpiesznie, żarliwie, nadrabiając stracony czas.

Gdy było po wszystkim, przyciągnął ją do swego boku i tulił, gładząc leciutko po włosach. Wrażenia wieczoru wyczerpały ją. Zamknęła z wolna oczy i odpłynęła w sen. Jej twarz wypogodziła się, pozbywając wyrazu niepewności, która dręczyła ją od miesięcy. Chciał zobaczyć, jak ta niepewność na dobre znika. Przysiągł sobie, że do tego doprowadzi, nieważne, jak wielu starań będzie to wymagało.

Wspomniał okrucieństwo siostry, to, jak starała się posiać w duszy Ariel wątpliwość, i zacisnął szczęki. Jeśli Barbara nadal będzie sprawiała kłopoty, dopilnuje, aby musiała wyprowadzić się z Greville Hall. Gdyby nie Thomas, natychmiast kazałby się jej wynosić. Nie miał jednak serca odsyłać chłopca, pozbawiać go miejsca, gdzie czuł się bezpiecznie.

Wiedział aż za dobrze, jak to jest być przenoszonym to tu, to tam, bez rodziny i miejsca, które mógłby nazwać domem.

Mimo to nastawienie Barbary będzie musiało się zmienić. Jeśli tak się nie stanie i trzeba ją będzie odesłać, trudno. W ten czy inny sposób położy kres okrucieństwu siostry. Jeśli Barbara znowu przysporzy im kłopotów, szybko odczuje konsekwencje swoich uczynków.

Był to winien Ariel. A także, pomyślał zaskoczony, sobie.

* * *

Następnego dnia Barbara stała w urządzonym z przepychem salonie głównego apartamentu sztywna z gniewu, czekając, aż za bratem zamkną się drzwi. Gdy tylko znikł jej z widoku, zacisnęła dłonie w pięści.

– Jak on śmie! – Gniew musował jej w gardle niczym kwas. Jak śmie! Odwróciła się i pomaszerowała do stojącego w kącie biurka. Odczekała chwilę, żeby się uspokoić, drżała bowiem tak bardzo, że nie była w stanie utrzymać pióra. Nawet po kilku minutach, gdy zanurzyła je wreszcie w kałamarzu, kilka kropel atramentu spadło, plamiąc arkusz.

„Najdroższy Phillipie", zaczęła, a potem zmarszczyła brwi, skreśliła to, co napisała, i zmięła kartkę. „Mój drogi Phillipie", zaczęła jeszcze raz. W liście opisała spotkanie z bratem, to, jak Justin na nią wrzeszczał, jak groził, że wyrzuci ją z domu – domu, który powinien należeć do jej syna! – dając upust oburzeniu, świadoma, że Phillip jest jedyną osobą, która ją zrozumie i będzie jej współczuła.

Pora, by zaczął wprowadzać w życie ich plan.

Popisała się: „Z wyrazami miłości, Barbara", zapieczętowała list woskiem i zadzwoniła na lokaja. Dłonie już jej nie drżały. Gniew nie tyle płonął, co żarzył się, ukryty pod powierzchnią. Justin może sobie myśleć, że wygrał i niech tak zostanie. Ale nie potrwa to długo. Z pewnością nie.

Stawka była wysoka, ryzyko olbrzymie, ale gra wkrótce się skończy.

Nie miała cienia wątpliwości, że w końcu to ona będzie górą.

* * *

Pogoda się poprawiła. Pierwsze promienie słońca przecięły horyzont, a w rześkim, chłodnym powietrzu oddech zmieniał się parę. Gdy Justin podszedł do stajni, z cienia wysunął się młody stajenny, Michael O'Grady. Chłopak szybko przywykł do tego, że jego pan wstaje o świcie i przemierza konno wzgórza posiadłości, którą dopiero od niedawna zaczął uważać za swoją. Aż do przyjazdu z Ariel cienie przeszłości trzymały go z dala, zniechęcając do wizyt. Greville Hall było dumą i radością jego ojca, pomnikiem jego zamożności i dobrego smaku. Uczynił z rezydencji architektoniczne cacko, a odkąd zamieszkała tam jego owdowiała córka, spędzał w niej większość czasu.

Dla Justina piękny kamienny dom w zielonej dolinie Surrey uosabiał wszystko, co było drogie jego ojcu i czego mu odmówiono.

Matka Justina, córka drobnego szlachcica Williama Bedforda, mieszkała przez jakiś czas w domku położonym nieopodal. Jako chłopiec Justin spędzał całe godziny, buszując po okolicy i przyglądając się z bolesnym poczuciem straty, jak ojciec, który nie chciał go uznać, to przyjeżdża do rezydencji, to znów ją opuszcza. Choć dom należał do niego od dwóch lat, wspomnienia były, jak dotąd, zbyt bolesne.

Teraz to się zmieniło.

Napełnił płuca świeżym, chłodnym powietrzem i ścisnął lekko piętami boki wierzchowca, którego osiodłał dla niego Michael. Zwierzę było smukłe i dobrze umięśnione, a także posłuszne. Poprzedni lord znał się na koniach i w jego stajni znajdowało się sporo koni czystej krwi. W mojej stajni, poprawił się w myśli. Piękny gniadosz należał teraz do niego. Powinien wreszcie to zapamiętać.

Puścił konia w galop i zjechał ze wzgórza, kierując się ku ścieżce obrzeżonej drzewami. Zaczynał przejażdżkę zawsze tak samo: przecinając las, a potem kierując się w różne strony w zależności od tego, jaką część włości pragnął obejrzeć. Miał sobie za złe, że nie robił tego wcześniej. Przyznawał też w duchu, że to obecność Barbary sprawiała, iż trzymał się z dala od Greville Hall. Jednak jej złośliwości nie były już w stanie go zranić, a cienie przeszłości z wolna się rozwiewały, zastępowane nowymi, słodkimi wspomnieniami. Wspomnieniami chwil z Ariel. Odkąd pojawiła się w jego życiu, mrok spowijający mu duszę zaczął z wolna blednąć, zastępowany przez światło zwiastujące obiecującą przyszłość. Na samą myśl o niej w sercu wzbierała mu tęsknota tak intensywna, że niemal bolesna. To zadziwiające, jak bardzo stała się dla niego ważna, jak cieszył się powrotu do domu, gdzie będzie na niego czekała, i jak przyjemnie było po prostu zjeść z nią posiłek. Jedna noc z Ariel dostarczyła mu więcej przyjemności niż wszystkie godziny spędzone w ramionach innych kobiet razem wzięte.

Przerażało go to trochę, gdyż sądził, że w zimnej pieczarze jego serca nie ma już miejsca dla uczuć. Nie był też pewny jak sobie z nimi radzić, czy choćby je nazwać, postanowił jednak, że póki są, będzie po prostu się nimi cieszył.

Wjechał pomiędzy drzewa. Nagie gałęzie rzucały mu na twarz cienie, które wyglądały jak długie, cienkie palce. Ścieżka wiła się pomiędzy gęstymi zaroślami jeżyn, ledwie widoczna w mdłym świetle poranka. Pochylił się w bok, przejeżdżając pod oszronionymi gałęziami cisu. Igły zaszeleściły na pelerynie, kiedy otarł się o nisko zwisający konar.

Nagle szlak obniżył się lekko, a koń postawił czujnie uszy. Mięśnie jego nóg napięły się i zwierzę uskoczyło w bok.

– Spokojnie, stary. – Poklepał wierzchowca po szyi i próbował nakłonić, by poszedł dalej, lecz gniadosz postąpił jeszcze krok pomiędzy krzewy i zaczął tańczyć.

– O co chodzi? – Wałach zarżał nerwowo i Justin zerknął na krzaki, by odkryć, co aż tak przestraszyło zwierzę.

W gąszczu czaiło się trzech groźnie wyglądających mężczyzn. Nie zdążył się im przyjrzeć, gdy rozległ się strzał; poczuł ostry, palący ból w ramieniu.

Rozbójnicy, a niech to! Obrócił konia i pochylił się nad jego szyją. Zwierzę skoczyło w przód, tocząc dziko oczami, przerażone zapachem krwi.

– Bierzcie go! – zawołał jeden z mężczyzn, wybiegając z krzaków. – Nie pozwólcie gałganowi zwiać! – Kolejny wyłonił się z lasu, próbując odciąć Justinowi drogę. Justin dostrzegł go poprzez gęstwinę jeżyn i winorośli, zauważył błysk metalu. Ściągnął wodze i skierował gniadosza ostro w lewo, pomiędzy drzewa. Pistolet rozbójnika wypalił i kula świsnęła Justinowi koło ucha. Ramię pulsowało bólem. Koszula i żakiet przesiąkły krwią. Zacisnął zęby, obrócił jeszcze raz konia i skręcił znów ostro w lewo, kierując się ku słonecznemu światłu i odległym polom. Trzeci napastnik wyłonił się nie wiadomo, skąd. Wyszedł na ścieżkę i chwycił konia za uzdę. Gniadosz wspiął się na tylne nogi, zarżał rozpaczliwie i o mało nie zrzucił jeźdźca.

Justin zaklął. Koń nadal tańczył na tylnych nogach, rżąc donośnie i wymachując kopytami o włos od głowy mężczyzny. Napastnik odskoczył ze ścieżki i podniósł broń. Justin zamierzył się stopą i trafił łotra w nadgarstek. Ten krzyknął z bólu, a pistolet wypalił, nie czyniąc nikomu krzywdy. Kolejny mocny kopniak posłał rozbójnika na ziemię. Złoczyńca jęknął głucho, padając, a Justin pognał ku skrajowi lasu.

W oddali słońce prześwitywało przez gałęzie drzew. Wałach potknął się i omal nie upadł. Odzyskał jednak równowagę i pogalopował dalej. Gdy wyjechali na otwartą przestrzeń, od strony lasu dobiegł ich odgłos kolejnego wystrzału. Po kilku sekundach minęli jednak szczyt wzgórza i znikli napastnikom z widoku.

I bardzo dobrze. Justin stracił bowiem tyle krwi, że aż kręciło mu się w głowie. Nie był pewny, jak długo zdoła pozostać przytomny. Zacisnął szczęki, objął ramionami szyję konia, poluzował wodze i pozwolił, by wałach sam odnalazł drogę do domu. Stukot podków i przenikający do kości ból to było ostatnie, co zapamiętał. A potem usłyszał krzyk Ariel.

Gdy zdołał zebrać się w sobie na tyle, aby otworzyć oczy, płakała, a w zaćmionym utratą krwi umyśle Justina pojawiła się myśl, że oto znów sprawił jej ból.

Rozdział 24

Ariel zamknęła drzwi pokoju Justina i podążyła za lekarzem do holu. Zaskoczona, spostrzegła czekającą tam Barbarę. Szwagierka przemierzała niespokojnie hol i wydawała się, jak na siebie, niezbyt starannie ubrana.

– Jak poważną odniósł ranę, doktorze Marvin? – spytała, podchodząc.

– Lord Greville miał niesamowite szczęście. – Lekarz, siwowłosy mężczyzna po sześćdziesiątce, wyjął z wodniście niebieskiego oka monokl. – Kula przeszła na wylot przez ramię, nie uszkadzając kości ani mięśni, choć ranny stracił sporo krwi. Oczywiście, może wdać się zakażenie, potraktowałem jednak ranę sporą ilością odkażającego proszku i jeśli to poskutkuje, lord stanie wkrótce na nogi.

Ariel odetchnęła z ulgą.

– Bogu dzięki.

– Co się, u licha, wydarzyło? – spytała Barbara. – Był w stanie cokolwiek wyjaśnić?

– Wspomniał coś o rozbójnikach – odparła Ariel, zaskoczona troską Barbary. Może jednak tliła się w tej kobiecie iskierka miłości do brata, choćby nie wiem, jak wątła.

– Rozbójnicy? – Barbara uniosła z niedowierzaniem brwi.

– Tak – potwierdził lekarz. – Z tego, co zrozumiałem, było ich trzech. Najwidoczniej zamierzali go obrabować.

Barbara przewróciła oczami.

– Sądziłam, że tak daleko od miasta jesteśmy bezpieczni.

– Musieli go obserwować – zasugerowała Ariel. – Justin ma stałe nawyki. Nietrudno byłoby poznać jego plan dnia.

– A może po prostu się na niego natknęli i uznali, że samotny jeździec będzie stanowił łatwy łup – wtrąciła Barbara. – Powinnam bardziej pilnować Thomasa. Mogą wpaść na pomysł, by porwać go dla okupu.

– Nie musi się pani o to martwić. – Lekarz poklepał Barbarę po ramieniu, by dodać jej otuchy. – Wracając, wstąpię do biura szeryfa. Jeśli włóczędzy zostaną w okolicy, szeryf i jego ludzie szybko się z nimi uwiną.

– Dziękuję – powiedziała Ariel. – Ja też poślę słówko szeryfowi. Jestem pewna, że będzie chciał porozmawiać z mężem.

Doktor Marvin skinął głową i Ariel podziękowała mu za pomoc. Barbara odprowadziła lekarza do drzwi, a ona wróciła do sypialni Justina.

Spał, zamroczony narkotykiem, który podał mu lekarz. Mimo to nadal się martwiła. W całym swoim życiu nie czuła się bardziej przerażona niż w chwili, gdy zobaczyła, jak wnoszą go do domu. Miał zamknięte oczy i pierś pokrytą warstwą krwi. Była pewna, iż nie żyje. Ból, jaki wtedy poczuła, omal jej nie zabił.

Nie pamiętała, aby krzyczała, ale musiało tak być, Justin otworzył bowiem szare, przepełnione bólem oczy i skupił spojrzenie na jej twarzy. A kiedy leciutko się uśmiechnął, była już pewna, że żyje. Miłość wezbrała jej w piersi, zalała serce falą czułości.

Zignorowała lęk i objęła komendę nad sytuacją. Po chwili Justin leżał już w swoim pokoju, odpoczywając, a rana została oczyszczona i zabandażowana. Pozostało jedynie czekać na lekarza.

Od tamtej chwili opuściła go jedynie po to, by porozmawiać z doktorem Marvinem.

Ranek przeszedł w popołudnie, a potem zapadł wieczór. Nadeszła noc. O wschodzie słońca ocknęła się na krześle przy łóżku i z zaskoczeniem odkryła, że Justin też nie śpi.

– Ariel...? – Głos miał schrypnięty i głuchy. Po chwili przejaśniło mu się w głowie i spojrzał na nią przytomniej.

– Co, u diabła...? Nie siedziałaś tu chyba przez całą noc?

Uśmiechnęła się czule.

– Zostałeś ranny. Chciałam być pewna, że wszystko z tobą w porządku.

Zacisnął zęby, walcząc z bólem, i spróbował usiąść, więc pośpieszyła mu z pomocą. Napiął mięśnie ramienia i starał się nim poruszyć, na próżno jednak. Spojrzał na spowijający je bandaż.

– Boli jak cholera, ale nie sądzę, by rana była poważna.

– Doktor powiada, że kula przeszła na wylot, nie uszkadzając mięśni ani kości.

Skinął głową. Wyraźnie mu ulżyło.

– Skoro tak, za kilka dni będę jak nowy. Oczywiście, jeśli niemądry doktorek przestanie ogłupiać mnie swoimi miksturami.

Ariel powstrzymała śmiech.

– Musiałeś odpocząć. Doktor Marvin dopilnował, by tak się stało.

Spróbował usiąść bardziej prosto. Zacisnął z bólu zęby i Ariel zmusiła go, by się położył.

– Został pan postrzelony, *sir*. Lekarz nalega, by leżał pan spokojnie, więc będzie pan leżał.

Uniósł brew.

– Doprawdy? A kto mnie zmusi, bym słuchał zaleceń lekarza?

– Ja.

Uśmiechnął się kątem ust.

– Zatem, skoro będziesz musiała zostać w tym pokoju, by mnie pilnować, powinienem zastosować się do zaleceń.

Przyjrzała mu się sceptycznie.

– Zostaniesz w łóżku?

Opuścił gęste rzęsy, by nie odkryła, o czym myśli.

– Nie mogę sobie wyobrazić niczego bardziej pociągającego niż spędzenie kilku dni w łóżku. Z tobą.

Ariel zarumieniła się, ale nie zaprotestowała. Było oczywiste, iż Justin nie jest tak ciężko ranny, jak się obawiała. I równie oczywiste, iż zamierza wykorzystać sytuację.

Od wieczoru po przyjęciu wiele się między nimi zmieniło. Musiała podjąć wówczas trudną decyzję: czy zaufać raz jeszcze Justinowi, uwierzyć, że jest mężczyzną godnym uczucia, czy pozwolić, by mściwe machinacje Barbary zniszczyły jej życie.

Tamtej nocy spojrzała w szare oczy Justina i uwierzyła, że mówi prawdę. A skoro tak, oznaczało to, iż rzeczywiście mu na niej zależy.

Wyciągnęła rękę i odsunęła mu z czoła lok czarnych włosów. Zasnął, a we śnie jego rysy złagodniały. Gdy opuszczała powieki, widziała jego twarz w dniu, gdy został postrzelony: oczy zamknięte, śmiertelnie blada skóra, koszula na piersi przesiąknięta krwią. Rozbójnicy, powiedział. Nie było jednak sposobu, by się upewnić, kim byli napastnicy i czy nie grozi mu już niebezpieczeństwo.

Poczuła, jak po karku przebiegł jej zimny dreszcz. Próbowała przekonać samą siebie, że zachowuje się niemądrze i że Justin przypadkiem napatoczył się na bandę rabusiów, jednakże przeczucie, że wkrótce wydarzy się coś strasznego, jakoś nie chciało jej opuścić.

* * *

Szeryf John Wilmot wszedł za kamerdynerem do jednego z eleganckich salonów Greville Hall. Odkąd rozmawiał po raz ostatni z lordem, minęły cztery dni. Teraz ranny był już na nogach i tylko okazjonalny grymas zdradzał, że nadal cierpi.

Zauważył lorda, zdjął kapelusz z zagiętą w dół połową ronda i powiedział, trzymając go przed sobą:

– Przykro mi to mówić, lecz nie udało nam się wyśledzić mężczyzn, którzy na pana napadli.

Lord zacisnął szczęki, lecz skinął tylko głową. Wskazał szeryfowi krzesło przed sofą, naprzeciw ślicznej jasnowłosej żony. Spojrzała na niego zmartwiona.

– Sądzi pan, że wyjechali? – spytała.

Szeryf poruszył się niespokojnie na wyścielanym kosztownym brokatem siedzeniu. Miał nadzieję, że go nie ubrudzi.

– Byliby głupcami, gdyby tego nie zrobili. Moi ludzie przeczesują okolicę, poza tym jest jeszcze nagroda, którą pani ustanowiła.

Lord uniósł brwi.

– W jakiej wysokości?

– Cóż, trzysta gwinei, milordzie. Myślałem, że pan wie.

– Trzysta...? Boże Święty, to przecież fortuna. – Lord przyszpilił wzrokiem żonę, która wyprostowała się na sofie.

– Nie byłeś w stanie podjąć tego rodzaju decyzji, drogi panie. Poza tym, twoje życie warte jest więcej niż marne trzysta gwinei.

Zamiast wpaść w gniew, lord się uśmiechnął.

– Cieszę się, że tak uważasz, kochanie.

Spłonęła ślicznym rumieńcem i szeryf pomyślał, że lordowi dopisało szczęście, skoro poślubił kobietę, która aż tak się o niego troszczy.

– Jest pan pewien, że to byli zwykli rabusie? – zapytał.

– Na pewno nie ludzie z wioski, zatem kim innym mogliby być?

Szeryf wzruszył masywnymi ramionami. Nie był przesadnie wysoki, lecz mocno zbudowany. Miał niewielki brzuszek i zaczął już łysieć, był jednak bystry i pracowity. W hrabstwie Sussex przestępstwa zdarzały się rzadko i zamierzał utrzymać ten stan rzeczy.

– Zgadzam się, że byli to zbóje, lecz mogli zostać przez kogoś wynajęci. Ma pan wrogów, milordzie?

Greville wzruszył jedynie ramionami.

– Jestem zaangażowany w kilka przedsięwzięć biznesowych. Człowiek nie zdobywa takiej fortuny, jaką udało się zdobyć mnie, nie robiąc sobie przy okazji wrogów. Wątpię jednak, by któryś zechciał posunąć się do morderstwa.

– Proszę jeszcze się zastanowić. Zamierzali pana zabić. A przynajmniej obrabować i byli na tyle zdeterminowani, aby pozbawić pana życia.

– Druga możliwość wydaje się zdecydowanie bardziej prawdopodobna – odparł lord, odrzucając pierwszą. Widać było jednak, że coś przyszło mu do głowy. – Ci, którzy mnie zaatakowali, byli bez wątpienia rabusiami – kontynuował. – A nikt nie wie lepiej ode mnie, jak silny motyw mogą stanowić pieniądze.

Szeryf skinął po prostu głową.

– Będziemy nadal szukać i jeśli przebywają w okolicy, na pewno ich znajdziemy. – Lord wstał, sugerując, że rozmowa skończona. Szeryf też podniósł się z krzesła.

– Proszę dać mi znać, jeśli czegoś się pan dowie – powiedział lord, odprowadzając go do holu.

– Może pan na mnie liczyć. – Lokaj zamknął za nim drzwi salonu i szeryf ruszył dosiąść swego wierzchowca. Lord miał prawdopodobnie rację – rozbójnicy, zdecydowani go obrabować. Lecz wieloletnie doświadczenie i dręczące przeczucie podpowiadały mu, że Greville mógł się też mylić. Będę miał na wszystko oko, zdecydował w duchu.

Polubił lorda i jego żonę. Nie chciał, by przytrafiło się im coś złego.

* * *

– Szeryf jeszcze ich nie znalazł. – Ariel, pożegnawszy szeryfa, usiadła na sofie i zaczęła układać spódnicę w fałdy. – Martwię się, Justinie.

Widział, że tak właśnie jest. Ignorując ból, usiadł obok żony i przyciągnął ją do siebie.

– Nie ma powodu. Teraz są już zapewne daleko. – Uśmiechnął się. – Poza tym, zważywszy, jaką nagrodę zaoferowałaś, szuka ich pewnie pół hrabstwa. Nie będą w stanie pokazać się w tej okolicy.

– Wolałabym, by ich schwytano – powtórzyła uparcie.

– Domyślam się. – Musnął wargami jej usta. – Dziękuję, że tak się o mnie troszczysz.

Ariel wstała i zaczęła krążyć niespokojnie po salonie.

– Zastanawiałam się nad tym, co szeryf powiedział o wrogach. A jeśli ci mężczyźni nie byli jedynie rabusiami? Jeśli… jeśli ktoś wynajął ich, by cię zabili?

– Ktoś, czyli…?

– Nie wiem.

On także nie wiedział, choć podobne przypuszczenie przemknęło mu przez myśl. Wstał i podszedł do żony. Stała obok pianina, wystukując bezmyślnie akordy.

– To, co powiedziałem szeryfowi, było prawdą. Oczywiście, zyskałem na przestrzeni lat kilku wrogów, lecz żaden nie zyskałby niczego, zabijając mnie, i choć mogą bardzo mnie nie lubić, nie jestem po prostu wart, by tak ryzykować.

Ariel spojrzała na męża. Zaczęła coś mówić, lecz zaraz umilkła i potrząsnęła głową.

– Mów dalej. Skoro masz coś do powiedzenia, lepiej wyrzuć to z siebie.

– Jest ktoś, kto skorzystałby na twojej śmierci, i to bardzo. Twoja siostra.

Justin spochmurniał. Była to nieprzyjemna myśl, która też przyszła mu do głowy.

– Zapewne. Ale choć tak się różnimy, wolę sądzić, że nie posunęłaby się do tego, by zamordować z zimną krwią jedynego brata.

Ariel westchnęła.

– Przepraszam. To, co powiedziałam, było okropne. – Uśmiechnęła się z przymusem. – Przynajmniej rana dobrze się goi. Bałam się, że nie będziesz czuł się na tyle silny, aby pojechać w odwiedziny do babki.

– Czuję się o wiele lepiej, niż powinienem, zważywszy na okoliczności. Prawdę mówiąc, kusiło mnie, by pograć na twoim współczuciu i odwołać wyjazd, lecz obiecałem, że pojedziemy, i tak będzie. Jak praca nad portretem?

– Prawie skończona. Jutro odbiorę go od ramiarza.

– Mam nadzieję, że babcia pozna, kto na nim jest.

Obrzuciła go pełnym niedowierzania spojrzeniem.

– Nie bądź niemądry, oczywiście, że cię pozna.

Nie był tego wcale taki pewny. Nie widział jej od lat. Teraz nie był już chłopcem, ale mężczyzną. Zastanawiał się, czy kiedykolwiek o nim myśli. On rzadko to robił, choć jako chłopiec był z nią bardziej zżyty niż z matką. Pamiętał, że pachniała zawsze bzem i farbami akwarelowymi, którymi tak lubiła malować. Nie zapomniał także śliwkowych placków, które polecała piec specjalnie dla niego, wiedziała bowiem, że je uwielbia. Robili też razem świąteczne dekoracje, nawlekając na nitkę jagody, wycinając płatki śniegu z papieru i wieszając nad kominkiem starego kamiennego dworu gałązki cisu.

Tak bardzo ją wtedy kochał. Była jedyną bliską mu osobą.

Lecz czas wszystko zmienił. Ojciec wysłał go do szkoły i później rzadko ją widywał. Ciekawe, czy ucieszy się z wizyty, pomyślał i poczuł przypływ wyrzutów sumienia.

Powtarzał sobie, że przecież się o nią troszczył. Posyłał pieniądze, postępował, jak należy. Prawdopodobnie nie myślała o nim od lat.

Nie był jednak w stanie się powstrzymać, by się nie zastanawiać, czy za nim tęskni i czy już dawno nie powinien był jej odwiedzić.

* * *

Barbara nasunęła mocniej kaptur, wspinając się po stromych schodach tawerny Pianie Koguta. Powiedziała bratu, że wybiera się z wizytą do lady Oxnard, która zapadła ostatnio na zdrowiu, i cicho wyszła.

Od czasu strzelaniny tłumiła w sobie gniew i rozczarowanie, lecz one nadal tam były, tląc się tuż pod powierzchnią. Nie była też ani trochę mniej zdeterminowana.

Zapukała cicho do drzwi izby, z której korzystali poprzednio i natychmiast została wciągnięta do środka i niemal zgnieciona w uścisku Phillipa.

– Gdzie się podziewałaś? Spodziewałem się ciebie już całe godziny temu. Zamartwiałem się na śmierć.

Oswobodziła się, podeszła do kominka i roztarła zmarznięte ramiona.

– I powinieneś był się martwić. – Utkwiła wzrok w pomarańczowoczerwonych płomieniach. – Jeśli schwytają któregoś z tych ludzi, trafimy wszyscy na szubienicę. – Odwróciła się i spojrzała na niego. – Boże, Phillipie, tylko na tyle było cię stać? Żeby wynająć zbójów, niezdolnych rozprawić się we trzech z nieuzbrojonym mężczyzną?

Podszedł i zatrzymał się tuż przed nią.

– Benjamin Coolie jest zawodowcem, jednym z najlepszych. Nie da się złapać, a nawet gdyby go schwytali, prędzej zawiśnie, niż wyda swego zleceniodawcę. Inaczej zabiłby go ktoś inny. O ile nie dopadłbym go pierwszy.

– Co z pozostałymi?

– To Coolie ich wynajął. Nie wiedzą o mnie, a już na pewno o tobie.

Barbara odprężyła się nieco, ułagodzona jego zapewnieniami.

– Ta idiotka, którą poślubił, zaoferowała małą fortunę każdemu, kto pomoże schwytać napastników. Ktoś z pewnością się połakomi i ich wyda.

– Dawno wynieśli się z Sussex. Jak powiedziałem, Coolie zarabia na życie, wykonując brudną robotę. Zmieni wygląd i nikt nie pozna, że brał udział w napadzie. Zwykle nie popełnia błędów. Następnym razem...

– Nie będzie następnego razu.

– Co takiego?

– Odwołaj ich. Powiedz, że zmieniłeś zdanie. Albo cokolwiek innego, tylko się ich pozbądź.

– Myślałem, że się dogadaliśmy. Sądziłem...

Barbara uśmiechnęła się. Phillip wyglądał jak dziecko, któremu odmówiono cukierka.

– Bo się dogadaliśmy. Po prostu zrobimy to inaczej.

– Podeszła do Phillipa, objęła go za szyję i przycisnęła biust do jego klatki piersiowej. Objął dłonią jej pierś, a jego męskość natychmiast stwardniała. Popieściła go przez spodnie i członek stwardniał jeszcze bardziej.

Phillip zwilżył wargi.

– Nie powinniśmy... nie powinniśmy o tym porozmawiać?

Barbara pogładziła go delikatnie.

– Och, porozmawiamy. Pomyślałam tylko, iż może wolałbyś zająć się wpierw czymś innym, lecz jeśli wolisz rozmawiać o interesach... – Ścisnęła jego męskość delikatnie, acz stanowczo.

– Nie, ja... Możemy porozmawiać później.

Sięgnęła do guzików z przodu bryczesów i odpięła je jeden po drugim. Phillip jęknął głucho.

Spojrzała na niego i uśmiechnęła się złośliwie.

– Kiedy skończymy, kochanie, powiem ci, co zaplanowałam dla mojego najdroższego brata, wkrótce zmarłego lorda Greville.

* * *

Świąteczna kolacja z Cornelią Mae Bedford, babką Justina, miała odbyć się na trzy dni przed Bożym Narodzeniem. Ponieważ Cornelia mieszkała aż pod Reading, o cały dzień jazdy od Greville, wyruszyli wczesnym rankiem, odziani w wełniane ubrania i starannie opatuleni ciężkim futrzanym pledem zakrywającym nogi.

Justin, zdecydowany nie pozwolić, by interesy przeszkodziły mu w wyprawie, zignorował zalegający biurko stos papierów, lecz Ariel wsunęła je pod ramię i ruszyła do powozu.

– Czeka nas długa podróż. Będziemy musieli czymś się zająć. Nie mam nic przeciwko odrobinie wysiłku. Możesz przejrzeć kilka projektów biznesowych, a ja przestudiuję sprawozdania finansowe, które przesłał Clay. Po powrocie nie będzie czekało cię aż tyle pracy.

Justin uśmiechnął się z czułością.

– Większość dam uznałaby za odrażający pomysł, aby wykonywać za ich małżonków pracę.

– Lubię być przydatna. Nudzę się okropnie, gdy nie mam nic do roboty.

Wspólna praca sprawiła, że podróż rozmytymi, pełnym błota drogami minęła niepostrzeżenie. Zatrzymywali się kilka razy w gospodach, aby się ogrzać i dać odpocząć koniom, a potem wracali do powozu i do pracy. Kiedy skończyli, Ariel oparła się o siedzenie z uśmiechem satysfakcji na twarzy.

– I co ci mówiłam? Skończyliśmy i mam jeszcze czas, aby pokonać cię w remika.

Parsknął głębokim, radosnym śmiechem i Ariel pomyślała, że to najcudowniejszy dźwięk na świecie. Odkąd wróciła do jego łóżka, wydawał się odmieniony, mniej czujny. Nadzieja, jaką kiedyś żywiła, rosła z każdym dniem. Zależało mu na niej, teraz już była tego pewna. Może z czasem, jak powiedział Clay Harcourt, Justin nauczy się ją kochać.

Skończyli grę. Z początku wygrywała Ariel, potem Justin. Po ostatnim rozdaniu okazało się, że zebrał o marne trzy punkty więcej, zatem można to było uznać za remis. Roześmiali się oboje, gdy odsłonięto ostatnią kartę.

Ariel spojrzała na męża, uszczęśliwiona, że się śmieje. Nieświadomie zaczęła bawić się pierścionkiem. Znów myślała o tym, jak doskonale został dobrany, i zastanawiała się po raz kolejny, skąd Clay Harcourt wiedział, jaki klejnot będzie do niej pasował.

Przyjrzała mu się w mdłym świetle, wpadającym przez okna, podziwiając głęboki błękit szafirów i kryształową czystość diamentów.

– Uśmiechasz się – zauważył Justin cicho. – Naprawdę aż tak ci się podoba?

– Jest piękny, Justinie. Gdybym miała sama go wybrać, wyglądałby właśnie tak. Często się zastanawiam, skąd Clay wiedział, co mi się spodoba.

Justin ujął jej dłoń i spojrzał na pierścionek.

– To nie Clay go wybrał, lecz ja.

– Ty? Ale kiedy? Nie było na to czasu. Nie wyjeżdżałeś przed ślubem. Nie zdążyłbyś…

– Kupiłem pierścionek dużo wcześniej.

Ściągnęła brwi.

– Wcześniej?

– Po naszym powrocie z Tunbridge Wells. Zamierzałem poprosić cię wtedy o rękę, ale…

– Zamierzałeś się oświadczyć? – spytała, w najwyższym stopniu zaskoczona.

– Planowałem to… tak. – Nagle jego twarz przybrała znów ten znienawidzony obcy wyraz. – Lecz potem zobaczyłem, jak wchodzisz do stajni z Phillipem Marlinem.

Ariel omal nie zemdlała, uświadomiwszy sobie, co musiał czuć tamtego wieczoru Justin.

– O Boże… – Łzy napłynęły jej do oczu. Po raz pierwszy zrozumiała ogrom tego, co się wydarzyło. Justin odwrócił wzrok. Jego piękne szare oczy pociemniały na wspomnienie tamtych wydarzeń. – Zamierzałeś mnie poślubić. A tymczasem sądziłeś… sądziłeś, że cię zdradziłam. Och, Justinie. – W sekundę była już w jego ramionach i obejmowała go za szyję, a łzy spływały jej po policzkach.

Kocham cię, pomyślała. Tak bardzo cię kocham. Nie powiedziała jednak tego na głos. Bała się, że Justin nie będzie wiedział, co odpowiedzieć.

Trzymał ją mocno.

– Nie płacz – powtarzał z twarzą tuż przy jej twarzy. – Nie chciałem, żebyś płakała.

Zaczerpnęła drżącego oddechu, próbując powstrzymać płacz, zapanować nad łzami, które niemalże ją dusiły. Otarła drżącą dłonią policzki i uśmiechnęła się słabo.

– To łzy szczęścia, Justinie. Zamierałeś ożenić się ze mną, zanim cokolwiek się wydarzyło. Nim wybuchł skandal.

– Gdybyś mnie zechciała. Bóg jeden wie, że nie jestem najlepszym mężem, jakiego mogłabyś mieć, ale przyrzekam, Ariel, nie będziesz żałować. Obiecuję, że nigdy nie pożałujesz, iż za mnie wyszłaś.

Ale choć bardzo go kochała, nie była tego wcale pewna. Pragnęła, aby i on ją kochał, by zależało mu na niej tak, jak jej na nim. Nie sądziła, by mogła być naprawdę szczęśliwa, póki tak się nie stanie.

A w głębi serca nie była wcale pewna, czy to kiedykolwiek nastąpi.

Rozdział 25

– Jesteśmy, milordzie. – Stangret uśmiechnął się znużony i otworzył drzwiczki powozu. Mieli za sobą męczący dzień, zwłaszcza że o kilka godzin drogi od celu powóz wpadł w koleinę i kilka szprych się złamało. Naprawa ciągnęła się w nieskończoność, nic zatem dziwnego, że kiedy dotarli wreszcie do domu babki, zapadł już zmrok, a oni trzęśli się z zimna.

– Dziękuję, Timms. – Justin zeskoczył na ziemię. – Kuchnia jest z tyłu. Na pewno znajdziecie tam coś do jedzenia i miejsce, gdzie będziecie mogli się ogrzać. – Pomógł wysiąść Ariel i otulił ją ciaśniej peleryną. A potem objął żonę w talii i poprowadził ułożonym z płyt podjazdem ku zwieńczonym łukiem, drewnianym drzwiom.

Stary kamienny dom wyglądał tak, jak go zapamiętał, choć okiennice wydawały się bardziej zniszczone, a krzewy nadmiernie się rozrosły. Dom miał dwie kondygnacje, kilka szczytów i sześć kominów. Z okien jadalni padał słaby blask. Dało się też zauważyć migotanie płomieni w dużym kamiennym kominku.

Nagle ogarnęło go uczucie, iż wraca oto do domu, tym bardziej zaskakujące, że nie mieszkał tu od lat. Uniósł ciężką mosiężną kołatkę i zastukał kilka razy. Dźwięk, jaki wydawała, też zdał mu się znajomy. Zza drzwi dobiegł ich odgłos powolnych kroków, a potem w progu stanął uśmiechnięty kamerdyner. W pierwszej chwili Justin nie poznał chudego jak szczapa staruszka.

– To ja, Sedgwick, milordzie. Straciliśmy już nadzieję. Sądziliśmy, że zrezygnował pan z wizyty.

– Mieliśmy mały wypadek i musieliśmy naprawić koło.

– Wszedł do holu i rozejrzał się, nasłuchując dźwięku rozmów, głosów dalekiego kuzyna Maynarda i jego żony, Sarah lub Phineasa, Gerdie i piątki ich potomstwa. W domu było jednak niesamowicie cicho.

– Tędy, proszę. Na dworze jest dziś okropnie zimno. Zaraz ogrzejecie się przy ogniu.

Ruszyli za staruszkiem, który poprowadził ich korytarzem do salonu. Justin zaczynał martwić się o babkę, o to, gdzie jest i czy przypadkiem nie zachorowała.

Sedgwick domyślił się widać, co chodzi mu po głowie.

– Nie jest już młoda – powiedział. – Trudno jej się poruszać. Czeka w jadalni. Nie wie jeszcze, że państwo przyjechali.

– Gdzie moi kuzyni?

Staruszek potrząsnął głową, a jego wodniste niebieskie oczy wypełnił smutek.

– Obiecują, że przyjadą, lecz to okropnie daleko, a o tej porze roku pogoda jest na ogół paskudna. Pańska babcia zawsze ma nadzieję, lecz w końcu… – Wzruszył kościstymi ramionami. Policzki miał zapadnięte, a kiedy mówił o kobiecie, dla której pracował od ponad czterdziestu lat, w jego głosie słychać było smutek.

– Justinie? – spytała Ariel, zmartwiona. – Jak myślisz, czy babcia jest zdrowa?

– Nie wiem – odparł, czując ucisk w piersi.

Przeszli za kamerdynerem przez pokój, mijając starą sofę wypchaną końskim włosiem, którą pamiętał z dzieciństwa, z podłokietnikami osłoniętymi haftowanymi pokrowcami uszytymi przez babkę.

Zatrzymał się przy wejściu do jadalni. Stół nie był tak długi, jak zapamiętał, lecz wypolerowany do połysku, a na środku położono stroik z sosnowych gałązek, przybranych jagodami ostrokrzewu. Stół otaczało dwanaście krzeseł, z których tylko jedno było zajęte. Mimo to przed każdym ustawiono nakrycie, cenną zastawę babki: porcelanowe talerze, srebrne sztućce oraz kieliszki z delikatnie rżniętego kryształu, które dziadek podarował jej na pierwszą rocznicę ślubu. Długie białe świece pośrodku blatu z wolna się dopalały.

– Tak jest co roku – szepnął kamerdyner. – Wyjmuje swoją najlepszą zastawę, a kucharka przygotowuje specjalny posiłek. Tylko że nie ma nikogo, z kim mogłaby go zjeść.

Justin rozejrzał się po pustej jadalni i w piersi wezbrały mu dawno pogrzebane, bolesne emocje. Popatrzył na stół, zastawiony z miłością dla rodziny, której tam nie było, na pochyloną nad blatem, kruchą staruszkę i żal ścisnął go za gardło.

Na dźwięk głosu kamerdynera staruszka odwróciła się, a kiedy spostrzegła Justina, łzy popłynęły jej po zapadniętych, pomarszczonych policzkach.

– Justin...? – Zaczęła się podnosić, zadrżała i Justin ruszył natychmiast z pomocą. Ujął jej nadgarstek, zaskoczony tym, jak cienkie i delikatne stały się jej kości.

– Jestem tutaj, babciu.

Uśmiechnęła się do niego z miłością i poczuł, jak roztapia się w nim lodowa bariera. Uśmiech babki otulił jego zimne, puste serce, napełniając je ciepłem i przenosząc go znów w czasy, gdy mieszkał w tym domu i był przez kilka lat naprawdę szczęśliwy.

– Tak się cieszę – powiedziała. – Nie sądziłam, że się pojawisz.

Poczuł ból w sercu i ledwie był w stanie mówić.

– Powinienem był przyjechać wcześniej.

Uniosła pokrytą żyłami rękę i pogładziła go z czułością po policzku.

– Minęło tyle lat… Tysiące razy wyobrażałam sobie, jak wyglądasz. Dorosłeś. Tęskniłam za tym wszystkim…

za tamtymi latami – dodała. Potem uśmiechnęła się drżącymi wargami. – Ależ jesteś przystojny.

Gardło miał tak zaciśnięte, że ledwie był w stanie przełknąć. Jak mógł traktować ją tak obojętnie? Ignorować przez wszystkie te lata? Coś zakłuło go pod powiekami, a potem poczuł na rzęsach wilgoć. Nie, to niemożliwe, powiedział sobie. Przecież nigdy nie płakał. By człowiekiem zimnym i pozbawionym uczuć. Nie takim, który się wzrusza.

Chrząknął, żeby oczyścić gardło i powiedział:

– Moja żona jest tutaj, babciu. Bardzo chciała cię poznać. – I tylko dlatego przyjechał. Gdyby Ariel tak się nie upierała, teraz by go tu nie było. A babka spożyłaby kolejny świąteczny posiłek w samotności.

Na myśl o tym znowu ścisnęło go w piersi.

Tymczasem babka ujęła dłoń Ariel.

– Tak się cieszę, że mogę cię poznać, moja droga.

Nawet słaby blask świec nie był w stanie ukryć faktu, że w oczach Ariel zabłysły łzy.

– A mnie panią. Justin często o pani mówił. – Nie była to prawda, lecz twarz staruszki pojaśniała.

– Naprawdę? – Uwielbiał Ariel za to, że przyszło jej do głowy skłamać. – Bałam się, że o mnie zapomniał.

– O, nie – zaprotestowała pośpiesznie Ariel, ocierając dyskretnie łzy. – Nic podobnego.

– Nie, babciu – wykrztusił Justin. Gardło bolało go tak bardzo, że ledwie był w stanie mówić. – Jak mógłbym zapomnieć? – I nagle uświadomił sobie, że to prawda. Kochał tę drobną kobietę, która zastąpiła mu matkę. Kochał ją wtedy i kochał teraz.

Przez tyle lat ukrywał swoje uczucia, pogrzebał je tak głęboko, iż sądził, że dawno umarły. Zdystansowany, pozbawiony emocji mężczyzna, jakim się stał, nie miał z pewnością serca. Lecz teraz czuł, że bije mu w piersi, przepełnione bolesnym uczuciem, które – jak to sobie właśnie uświadomił – było miłością.

– Żona przygotowała dla ciebie prezent – powiedział.

Babcia uśmiechnęła się, uszczęśliwiona.

– Prezent? Dla mnie? Ale ja nie mam nic dla was. Nie...

– Przygotowałaś cudowną kolację i przywołałaś słodkie wspomnienia, które niemal już zblakły. To wystarczy.

Ariel podała jej portret, nad którym tak usilnie pracowała, a babcia wzięła go w drżącą dłoń.

– Może usiądziemy i będziesz mogła go otworzyć – zaproponował Justin, zauważywszy, że staruszka zaczyna tracić siły.

Odprowadził ją z powrotem do krzesła, a potem usiedli z Ariel po obu stronach. Rozwiązała ostrożnie czerwoną wstążeczkę i przesunęła z atencją dłonią wzdłuż gipsowego profilu.

– Jest piękny – powiedziała, spoglądając z sympatią na Ariel. – Taki cenny podarek. – Wstała, tym razem nieco bardziej żwawo. – Chodźcie, przyszło mi na myśl doskonałe miejsce, gdzie można go będzie powiesić.

Justin ujął babkę pod ramię i poprowadził do salonu.

– Widzicie? – Wskazała w kierunku grupy portretów wiszących na ścianie. – Namalowałam je, gdy wyjechałeś. Chciałam zapamiętać cię takim, jaki byłeś wtedy.

Kilka akwareli zdobiło ścianę salonu. Nie były idealne, ale oddawały podobieństwo w wystarczającym stopniu.

I wszystkie przedstawiały jego, Justina.

Jeśli miał jeszcze wątpliwości co do tego, czy aby na pewno posiada serce, to teraz się rozwiały, ponieważ pękło i rozpadło się na dwoje, pozostawiając palący ból w miejscu, gdzie spoczęły obie jego części.

– Wyglądasz jak ojciec, lecz twoja szczęka znamionuje upór. Odziedziczyłeś ją po matce. – Staruszka się uśmiechnęła. – Domyślam się, że umiesz postawić na swoim, zupełnie jak ona.

– Myślałem, że o mnie zapomniałaś – powiedział cicho, burkliwie.

– Byłeś synem, którego nigdy nie miałam. Myślałam o tobie codziennie od dnia, gdy cię zabrano.

Pochylił się i objął drobną staruszkę. Nie był w stanie powstrzymać łez, które popłynęły mu po policzkach.

– Teraz wszystko się zmieni, obiecuję. Możesz zamieszkać z nami. Jest mnóstwo miejsca i...

Odsunęła się nieco.

– Nonsens. Tu jest mój dom. – Pogładziła chudą, pokrytą żyłami dłonią policzek Justina. – Lecz z przyjemnością wybiorę się z wizytą... jeśli mnie zaprosisz.

Skinął głową i uśmiechnął się z trudem. Nad głową staruszki Ariel też uśmiechnęła się, wzruszona.

– Oczywiście, że cię zapraszam. Z całego serca.

– A my będziemy odwiedzali panią, gdy tylko będzie to możliwe – obiecała Ariel z oczami błyszczącymi od łez.

Wrócili w ciszy do jadalni, gdzie podano kolację: pieczoną gęś, faszerowaną nadzieniem z żurawin i orzechów, przepiórcze jajka w galarecie, turbota w sosie śmietanowym, groszek i glazurowane marchewki z imbirem. Na deser zaś placek śliwkowy na ciepło, ulubiony przysmak Justina.

Był to cudowny posiłek, spożyty w atmosferze szczęścia i miłości. Justin miał ochotę śmiać się i płakać jednocześnie. Co za niewiarygodny dzień, pomyślał, jeden z najlepszych w jego życiu. Dowiedział się o sobie czegoś, co zmieniło wszystkie jego dotychczasowe przekonania.

Pomyślał o uczuciach, które odkrył w sercu. Wiedział już, że to miłość. Prawdę mówiąc, domyślał się ich istnienia od jakiegoś czasu. Pojawiały się to tu, to tam – za każdym razem, kiedy spoglądał na Ariel, gdy jej dotykał, całował ją, patrzył, jak idzie ku niemu przez pokój.

Uczucia te były tak inne, tak przerażające, że odpychał je od siebie, nie dając im się rozwinąć. Mimo to trwały, rosnąc z każdym dniem w siłę.

Teraz wiedział już z absolutną pewnością, że jest to miłość. Odkrył, że nie jest zimnym, pozbawionym serca człowiekiem, za jakiego się uważał. Potrafił czuć. A także kochać.

I był bez pamięci zakochany w żonie.

Miał ochotę to wykrzyczeć, śmiać się głośno ze szczęścia. Albo śpiewać.

Kiedyś Ariel go tak kochała. Zrobi wszystko, by znów go tak pokochała. Nie był jeszcze pewien, jak tego dokona, lecz przysiągł sobie, że tak się stanie.

Nie podda się, póki nie osiągnie celu.

* * *

Spędzili w Reading dwa dni, a potem ruszyli w podróż powrotną do Greville. Nim wyjechali, Justin wymógł na babce obietnicę, że przyjedzie do nich na miesiąc, gdy tylko ociepli się na tyle, by podróż nie była dla niej zbyt męcząca.

Ariel nie mogła się doczekać, kiedy zobaczy znów kochaną staruszkę, chociaż nie była wcale pewna, czy będą jeszcze wówczas mieszkali w Greville. Miała nadzieję, że tak właśnie będzie. Nawet złośliwy język Barbary nie był w stanie zepsuć jej przyjemności mieszkania na wsi, z dala od hałasu i zanieczyszczeń miasta, w domu, który zdawał się promieniować ciepłem.

Podróż okazała się męcząca, choć drogi były w lepszym stanie. Jednak nim powóz zaturkotał na obrzeżonym drzewami podjeździe, dawno zapadł już zmierzch. Chmury odpłynęły i na niebie ukazał się księżyc. Thomas już spał, powiedzieli zatem Barbarze chłodne dobranoc i udali się do swoich pokojów.

– Dobrze być znowu w domu – zauważyła Ariel z westchnieniem. Stała przed lustrem, wyjmując z włosów ostatnie szpilki. – Cieszę się jednak, że pojechaliśmy.

Justin podszedł, otoczył ramieniem talię żony i pocałował ją w kark.

– Ja także.

Odwróciła się, uszczęśliwiona tym, iż może pozostać w jego objęciach.

– Pokochałam twoją babcię, Justinie. Czuję się tak, jakbym znów miała rodzinę.

– I ta rodzina zapewne wkrótce się powiększy. – Jego spojrzenie mówiło, że bardzo tego pragnie, lecz było w nim coś jeszcze, zauważyła to już w powozie. Cokolwiek to było, było słodkie i ciepłe i pomimo zmęczenia zapragnęła, by się z nią kochał.

Wsunęła zatem palce w ciemne, gęste włosy męża i przyciągnęła go ku sobie, zachęcając, aby ją pocałował. Poczuła, jak pod ubraniem tężeją mu mięśnie. Otwarła się na niego, przyjęła zaborcze pieszczoty jego języka i odprężyła się, gdy objął dłońmi jej piersi.

– Ariel... – wyszeptał, unosząc ją w ramionach.

Kochali się nieśpiesznie i czule, a potem leżeli przez jakiś czas, rozkoszując się swoją bliskością, by zapaść w końcu w pokrzepiający sen.

Późną nocą obudził ją zapach dymu. Powieki miała tak ciężkie i spuchnięte, że ledwie była w stanie je unieść. Oczy łzawiły i piekły, w głowie jej się kręciło i nie mogła zebrać myśli. Podniesienie się do pozycji siedzącej wymagało nadludzkiego niemal wysiłku.

Westchnęła, przerażona, na widok ognia pożerającego zasłony. Frędzle na skraju dywanu też się paliły, a małe języczki płomieni zmierzały powoli ku łóżku. Spojrzała zaszokowana na drzwi, lecz zobaczyła tylko ścianę ognia. Zdusiwszy krzyk absolutnego przerażenia, wyciągnęła rękę do męża. Leżał obok, pogrążony w głębokim, nienaturalnym śnie.

– Justinie! – Potrząsała nim brutalnie, szaleńczo, coraz bardziej przerażona. Serce tłukło się jej w piersi.

– Obudź się! Boże, dom się pali!

Zamrugał kilka razy, a potem uniósł z wolna opuchnięte, zaczerwienione powieki.

– Co, u diabła...? – Jęknął, a potem zakaszlał, próbując pozbyć się mgły zaciemniającej umysł. Potrząsnął głową, zauważył strach na twarzy Ariel, a potem płomienie oświetlające pokój niesamowitym, czerwonym blaskiem. – Słodki Jezu!

Stoczył się z łóżka i wstał chwiejnie na nogi. Ariel porwała drżącymi dłońmi niebieski szlafrok i założyła go. Justin wkładał właśnie bryczesy.

– Płomienie blokują drzwi – powiedziała, zrozpaczona. – Możemy wydostać się jedynie przez okno.

Justin zapinał pośpiesznie guziki, popychając ją właśnie w tę stronę.

– Zatem nie mamy innego wyjścia – powiedział, osłaniając ją własnym ciałem przed napierającą falą żaru.

Słyszeli dobiegające z holu krzyki przerażonej służby. Ludzie biegali bezładnie po korytarzu, łomocząc w drzwi pokojów.

– Pożar! – zawołał ktoś. – Dom się pali!

Ariel spojrzała na wąski występ w murze – ich jedyną drogę ucieczki.

– Nie wiem, czy dam radę...

– Na pewno. Poradzimy sobie. Nie pozwolę, by coś ci się stało.

Spojrzała na męża, dostrzegła w jego twarzy determinację i odprężyła się nieco. Mogła zaufać Justinowi, że będzie ją chronił. Wydostanie bezpiecznie z pożaru.

– Zostań tutaj – powiedział. – Zaraz wracam.

Zdusiła okrzyk przestrachu, gdy zniknął w chmurze dymu, a potem wyłonił się, kaszląc, przyciskając do ust chusteczkę i dzierżąc w dłoni laskę ze srebrną gałką, która stała zwykle w jego garderobie. Nie widziała nigdy, żeby ją nosił, i nie była w stanie wyobrazić sobie, dlaczego ryzykował, by przynieść coś tak bezużytecznego.

Wtedy nacisnął ukryty w główce guzik i z końca laski wyskoczyło czterocalowe ostrze.

– Stój spokojnie – polecił. Nie musiał tego mówić: była zbyt przerażona, żeby się ruszyć. Przyklęknął i obciął szlafrok tak, by sięgał jedynie kolan. W ten sposób łatwiej jej było się poruszać.

– Na pewno zmarzną ci stopy, ale przynajmniej się nie poślizniesz. – Ujął jej dłoń. – Ruszajmy.

Ariel wyjrzała przez okno.

– Boże, jak wysoko. – Choć ich pokoje znajdowały się na drugim piętrze, sufity salonów poniżej były tak wysokie, że równie dobrze mogli znajdować się na trzecim.

– Musimy dojść jedynie do załamania w dachu. Stamtąd będziemy mogli zeskoczyć na niższy poziom. Ogień nie sięgnął jeszcze tamtej części domu. Ktoś poda nam drabinę.

Nie było czasu się sprzeczać. Nie mieli wyboru. Justin wyszedł na parapet, a potem na występ i podał dłoń Ariel.

– Dalej, kochanie. Trzeba iść. – Zacisnęła mocno palce na jego dłoni i poszła za nim, przesuwając z wolna stopę za stopą na wąskim gzymsie. Kamień był lodowato zimny. Chłód sprawiał, że stopy niemal zupełnie jej zdrętwiały. Zerknęła na chwilę w dół, za siebie. Ziemia wydawała się oddalona o kilometry. Zakręciło jej się w głowie. Zachwiała się i Justin przycisnął ją do ściany domu.

– Na miłość boską, nie patrz w dół!

Zadrżała, przerażona. Zaczerpnęła oddechu i skinęła głową na znak, że mogą ruszać dalej. Na dole zdążono już zauważyć, co się dzieje. Usłyszeli kilka pełnych przerażenia okrzyków, a potem patrzący zamilkli, zahipnotyzowani widokiem państwa, na wpół nagich i zlodowaciałych, przesuwających się cal po calu po wąziutkim występie w murze.

Nagły trzask, któremu towarzyszył wybuch płomieni powiedział im, że ogień utorował sobie drogę przez dach nad ich pokojem. Głośny huk zwiastował zawalenie się belek. Szyba w jednym z mijanych okien pękła nagle, rozpadając się na tysiące rozżarzonych, ostrych kawałków, z których jeden wbił się Justinowi boleśnie w udo. Syknął, wyciągnął go i odrzucił. Ariel spostrzegła cieknącą po nodze męża strużkę krwi i z jej gardła dobył się cichy szloch.

– Wszystko w porządku – zapewnił ją. – Już prawie jesteśmy. Jeszcze tylko kawałek.

Zaczerpnęła drżącego oddechu, a potem ruszyli powoli dalej. Stopy miała tak zmarznięte, że nie czuła palców. Oby zdołała się zorientować, kiedy jej stopa zsunie się z występu.

Tymczasem Justin dotarł już do załamania w dachu.

– Będę musiał puścić twoją rękę i zeskoczyć. Nie ruszaj się, póki ci nie powiem.

Ariel skinęła głową. Justin puścił ją, zeskoczył na niższą część dachu i wyciągnął ręce.

– Twoja kolej, skarbie.

– Zacisnął palce mocno wokół jej dłoni. Przygotowała się, by skoczyć, potknęła i głośno krzyknęła, kiedy poczuła na policzkach muśnięcie lodowatego wiatru. Przerażona, zacisnęła powieki, przekonana, iż wyląduje zaraz na ziemi jako sterta połamanych kości.

A potem była już w jego ramionach, przytulona do mocnej piersi.

– Mam cię – wyszeptał. – Nie pozwolę ci spaść. – Drżał na całym ciele. Czuła dreszcze wstrząsające smukłym ciałem męża.

Przywarła do niego, walcząc ze łzami, świadoma tego, jak blisko znalazła się śmierci i że zawdzięcza Justinowi życie. Pocałował ją szybko, żarliwie.

– Jeszcze tylko kawałeczek. Za kilka minut będziemy na dole.

Spojrzała na niego, pomyślała, jak bardzo go kocha, i uśmiechnęła się słabo.

– Ruszajmy.

Poprowadził ją z dala od płomieni, wzdłuż dachu nad cieplarnią, powoli, trzymając tak mocno, że nie byłaby w stanie się uwolnić nawet, gdyby chciała. Drabina już na nich czekała, przystawiona przez jednego z lokajów, który odgadł widać zamiary państwa. Wkrótce znaleźli się bezpiecznie na ziemi.

Gdy tylko stopy Ariel dotknęły gruntu, Justin porwał ją w ramiona.

– Nie waż się nigdy więcej tak mnie przerazić. – Zanurzył twarz w jej włosach i przycisnął do siebie tak mocno, że ledwie była w stanie oddychać.

Zaśmiała się niepewnie, drżąc z szoku i ulgi.

– Postaram się.

Podbiegło do nich kilkoro służących, w tym Silvie.

– Tak się martwiliśmy, *milady*.

Otuliła panią ciepłym, wełnianym kocem, a inna podała jej buty, wzięte nie wiadomo, skąd.

– Zaczęliśmy ustawiać ludzi z wiadrami, milordzie – powiedział jeden z lokajów. – Chociaż nie jestem pewien, czy zda się to na wiele.

Podbiegł Michael O'Flaherty, niosąc parę wysokich butów do konnej jazdy.

– Pańskie buty – powiedział. – Przyniosłem je ze stajni.

– Dziękuję.

Ktoś podał Justinowi koszulę. Założył ją na nagą pierś.

– Wszyscy zdążyli opuścić dom? – Rozejrzał się dookoła. – Gdzie moja siostra i chłopiec?

– Widziałem, jak jej lordowska mość wychodziła frontowymi drzwiami, milordzie – odparła jedna z pokojówek, wskazując kierunek. – Zapewne nadal jest przed domem. Nie widziałam jednak Thomasa.

Justin zacisnął szczęki.

– Zostańcie tutaj. Muszę ich znaleźć.

– Poszukam pani Whitelawn, niani Thomasa – powiedziała Ariel, walcząc ze strachem. – Może mały jest z nią.

Justin skinął głową i ruszył w kierunku bocznej ściany domu. Zatrzymał się na chwilę, by porozmawiać z Friedą Kimble, pokojówką siostry. Kobieta potrząsała głową, machając jak szalona w kierunku domu. Ariel przyglądała się temu z rosnącym przerażeniem.

Justin nie zawahał się ani chwili. Po prostu się odwrócił i zaczął biec – z powrotem w płomienie.

Natychmiast otoczył go czarny dym, szczypiąc w oczy, zatykając płuca, niemal uniemożliwiając oddychanie.

Przycisnął do nosa rękaw koszuli i pochylił się nisko, próbując poruszać się poniżej gęstniejącej chmury duszących oparów. Thomas i Barbara byli gdzieś w domu, tak przynajmniej sądziła pokojówka siostry, być może uwięzieni w sypialni chłopca na trzecim piętrze.

Odwrócił się i spojrzał na schody wiodące na piętro. Pożar wybuchł w zachodnim skrzydle i nie sięgnął jeszcze głównej części domu, lecz pokój Thomasa znajdował się w płonącym skrzydle. Jeśli chłopiec i jego matka nadal tam byli... Modlił się, żeby Frieda Kimble nie miała racji.

Uzbroił się wewnętrznie i ruszył ku schodom. Zdążył pokonać zaledwie kilka stopni, kiedy usłyszał za sobą odgłos kroków. Znajomy męski głos zatrzymał go tam, gdzie stał.

– Nie musisz iść na piętro. Twojej siostrze nic nie grozi, a chłopak jest z nianią. – Justin spojrzał na Phillipa Marlina i na wycelowany w siebie pistolet.

– Nie pamiętam, abym zapraszał cię na to przyjęcie – zauważył chłodno, gdy Marlin nakazał mu gestem uzbrojonej dłoni, by zszedł.

– Mamy sprawy do obgadania – Marlin uśmiechnął się paskudnie. – Najlepiej w gabinecie.

Justin zszedł ze schodów i ruszył korytarzem do gabinetu, ponaglany wciskającą się w żebra lufą pistoletu. Gabinet znajdował się na parterze zachodniego skrzydła. Widział szalejące płomienie, słyszał krzyki ludzi opróżniających kolejne wiadra wody, by uratować dom.

Phillip wskazał drzwi do gabinetu. Justin otworzył je i wszedł. Ogień jeszcze na dobre tu nie dotarł. Paliły się tylko zasłony i skrawek dywanu. Czuł jednak gorąco i zakaszlał, kiedy płuca wypełnił mu dym wznoszący się wzdłuż ścian ku sufitowi.

Marlin uśmiechnął się lekko.

– Nie jesteś w stanie wyobrazić sobie, jak na to czekałem.

Justin zacisnął szczęki.

– Och, przeciwnie, jestem. Twoim zbirom nie udało się mnie zabić. Jeśli chcesz, by coś zostało zrobione jak należy, zrób to sam, prawda?

– Rzeczywiście. – Odciągnął kurek pistoletu. – Co za smutna historia. Lord Greville zginął w straszliwym pożarze, który zniszczył dom. Próbował ocalić małego siostrzeńca, któremu, co za ironia, nic nie groziło.

Justin przyjrzał się broni: był to pistolet pojedynkowy, jeden z pary wiszącej zwykle nad kominkiem w którymś z salonów. Jeden strzał. Gdyby zdołał podejść bliżej Marlina, mógłby jakoś go zablokować. Przysunął się o krok, a potem jeszcze o jeden. Marlin zdawał się tego nie zauważać. Justin napiął mięśnie i przygotował się do skoku.

Nagle drzwi otwarły się szeroko i weszła jego siostra.

Napięte mięśnie Justina chwycił skurcz. Barbara uśmiechnęła się do Phillipa i poczuł, jak wywraca mu się żołądek.

– Witaj, drogi bracie. Ponieważ nie okazałeś się na tyle uprzejmy, by umrzeć w swoim pokoju, zaczekaliśmy na ciebie tutaj.

Potrząsnął ze smutkiem głową.

– Do licha, miałem nadzieję, że nie jesteś w to zamieszana.

Barbara uśmiechnęła się ze złośliwym triumfem.

– Jak mogłabym nie być? Próbowałeś ukraść to, co powinno należeć do mnie. Musiałam coś zrobić.

– A dom? Myślałem, że to miejsce wiele dla ciebie znaczy.

– Gdy już usunę cię z drogi, będę miała dosyć pieniędzy, żeby zbudować tuzin domów takich jak Greville. – Zerknęła na Phillipa. – Myślę, że czekaliśmy już dość długo. Baw się dobrze, kochanie.

Pełen samozadowolenia uśmiech Phillipa i niezachwiana pewność, z jaką dzierżył broń, sprawiły, że Justinowi ciarki przebiegły po plecach. Płomienie strzelały i wybuchały. Coś ciężkiego zwaliło się na podłogę nad ich głowami. Palec Phillipa zacisnął się na spuście i Justin skoczył.

Broń wystrzeliła w tej samej chwili, gdy uderzył w Marlina. Wystrzał odbił się echem w zamkniętej przestrzeni, a obaj mężczyźni upadli. Justin poczuł w boku palący ból. Padając, uderzył mocno głową o kant biurka. Próbował walczyć z zaciemniającą umysł mgłą, na próżno jednak. Świat zaczął blednąć i spadła na niego ciemność, pozbawiając świadomości.

* * *

Phillip zrzucił z siebie bezwładne ciało Justina. Wstał, przeklinając pod nosem, i otrzepał ubranie. Przycisnąwszy delikatnie do nosa obszytą koronką chusteczkę, zakaszlał, krztusząc się dymem wypełniającym pokój.

– Zrobione. Fortuna Greville'a należy teraz do twego syna. To znaczy do nas, gdy tylko się pobierzemy. – Wyciągnął ramiona, ale Barbara się odsunęła.

Dopiero teraz zauważył, że trzyma ukryty w fałdach spódnicy pistolet z rękojeścią z kości słoniowej. Uniosła broń i wycelowała ją w jego pierś.

– Co ty, u diabła, wyczyniasz?

– Mężczyźni są tacy głupi, Phillipie. A ty jesteś większym głupcem, niż się spodziewałam. Naprawdę sądziłeś, że za ciebie wyjdę? – Zaśmiała się gorzko. – I że podoba mi się to wszystko, co ze mną robiłeś? Nie zamierzam poślubić ani ciebie, ani nikogo innego – teraz ani nigdy.

– Nie wiesz, co mówisz – powiedział Phillip, oszołomiony.

– Doprawdy? Jesteś taki, jak mój ojciec i wszyscy inni mężczyźni. Gotowi zrobić z siebie głupca, by dobrać się do kobiety i zawsze myślący jedynie o sobie.

Twarz Phillipa poczerwieniała z gniewu.

– Ty kłamliwa, zdradziecka dziwko… – Postąpił krok w jej stronę, lecz dłoń Barbary zacisnęła się mocniej wokół rękojeści. Zatrzymał się tam, gdzie stał.

– Jestem wdzięczna ojcu za jedno: obserwując go z jego dziwkami, nauczyłam się, jak kobieta może posłużyć się ciałem, by dostać wszystko, czego pragnie. Dziękuję ci, Phillipie, że tak mi to ułatwiłeś…

Phillip warknął i rzucił się ku niej. Barbara pociągnęła za spust. Przez chwilę po prostu stał, zaszokowany i pełen niedowierzania. Potem oczy wywróciły mu się w oczodołach i runął z otwartymi ustami na podłogę, wpatrzony niewidzącym wzrokiem w sufit.

Barbara rozejrzała się dookoła i zobaczyła, że płomienie liżą już ściany. Nagle od sufitu oderwał się kawał tynku i upadł niemal tuż u jej stóp. Dym i płomienie wypełniły pokój. Kaszląc, spojrzała na dwie spoczywające bez ruchu postaci i uśmiechnęła się, a potem odwróciła i wyszła.

* * *

Justin, który to odzyskiwał, to tracił przytomność, jęknął na dźwięk zamykających się drzwi. W głowie mu huczało. Z rany na nodze sączyła się krew. Bok pulsował i palił, jakby użądliło go tysiąc szerszeni. Zaczerpnął przesyconego dymem powietrza, zakaszlał ponownie i ukląkł. Dotknął rany w boku i poczuł na palcach krew. Lecz ołowiana kula musnęła zapewne tylko żebro. Nie sądził, by rana była poważna.

To już drugi raz siostrze nie udało się go zabić.

Zaklął cicho, wulgarnie. Zacisnął zęby, wstał i ruszył chwiejnie ku drzwiom. Barbara chciała, by umarł. Przysiągł sobie, że nie dopuści, by spróbowała pozbawić go życia po raz kolejny.

* * *

Płomienie strzeliły wyżej w ciemne nocne niebo. Ariel, nieprzytomna ze strachu o Justina i chłopca, którego nikt nie potrafił znaleźć, zauważyła wybiegającą z domu Barbarę. Podbiegła do szwagierki, chwyciła ją za ramię i obróciła.

– Gdzie Justin? Widziałaś go? Wszedł do domu, by poszukać ciebie i Thomasa, i już nie wyszedł.

– Thomas jest z nianią.

– Niestety, nie. Pani Whitelawn wariuje ze zmartwienia. Rozdzielono ich w całym tym zamieszaniu i od tego czasu nikt chłopca nie widział.

Twarz Barbary przybrała kolor popiołu.

– Boże, Thomas jest pewnie nadal w domu. Musimy go znaleźć! Boże, musimy go ocalić! – Odwróciła się i pobiegła z powrotem do wejścia, a Ariel za nią. Barbara otwarła drzwi i wpadły obie do holu. Dym był już tak gęsty, nie prawie nie dało się oddychać. Ogień wydostał się z zachodniego skrzydła. Jeszcze chwila i płomienie ogarną cały dom.

– Thomas! – krzyknęła Barbara. – Gdzie jesteś?

– Justin! – Ariel pobiegła ku schodom. – Słyszysz mnie?

Pokonały błyskawicznie schody i próbowały pobiec korytarzem w kierunku zachodniego skrzydła, lecz ściana ognia blokowała drogę.

– Schodami dla służby! – krzyknęła Ariel. Odwróciła się i zaczęła biec. Barbara pośpieszyła za nią. – Justinie! Odezwij się! – krzyknęła. – Thomas, słyszysz mnie? – Lecz odpowiedział im jedynie ryk płomieni i brzęk rozpryskującego się szkła.

– Dalej! Musimy się pośpieszyć! – Barbara dobiegła do tylnej klatki schodowej, a Ariel za nią. Modląc się w duchu, aby wystarczyło jej odwagi, zaczęła wspinać się wąskimi schodami. Niemal dotarły już na trzecie piętro, gdy stało się najgorsze. Ariel usłyszała huk, a po nim okropny trzask pękającego drewna. Barbara krzyknęła. Ariel patrzyła, przerażona i bezradna, jak schody przed nią znikają, przywalone spadającym gruzem.

Krzyk uwiązł jej w gardle, kiedy następne belki opadły trzy piętra w dół, wprost na rozciągnięte pod nimi ciało. Boże święty! Niemożliwe, aby Barbara to przeżyła. Jeszcze chwila i reszta klatki schodowej też się zawali.

Ignorując drżenie kolan i szalone bicie serca, schodziła ostrożnie schodami, póki nie dotarła na drugie piętro. Dym unosił się z parteru, nie pozwalając swobodnie oddychać. Zakaszlała, próbując zaczerpnąć rozpaczliwie powietrza.

Spojrzała w górę. Barbara nie żyła, lecz co z Thomasem? Jeśli został na górze, nie było sposobu, by go ocalić. *Błagam cię, Panie, pozwól mi znaleźć chłopca!* Jednak modlitwa zdawała się daremna. Boże, gdzie Justin? Czy utknął z malcem na górze? Na tę myśl serce zamarło jej w piersi. Nie pozwoliła sobie jednak, by w to uwierzyć. Zapewne obaj wydostali się z domu i są bezpieczni.

Modląc się, aby była to prawda, ruszyła korytarzem drugiego piętra, kierując się ku środkowej części domu, która nie zajęła się jeszcze ogniem. Wydawało się to najbezpieczniejsze. Wypierając z myśli uparty obraz Barbary przygniecionej płonącymi belkami, pobiegła korytarzem ku schodom. Niemal już przy nich była, gdy usłyszała cichy płacz, a właściwie zduszony szloch pełen przerażenia.

Boże, ktoś był jeszcze w domu! Zawróciła, kasząc, ignorując duszący dym i szczypanie oczu.

– To ty, Thomasie? – zawołała. – Gdzie jesteś? Proszę, muszę wiedzieć, gdzie się schowałeś! – Spróbowała otworzyć jedne drzwi, lecz szybko je zamknęła, stanąwszy przed ścianą płomieni. Następne były tak gorące, że nie dało się dotknąć klamki. – Błagam, kimkolwiek jesteś, musimy wydostać się z domu!

Gdzieś za nią zaskrzypiały, a potem lekko się uchyliły drzwi do schowka na bieliznę. W szczelinie ukazała się mokra od łez i brudna od sadzy dziecięca buzia.

– Thomas!

Chłopiec podczołgał się ku Ariel, drżąc z szoku. Wstał, wyciągnął ręce i przywarł do niej niczym przerażone zwierzątko.

– Ja... boję się, ciociu Ariel. Bardzo się boję. – Kaszel wstrząsnął jego drobnym ciałem, uniemożliwiając mówienie.

– Już wszystko dobrze, Thomasie. – Ariel także zaczęła kaszleć. – Jakoś się stąd wydostaniemy. – Wsunęła palce w ciemne włosy chłopca, uścisnęła go przelotnie, chwyciła za rękę i pociągnęła za sobą.

Dym gęstniał, utrudniając oddychanie. Cała pokryta była sadzą i zaczynało kręcić jej się w głowie. Pochyleni, dotarli do klatki schodowej akurat w chwili, gdy Justin wytoczył się z zachodniego skrzydła i wpadł do holu.

– Justinie! – krzyknęła, ale z jej ust dobył się jedynie skrzek. Mimo to Justin usłyszał.

– Ariel! Na miłość boską!

Ciągnąc za sobą Thomasa, zeszła po marmurowych schodach, próbując zaczerpnąć choć odrobinę powietrza, a potem runęła w przód. Ostatnie, co zapamiętała, to był dziecięcy głosik wykrzykujący jej imię.

Chociaż koszula i bryczesy przesiąkły mu krwią, a oczy łzawiły tak, że ledwie był w stanie widzieć, zataczając się, ruszył ku schodom, gdzie u podnóża leżała bezwładnie Ariel. Thomas pobiegł do niego, wołając:

– To ciocia Ariel! Coś jej się stało! – Węzeł w żołądku Justina zacisnął się jeszcze mocniej.

Czy była ranna? Poparzona? I czy w ogóle żyła? Ukląkł obok niej z gardłem wyschniętym ze strachu. Usłyszał chrapliwy oddech i trochę się odprężył. Podniósł Ariel, skrzywił się, gdy zabolało go w boku i ruszył chwiejnie ku wyjściu. Chłopiec otworzył drzwi i wytoczyli się obaj w noc i chłodne, czyste powietrze.

Justin zaczerpnął go chciwie, wykaszlał dym i przez chwilę głęboko oddychał. A potem oddalił się na bezpieczną odległość i położył ostrożnie Ariel na trawie.

Jakaś kobieta biegła ku nim, wykrzykując głośno imię Thomasa. Szlochając z ulgi, niania, bo była to właśnie ona, chwyciła swego podopiecznego w ramiona.

– Bogu dzięki! – westchnęła.

– Przestraszył się, ale poza tym wszystko z nim w porządku.

Skinęła głową, gładząc ciemne loki chłopca. A potem zobaczyła leżącą bezwładnie Ariel i jej twarz gwałtownie pobladła.

– Czy ona... czy jej lordowska mość...?

Justin zacisnął szczęki.

– Nadal oddycha. Powiedz któremuś z lokajów, by posłał po lekarza. I niech się pośpieszy! – Pani Whitelawn odbiegła z cennym ciężarem w ramionach, kierując się ku stajniom, gdzie zgromadziła się reszta służby, a on zaczął badać Ariel, by sprawdzić, czy nie jest poparzona.

Bok pulsował mu bólem, a rana w nodze szczypała, lecz nawet tego nie czuł. Troska o Ariel wyparła wszelkie inne odczucia. Nie znalazł żadnej rany, mimo to nie odzyskała przytomności. Potrząsnął nią delikatnie, przemawiając z czułością.

– Ariel, ukochana… proszę… – A jeśli odniosła obrażenia wewnętrzne i stała teraz na krawędzi życia i śmierci? – Proszę, obudź się. Potrzebuję cię – wyszeptał. – Proszę, nie opuszczaj mnie. – Ujął jej lodowatą dłoń i przycisnął do ust smukłe, miękkie palce. – Kocham cię. Tak bardzo cię kocham.

Siedział z opuszczoną głową i piekącymi od łez oczami, żałując, że nie powiedział żonie wcześniej, co czuje.

– Justinie...? – Jej głos popłynął ku niemu przez noc, głębszy niż zazwyczaj i nieco ochrypły od dymu. Otworzył oczy i zobaczył, że wyciąga ku niemu ręce. Położyła mu delikatnie dłoń na policzku. – Tak bardzo się bałam... bałam się, że zginiesz.

– Jesteś ranna? Gdzie cię boli?

Potrząsnęła głową.

– Wszystko w porządku. To tylko ten dym... Zakręciło mi się w głowie...

Zalała go fala ulgi. Ariel była bezpieczna, zdrowa i należała do niego. Pochylił się i wycisnął na jej wargach czuły pocałunek, a potem musnął ustami szyję. – Kocham cię, Ariel – powiedział. – Tak bardzo cię kocham.

Poczuł, że Ariel drży. Łza spłynęła jej po policzku.

– Słyszałam cię już wcześniej, lecz bałam się uwierzyć. Nie sądziłam, że mówisz poważnie.

Przesunął palcem wzdłuż linii jej brody.

– Mówiłem. Nigdy nie byłem tak poważny. Kocham cię, i to od bardzo dawna.

– Och, Justinie, ja także cię kocham. Nigdy nie przestałam. Próbowałam, ale nie byłam w stanie. I nigdy nie będę.

Justin wzdrygnął się. Ulga, zmieszana z radością przepełniła mu serce. Jak to możliwe, by kogoś takiego jak on mogło spotkać tyle szczęścia?

Pomógł Ariel wstać, a gdy się zachwiała, natychmiast ją podtrzymał.

– W porządku?

Ujęła jego twarz w dłonie.

– Jak najbardziej. Póki wiem, że mnie kochasz, wszystko zawsze będzie w porządku.

Pochylił głowę i pocałował żonę. Trzymał ją w ramionach, zakrwawiony i obolały i wiedział, że Ariel ma rację. Nic innego nie miało znaczenia. Wszystko było absolutnie doskonałe.

Rozdział 26

Coś zimnego i mokrego skropiło mu twarz, a potem spłynęło w dół szyi. Spojrzał w niebo i uświadomił sobie, że pada.

– Bogu dzięki! – wyszeptała Ariel, odchylając w tył głowę, by deszcz mógł obmyć jej umorusaną sadzą twarz. Trwali tak przez chwilę, odzyskując siły i modląc się w duchu. A potem Ariel spojrzała na dom i jej twarz przybrała wyraz cierpienia, a w oczach zabłysły łzy.

– O co chodzi? – zapytał miękko, odwracając ku sobie jej twarz.

– O Barbarę. Twoja siostra sądziła, że Thomas jest z nianią, lecz tak nie było. Nie wyszedłeś z domu. Wróciłyśmy, by was poszukać. Ogień blokował dostęp na trzecie piętro, próbowałyśmy więc go okrążyć i dostać się na górę schodami dla służby. Już prawie tam dotarłyśmy, kiedy… – Głos się jej załamał, a po policzkach spłynęły łzy. – Schody nagle się zawaliły. Barbara szła przede mną. Runęła w dół z trzeciego piętra i przygniotły ją belki spadające z sufitu. Boże, Justinie, tak mi przykro!

Przytulił żonę, przyciskając jej głowę do ramienia i głaszcząc po włosach.

– Wszystko w porządku, kochanie. Czasami los decyduje, co dla kogoś najlepsze. Powiadają, że pomsta należy do Boga. Może w ten sposób Bóg ukarał Barbarę za jej grzechy.

– Ja... nie rozumiem.

Zamiast odpowiedzieć, pociągnął ją za sobą ku stajniom, gdzie mogli schronić się przed zimnem i deszczem. Dopiero teraz spostrzegła, że koszulę ma mokrą od krwi.

– Boże, jesteś ranny!

Zatrzymał się pod okapem dachu stajni.

– Phillip Marlin i moja siostra podłożyli ogień. To oni próbowali mnie zabić.

– Och, Justinie, to okropne. – Zacisnęła palce wokół jego dłoni. – Jak poważnie jesteś ranny?

– Na szczęście Marlin nie był najlepszym strzelcem. Kula musnęła jedynie żebro. Boli jak diabli, ale to nic poważnego. Phillip nie żyje. Barbara go zastrzeliła.

– Lecz skoro współdziałali, dlaczego to zrobiła?

– Przypuszczam, że głównie z chciwości. – Opowiedział jej, co zapamiętał z rozmowy w gabinecie, kiedy to tracił, to odzyskiwał przytomność. Wystarczyło, by się dowiedzieć, jak okropną rolę odegrała jego siostra w tragedii, która mogła kosztować ich życie.

Ariel spojrzała na Justina.

– Thomas nie może się dowiedzieć.

– Nie. Nigdy.

– Z czasem ból zelżeje. A my się nim zaopiekujemy.

Justin pochylił głowę i pocałował żonę, myśląc o tym, jak bardzo ją kocha, zadowolony, że wreszcie jej to powiedział. Weszli do stajni, gdzie Silvie i Perkins otulili ich ciepłymi wełnianymi pledami.

– Wygląda na to, że Bóg się nad nami zlitował – powiedział stary kamerdyner. – Deszcz ugasi ogień. Większa część domu ocaleje.

– Tak. Może za kilka godzin, jeśli nie przestanie padać, damy radę schronić się we wschodnim skrzydle. Będzie tam pełno dymu, lecz także łóżka, będziemy też mogli ogrzać się i osuszyć.

Perkins rozejrzał się dookoła.

– A gdzie lady Haywood, milordzie?

Justin potrząsnął tylko głową.

– Och, Boże. – Staruszek odszedł, aby przekazać innym tragiczną wiadomość, a Silvie podeszła do nich z naręczem prowizorycznych bandaży, zrobionych z podartych prześcieradeł. Usiedli na stogu siana i Ariel oczyściła rany męża wodą, którą ktoś przyniósł ze strumienia. Zabandażowała rozcięcie na udzie i owinęła ciasno bandażem uszkodzone żebro.

Kiedy zostali wreszcie sami, oparli się, mokrzy i brudni od sadzy, o kamienną ścianę.

Justin ujął dłoń Ariel i podniósł do ust. Spojrzał na znużoną, pokrytą smugami brudu twarz żony i pomyślał, jak bardzo ją kocha.

– Byłem przerażony, gdy zobaczyłem, że leżysz u stóp schodów. Gdyby coś ci się stało...

– Justinie...

Dotknął jej policzka, musnął czubkami palców usta.

– Nie sądziłem, że będę w stanie kogoś pokochać. Nie wiedziałem, jak się to robi. Lecz kiedy byliśmy u babki... uświadomiłem sobie, że cię kocham, i to od bardzo dawna.

Oczy Ariel zabłysły znowu od łez.

– Tak bardzo cię kocham.

Przyciągnął ją do siebie, przepełniony wdzięcznością i szczęściem. Jego modlitwy odniosły skutek i Ariel go kochała. Przywarli do siebie na stercie siana, wsłuchując się w szum deszczu, obserwując, jak pomarańczowe płomienie z wolna przygasają, a z ruin zachodniego skrzydła unoszą się wstęgi dymu.

– Odbudujemy je – powiedział. – Uczynimy Greville naszym domem i wychowamy tu dzieci.

Ariel obdarzyła go ciepłym, delikatnym uśmiechem, za którym tęsknił tak długo.

– Bardzo bym chciała.

Pochylił głowę i znowu pocałował żonę.

– Kocham panią, lady Greville. – Tym razem słowa popłynęły same i wydawały się tak słuszne, tak prawdziwe. – Kocham.

Dni osamotnienia minęły. Miał teraz rodzinę: babkę, która go wychowała i nigdy o nim nie zapomniała, dziecko, które go potrzebowało, i żonę, która go kochała. Serce, o którym nie wiedział, że je w ogóle ma, mocno zabiło mu w piersi.

Mokry, brudny, zmarznięty, spojrzał raz jeszcze na pogorzelisko, w jakie obróciła się znaczna część jego domu, i zrozumiał po raz pierwszy w życiu, jak to jest – czuć się absolutnie szczęśliwym.

Polecamy także inne książki Kat Martin:

Aksamitna Velvet

Tajemnice nocy

Grzeszna obietnica

Zuchwały anioł